国家出版基金项目
NATIONAL PUBLICATION FOUNDATION

◎"十二五"国家重点图书出版规划项目

◎湖南省社科基金重大委托项目

近代湖湘文化研究丛书

近代湖湘文化精神及其当代价值

郑大华◎主编　邵　华◎著

CNS PUBLISHING & MEDIA | 岳麓書社·长沙

序

湖湘文化源远流长，博大精深，是中华文化中独具地域特色的重要一脉。但在近代以前，它的影响主要在学术方面，即表现为作为宋明理学内部一个流派的“湖湘学派”的形成，而对湖南的社会、政治、经济和大众生活影响不大，更不用说对中国的社会、政治、经济的影响了，与同时代的其他一些地域文化比较不具有典型性。进入近代后，湖湘文化异军突起，大放光彩，不仅深刻地影响着湖南社会的各个方面，而且对中国近代历史进程起过重要的推动作用。近代湖南是湘军的故乡，是戊戌变法、辛亥革命和大革命的中心地区，产生过一大批对中国近代历史有重大影响的人物。著名历史学家谭其骧在《湖南人由来考》中就曾指出：“清季以来，湖南人才辈出，功业之盛，举世无出其右。”从魏源提出“师夷长技以制夷”的主张，到曾国藩、左宗棠举办洋务运动；从谭嗣同、唐才常献身维新变法，到黄兴、宋教仁引领辛亥革命风骚；从蔡锷首举反袁护国义旗，到毛泽东、蔡和森宣传马克思主义和创立中华人民共和国……在近代中国的每一个重要历史时期，近代湖湘文化及其主体近代湖南人都起到了“开风气之先”或“中流砥柱”的作用。尤其是近代湖湘文化所形成的那种忧国忧民、实事求是、通变求新、兼容并蓄、敢为人先、勇于奋斗、不怕牺牲的精神，激励着一代又一代的近代湖南人为民族独立、社会进步、人民解放而上下求索，为我们留下了十分宝贵的精神遗产。改革开放后湖湘文化研究的开创者、著名历史学家林增平在《近代湖湘文化试探》一文中写道："1840 年鸦片战争前的漫长的古代，在湖南没有出现过几桩足以影响全国局势的大事；属于湖南籍的名人，寥若晨星。而跨入近代（1840 年后），就迥然不同，在诸如太平天国起义、戊戌变法、辛亥革命等重大事变中，湖南所产生的反映，着实引人瞩目；且人才辈出，为人们所称道，延续至现代，更呈现出鼎盛的局势。"（《历史研究》1988 年第 4 期）

自 20 世纪八九十年代以来，随着文化热的兴起，地域文化研究已越来越为学术界所重视。因为地域文化是整个中国文化的组成部分，它和中国文化之间存在着一种部分与整体、个别与一般、特殊与普遍的关系，我们要深入研究中国文化，发掘中国文化宝贵价值，继承中国文化优良传统，就必须对地域文化进行深入全面的研究，地域文化研究得越深入，越扎实，整个中国文化的研究就越能丰富多彩。同时，在中国文化内部之所以会形成不同的地域文化，是由于各地区的人文地理环境和历史传统的不同决定的，各具特色的地域文化已成为地域经济社会全面发展不可或缺的重要推动力。因此，加强地域文化研究，有利于对不同地域之特殊性的认识，从而为党和政府制定符合本地区区情的经济、文化、社会政策、开发和利用本地区的文化、旅游资源提供科学依据。

作为一种地域文化，近代湖湘文化是中国近代文化的重要组成部分，加上它在近代中外古今文化的冲突与交融中又处于承接南北、融会东西的位置，在地域文化研究中的地位非常重要。早在民国时期，钱基博、谭其骧等人就探讨过湖湘文化在近代异军突起、大放光彩的原因。从 20 世纪八九十年代开始，越来越多的学者，特别是湘籍学者先后投入到对近代湖湘文化的研究之中，出版和发表了一大批研究成果。据初步统计，从 1990 年到 2015 年的 25 年间，关于近代湖湘文化研究的论文在 300 篇左右，如林增平的《近代湖湘文化试探》、饶怀民的《近代湖湘文化的源流、结构及其特征》、茅海建的《也谈近代湖湘文化》、周跃云的《近代湖湘文化与湖南地理》、郭汉民的《近代湖湘文化的爱国传统》、王继平的《论湘军与晚清湖湘文化》、麻天祥和吴仰湘的《传统学术的递嬗与近代湖湘文化的崛起》、许顺富的《论湖湘文化对湖南早期现代化的负面影响》《近代湖湘文化与西方文化的冲突和融合》、唐浩明的《湖湘文化及其当代价值》、谭长富和康化夷的《湖湘文化的反思》、易永卿的《湖湘文化对湖南无产阶级人才群体的影响》、户华为的《湖湘文化及其特征与历史定位》、刘云波的《江浙文化与湖湘文化比较论》、朱汉民的《湖湘文化与中国文化》等。相关的论著有彭大成的《湖湘文化与毛泽东》《魏源与西学东渐——中国走向近代化的艰难历程》《中西冲突融合中的近代湖湘文化——从近代走向现代的历史抉择》、朱汉民和陈谷嘉的《湖湘学派源流》、张伟然的《湖南历史文化地理研究》、王兴国和聂荣华主编的《湖湘文化纵横谈》、郑焱的《近代湖湘文化概论》、刘泱泱的《近代湖南社会变迁》、陶用舒的《近代湖南人才群体研究》、湖南师范大学文学院编的《湖湘文化论集》（上、下）、周秋光主编的《湖湘文化宏观研究》、王立新的《开创时期的湖湘学派》、朱汉民主编的五卷本《湖湘文化通史》等。学位论文有曾汉业的《湖湘文化新探》、杨铮铮的《王夫之与湖湘文化的近代转换》、肖高华的《曾国藩文化思想与中国近代化》、刘鹤的《贺长龄经世思想研究》、李陵的《唐鉴与晚清理学"复兴"》等。回顾过去，展望未来，如何在认真总结已有成果的基础上，进一步深化近代湖湘文化研究，这是学者们面临的共同任务。2004 年 3 月 9 日，我曾应约在《光明日报·理论版》的"史学专栏"发表了一篇《如何深化近代湖湘文化研究》的文章，我在文中写道：

作为一种区域文化，如同近代岭南文化、江浙文化等一样，近代湖湘文化也是近代中国文化的重要组成部分。因此，我们要进一步深化近代湖湘文化的研究，首先就必须把它放在近代中国文化这一大背景中加以考察，以厘清它与近代中国文化的互动关系，亦即近代中国文化的变动、转型与发展是怎样影响和制约近代湖湘文化的变动、转型与发展的，近代湖湘文化的变动、转型与发展又对近代中国文化的变动、转型与发展产生了什么影响。检视已有研究成果，大多是就近代湖湘文化论近代湖湘文化，很少涉及近代湖湘文化与近代中国文化的关系问题。因而，在评价近代湖湘文化的历史地位和作用时，往往不是拔高，就是贬低，很难实事求是。

近代中国文化的变动、转型与发展对近代湖湘文化的影响和制约主要表现在以下几个方面：第一，影响和制约着近代湖湘文化的发展历程。依据文化的性质及其表现形态，这一时期的近代中国文化大致经历了三个发展阶段，即资产阶级新文化的萌发或准备阶段（从 1840 年的鸦片战争到 1895 年的中日甲午战争）、资产阶级新文化的形成和发展阶段（从 1895 年的甲午战争到 1919 年的五四运动）、无产阶级新文化的形成和发展阶段（从 1919 年的五四运动到 1949 年中华人民共和国的成立）。近代湖湘文化也同样经历过这样三个发展阶段。第二，影响和制约着近代湖湘文化的结构变化。近代中国文化的结构变化首先是文化构成的变化，即从 1840 年鸦片战争以前单一的封建主义文化变成包括封建主义文化、帝国主义文化、资产阶级新文化和无产阶级新文化等多种不同性质的文化并存的半殖民地半封建文化，其中封建主义文化与帝国主义文化结成同盟，反对资产阶级新文化（五四运动前）和无产阶级新文化（五四运动后），而资产阶级新文化（五四运动前）和无产阶级新文化（五四运动后）在与封建主义文化和帝国主义文化的斗争中不断发展壮大，并最终成为中国文化发展的方向。近代湖湘文化也同样发生了这种结构变化。第三，影响和制约着近代湖湘文化的形成和内容。近代中国文化是在中西文化的冲突与融合过程中、在新旧文化的斗争与调适过程中形成的，实现民族独立（救亡图存）和社会进步（科学与民主）始终是近代中国文化的追求目标和主要内容。近代湖湘文化的形成和主要内容也不外于此。至于近代湖湘文化的变动、转型与发展对于近代中国文化的影响，可以用“丰富”和“推动”两词加以概括。作为对近代中国政治、思想及其他领域产生过重要影响的区域文化，近代湖湘文化不仅以它不同于其他区域文化的特色使近代中国文化更加丰富多彩，而且对推动近代中国文化的发展做出过巨大的不可磨灭的贡献，在近代中国的每一个重要历史时期，近代湖湘文化及其载体近代湖南人都起到“开风气之先”或“中流砥柱”的作用。

其次，在加强对近代湖湘文化与近代中国文化互动关系研究的基础上，还要加强与诸如岭南文化、江浙文化、三秦文化、齐鲁文化、中原文化、巴蜀文化等区域文化的比较研究，只有通过与其他区域文化的比较，我们才能对近代湖湘文化在近代中国文化中的地位和作用有更清楚的认识，也才能更准确地把握近代湖湘文化的特征。比如，已有的研究成果几乎无一例外地把经世致用和爱国主义作为近代湖湘文化的主要特征，这就值得商榷。因为所谓特征，是唯我独有、别人所无的东西。如果人人都有，又怎能称为特征呢？以经世致用而论，它是中国儒家文化的精华，是历代知识分子一以贯之的优良传统和价值取向。不仅近代湖南的知识分子如此，近代其他地方的知识分子也是如此，比如嘉（庆）道（光）年间，湖南的陶澍、贺长龄、魏源等人主张经世致用，并形成了一个被人们称之为“嘉道经世派”的人才群体，同样浙江的龚自珍、安徽的包世臣和姚莹、福建的林则徐、山西的徐继畬、江西的黄爵滋等人也都主张经世致用。既然经世致用不是近代湖湘文化所独有的东西，它也就不能成为近代湖湘文化的特征。当然湖湘文化因各种历史和学术的原因，有的时候经世致用可能比其他地方表现得要更强烈一些。至于把爱国主义说成是近代湖湘文化的特征，那就更失之毫厘、差之千里了。因为爱国主义是近代中国文化的时代旋律，近代湖南人爱国，其他地方的人也一样爱国。中国近代史上涌现出一大批著名的爱国人士，湖南人只占其中的一部分。如果说爱国主义是近代湖湘文化的特征，那么它也应该是岭南文化、江浙文化或其他区域文化的特征。我认为真正能称之为近代湖湘文化特征的，是从古代湖湘文化继承下来并加以发扬光大的那种敢为天下先、“无所依傍，浩然独往”、勇于奋斗、不怕牺牲的“特别独立之根性”，也就是民间通俗所说的“吃得苦，霸得蛮，扎硬寨，打死仗”的精神。早在20世纪初，革命志士杨毓麟在《新湖南》中就写道：“（湖湘文化）其岸异之处，颇能自振于他省之外。自濂溪周氏师心独往，以一人之意识，经纬成一学说，遂为两宋道学不祧之祖。胜国以来，船山王氏以其坚贞刻苦之身，进退宋儒，自立宗主；当时阳明学说遍天下，而湘学独奋自异焉。自是学子被服其成俗。……道咸之间，举世以谈洋务为耻，而魏默深首治之；湘阴郭嵩焘远袭船山，近接魏氏，其谈海外政艺时措之宜，能发人之所未见，冒不韪而勿惜。至于直接船山之精神者，尤莫如谭嗣同。无所依傍，浩然独往，不知宇宙之圻埒，何论世法！其爱同胞而惎仇虐，时时迸发于脑筋而不能自已，是何也？曰：独立之根性使然也。”1920年1月，陈独秀在《新青年》上发表的一篇题为《欢迎湖南人底精神》的文章也指出：“湖南人底精神是什么？‘若道中华国果亡，除非湖南人尽死。’无论杨度为人如何，却不能以人废言。湖南人这种奋斗精神，却不是杨度说大话，确实可以拿历史证明的。二百几十年的王船山先生，是何等艰苦奋斗的学者！几十年前的曾国藩、罗泽南等一班人，是何等‘扎硬寨’、‘打死战’的书生！黄克强历尽艰难，带一旅湖南兵，在汉阳抵挡清军大队人马；蔡松坡带着病率领子弹不足的两千云南兵，和十万袁军打死战，他们是何等坚忍不拔的军人！……我们欢迎湖南人底精神，是欢迎他们的奋斗精神，欢迎他们奋斗造桥的精神。”近代湖湘文化的这种敢为天下先、“无所依傍，浩然独往”、勇于奋斗、不怕牺牲的“特别独立之根性”，正如杨毓麟所说的那样，“其岸异之处，颇能自振于他省之外”。这才是近代湖湘文化的特征。我们在比较湖湘文化与其他区域文化的异同时，应重点加强与近代岭南文化和江浙文化的比较，因为在中国近代史上，这三个区域都曾涌现出许多有着举足轻重影响的著名人物,都对近代中国文化的发展做出过巨大贡献。

此外，还应加强对近代湖湘文化形成和发展之社会原因的研究。众所周知，在古代的绝大多数时期内，湖湘文化平淡无奇，没有什么影响力。但进入近代后，尤其是太平天国运动发生后，湖湘文化则突然一跃而起，“一鸣惊人”，成为近代中国文化中一枝光彩夺目的奇葩。个中原因，值得认真研究。已有学者在这方面做了一些开拓性工作，如有的学者提出古代湖湘文化的影响，特别是船山思想的影响，是近代湖湘文化形成和发展的重要原因；有的学者通过对元末明初、明末清初两次大移民所带来的湖南乡俗民风变化的分析，认为移民的作用对于近代湖湘文化的形成和发展有着非常重要的意义；有的学者则着眼于湖南的地理位置，认为湖南是中西新旧两种文化氛围犬牙交错的“锋面”，近代湖湘文化就是在这种冲突与交融的文化和政治斗争中形成与发展起来的。上述观点虽然都不失为一家之言，但我认为除这些原因外，近代湖湘文化形成和发展的最主要或根本的原因，恐怕还要到近代湖南的社会存在中去寻找，到时代与传统的冲击所形成的历史机遇中去寻找。因为古代湖湘文化的影响，并非始于近代，更确切地说，并非始于太平天国运动的爆发，为何此前湖湘文化没有

“一鸣惊人”？元末明初、明末清初的两次大移民，也非仅仅发生在湖南，不少省份都发生过，比如清初那次，就是“湖广填四川，江西填湖南”，但为何其他省份没有形成类似于导致近代湖湘文化形成和发展的乡俗民风？近代与湖南地理位置相近的还有湖北、河南、江西，它们都地处中南，是近代中西新旧文化冲突与交融较为激烈的地区，为何这些省份的近代文化不像近代湖湘文化那样地位显赫？实际上近代湖湘文化突然一跃而起的转折是曾国藩湘军的兴起。在此之前虽然有陶澍、贺长龄、魏源等人倡导经世实学，但他们成名和发生影响都是在东南地区，与近代湖湘文化的形成和发展有关系，关系不是很大。湘军为何能兴起？它有哪些偶然性与必然性？湘军的兴起引起了近代湖南社会的哪些变动？这些变动与近代湖湘文化的形成和发展究竟存在着一种什么样的关系？我曾多次向一些湘籍学者建议，希望他们能运用社会学与历史学相结合的方法，认真研究一下湘军兴起前（嘉、道年间）后（咸、同、光年间）湖南人口结构、经济结构、阶级结构、政权结构、知识结构、土地占有关系、乡俗民风、士人意识等方面的变化，从中找出近代湖湘文化兴起和发展的原因。但遗憾的是，迄今为止，还没有看到这方面有分量的论著或论文。

要进一步深化湖湘文化研究，还必须加强合作。首先是各学科间的合作。因为近代湖湘文化涉及历史、经济、政治、社会、教育、文学、军事、民风习俗、士人心理等多方面的内容，只有各学科合作，进行跨学科、多学科的研究，才能联合攻关，取得成效。但就目前的状况来看，这一问题尚未引起学者们的重视。其次是各研究单位的合作。湖南不少大学都设有湖湘文化研究机构，但各研究机构之间的联系还很不够。这不利于发挥湖南研究湖湘文化的整体优势，希望有关方面能做一些协调工作。总之，我希望在不久的将来，近代湖湘文化的研究能取得更大更多的成果，能在中国近代区域文化的研究中占有与其所匹配的重要的地位。

以上就是我在《如何深化近代湖湘文化研究》一文中提出的主要观点。本丛书就是依据上述观点，同时加入后来的一些思考和朋友的建议而构架起来的。它主要由五本独立成篇的著作组成：(一)《地域文化理论视域下的湖湘文化研究》;(二)《近代湖湘文化与近代中国历史进程》;(三)《近代湖湘文化与近代湘籍人才群体》;(四)《近代湖湘文化转型中的民俗文化》;(五)《近代湖湘文化精神及其当代价值》。本来计划中还有一本《近代湖湘文化与中国近代其他区域文化的比较》，但由于没有找到合适的作者，而只好割爱,这不能不说是一个遗憾。我希望本丛书如有再版的机会，争取不再留下这一遗憾。

顾名思义,《地域文化理论视域下的湖湘文化研究》主要研究地域文化理论下湖湘文化研究的理论问题，探索湖湘文化研究的理论与方法，阐释围绕地域文化理论视野下湖湘文化研究主要内容、基本特征和历史变迁，以及近代湖湘文化研究所涉及的一些重大理论。它包括以下几个方面的主要内容：(一)地域与地域文化的定义、对象、内容和范围问题。从历史学、文化地理学、文化学等学科角度对地域与地域文化进行研究界定，回答什么是地域和地域文化的问题。具体包括：1. 地域文化作为一种文化类型存在的学术合理性及范围的确定；2. 地域和地域文化的历史的、地理的和文化的划分依据;3. 地方、地域和地域文化三者的关系;4. 地域文化研究的意义。(二)地域文化研究的基本理论与方法问题。对文化地理学、文化史学和文化人类学等不同学科关于地域文化研究理论与方法进行认真系统地梳理，总结和提升其对"地域文化"的认识和思想的成果，寻找这些地域文化研究的主要理论流派对湖湘文化研究的理论与方法的启示。(三)湖湘文化研究的理论视角和方法问题。探讨在地域文化的多维理论视野下湖湘文化研究的理论视角和依据，并在一些重要问题上形成新的理论认识。具体包括：湖湘文化的地域历史建构，湖湘文化"多源一流"与"多元一体"的历史过程与文化机制，湖湘文化的内部与外部文化关系，湖湘文化的结构与功能，湖湘文化的文化形态学特征，湖湘文化的地位和作用以及湖湘文化的历史变迁等。就研究方法而言，除历史学的方法外，还应该采用文化学、社会学、民族学、民俗学、人类学等其他学科的研究方法，走进历史现场，把田野调查与文献考证结合起来，把通史文献与民间文献结合起来。（四）近代湖湘文化研究所涉及的一些重大理论问题，如湖湘文化的近代转型，近代湖湘文化中的精英文化与大众文化，近代湖湘文化创新与发展的动力，近代湖湘文化与近代中国文化、近代外来文化和近代地域文化的关系，近代湖湘文化的历史地位和评价等。

《近代湖湘文化与近代中国历史进程》主要研究近代湖湘文化与近代中国历史进程的互动关系，揭示近代湖湘文化在近代中国历史进程中的作用。具体而言，（一）从宏阔的历史背景出发，以近代中国社会变迁、中外关系等为视角，探讨近代中国历史进程对湖湘文化的影响，揭示湖湘文化在近代的发展、演变与转型。具体探讨的问题有：1. 中国内部社会变动对湖湘文化演变的影响；如鸦片战争前后中国的社会变迁与湖湘经世派的兴起。2. 近代中国重大政治事件对湖湘文化的影响，如太平天国起义与湖湘理学经世派的产生、湘军崛起与湖湘文化的勃兴、戊戌维新和清末新政对湖湘文化的影响、辛亥革命与湖湘文化的转型等。3. 中西关系对湖湘文化的影响，一是西力东侵的影响，如魏源"师夷长技"主张的提出，曾国藩等湘籍督抚倡办洋务事业；二是西学东渐对湖湘文化的影响，如洋务运动时期湖湘文化所受西学的影响、五四前后新文化的传播以及马克思主义传播对湖湘文化转型的影响。（二）从近代湖湘文化的特质及其演变出发，以中国现代化进程为视角，探讨湖湘文化对近代中国历史进程的影响。具体探讨的问题有：1. 湖湘文化与近代中国政治。通过研究湖湘人才群体对咸同之际的政治变迁、洋务运动的影响，湘籍人才群体对戊戌维新、清末新政和辛亥革命的影响，揭示湖湘文化在中国政治现代化进程中的作用。2. 湖湘文化与近代中国的思想文化。通过研究魏源“师夷长技”主张的思想影响，曾国藩、左宗棠等人倡办洋务，谭嗣同等人倡导维新变法，黄兴、宋教仁、陈天华等人鼓吹民主革命等，揭示湖湘文化对近代中国思想文化的发展历程的影响。3. 湖湘文化对近代中国经济的影响。通过研究湘籍督抚发展近代企业，揭示湖湘文化对近代中国资本主义经济发展的影响。4. 近代湖湘文化与近代中国国家发展前途，通过探讨湘籍国民党人和共产党人对中国出路的选择，揭示湖湘文化对国家与民族命运的影响。（三）通过历时性的前后比较、共时性的彼此比较，对湖湘文化在近代中国历史进程中的地位与作用给予适当的客观评价。

《近代湖湘文化与近代湘籍人才群体》旨在考察近代湘籍人才群体的形成和发展过程，厘清近代湘籍人才群体的地理分布、时段分布、类型分布和不同的教育背景，并在此基础上揭示出近代湘籍人才群体的基本特点，说明近代湘籍人才群体形成的内在机制与外部因缘，特别是近代湖湘文化对近代湘籍人才群体形成的深刻影响，以及近代湘籍人才群体对近代湖湘文化的发展演变所起的重要作用。同时通过对近代湖湘文化与近代湘籍人才群体互动过程的考察，深入研究这种互动对近代湖南社会变革（包括政治变革、经济变革、思想文化变革和社会习俗变革）所起的促进作用。此外，近代湘籍人才群体在近代湖湘文化的浸染下形成和发展的规律，以及文化与人才群体互动所提供的历史借鉴，也是本书研究的重要内容。

《近代湖湘文化转型中的民俗文化》研究的主要内容是与大众

社会生活密切相关的近代湖湘文化中的民俗文化，旨在通过对近代湖南大众社会生活的考察，来把握近代湖湘文化，揭示湖湘文化传统对大众社会生活的影响，以及在新的历史背景下，社会变迁是如何影响到民俗文化的，并由民俗文化来反观近代湖湘文化转型的具体面相；同时，通过考察近代湖湘民俗文化的具体现象，透视精英文化与民俗文化的互动。具体来说，主要研究以下九个问题，即：（一）近代湖湘民俗文化的渊源以及在近代社会的转型；（二）晚清湖南士民社会心理与民俗行为的变迁；（三）辛亥前后湖南社会结构变化与社会风貌改善；（四）近代湖南民权思潮和新文化运动对湖南社会的影响；（五）湖南近代工商业的转型与商业民俗的变化；（六）湖南宗教与民间信仰的近代变迁；（七）近代戏曲民俗的演变和“文明戏”的传入；（八）“新生活运动”和湖南社会风俗的变化；（九）湖南近代城市公共空间的变化及其对民俗的影响。

地域文化的“地域性”是由它的精神内核决定的。这种精神内核在地域文化形成之初即已鲜明地呈现出来，并且决定了地域文化发展变迁的方向，其结构性因素的扬弃也是以这种精神内核为旨归。《近代湖湘文化精神及其当代价值》一书认为，近代湖湘文化的精神内核，是湖湘文化发源之际屈（原）贾（谊）精神所塑造的忧国忧民的精神特质和其后发展变迁过程中形成的以事功为第一要义的人生价值取向，这种忧国忧民和事功化的人生价值取向潜藏在每一个近代湖湘文化的承载主体身上，在不同的历史时期表现出不同的内涵特征，并决定了近代湖南人以何种方式投身于近代社会变革的历史大潮之中，在他们身上我们更可以看到其表现出来的一种共同的精神气质及文化品性。因此，本书将分五个部分来探讨近代湖湘文化精神及其当代价值，第一部分主要从湖湘文化的历史发源、屈（原）贾（谊）精神与湖湘文化精神的起源、“湖湘学派”与湖湘文化精神的形成、多民族社会和移民与湖湘文化精神等四个方面来分析湖湘文化精神形成的内外机制；第二部分主要从甲午战争之前湖湘文化的发展、湖湘文化与湘军的兴起、转型中的近代湖湘文化精神和影响湖湘文化精神近代转型的诸因素等四个方面阐述湖湘文化精神在近代的艰难转型；第三部分主要从近代湖湘文化精神与近代湘籍人才群体、近代湖湘文化精神与近代湖南社会结构变迁、近代湖湘文化精神与近代湖南经济关系的变动、近代湖湘文化转型与近代湖南社会文化载体和社会风俗的演变等方面来研究近代湖湘文化精神与近代湖南社会的关联；第四部分主要从近代中国视野下的近代中国文化影响和制约近代湖湘文化精神、近代湖湘文化又丰富和推动近代中国文化发展、中西文化冲突和交融下的近代湖湘文化精神及与其他地域文化比较等方面来观照近代湖湘文化精神在近代的历史地位；第五部分主要从民族复兴契机下当代中国文化转型的理论逻辑与实现途径、文化自觉与湖湘文化当代转型的意义思考、民族复兴与湖湘文化现代转型及路径思考等方面来探讨近代湖湘文化精神的当代价值和实现创造性的转换问题。

本丛书的出版，首先要感谢湖南师范大学历史文化学院中国近代史学科负责人李育民教授以及学科的其他同事们。那还是2011年，我在学科负责人李育民教授的支持下，打算以“近代湖湘文化研究”为题目申报国家社科基金重大项目（重大课题就是那一年开始的）。为此，我组织了一个强大的学术团队，其成员主要有湖南师范大学历史文化学院中国近代史学科的李育民教授、莫志斌教授、钟声教授、李传斌教授、刘利民教授、张晶萍教授、朱华建教授以及禹江博士、邵华博士，湖南师范大学公共管理学院的彭大成教授，中南大学马克思主义学院的彭平一教授（现已故），湘潭大学历史学院的王继平教授，国防科技大学的薛学共教授，湖南社会科学院的刘云波教授，湖南大学的刘平副教授等。

课题组成员多次开会，对课题申报书进行了反复的讨论和修改，并且广泛征求了北京等地的一些专家学者的意见，他们认为我们的团队实力雄厚，申报书论证充分，应该十之八九有成功申报的可能，但出乎意料的是，申报书由学校上报到湖南省社会科学基金办公室后，因“你懂的”，湖南省社会科学基金办公室根本就没有上报到国家社会科学基金办公室。尽管申报没有成功，但李育民教授以及学科的其他同事们和所有课题组成员对我的无私支持令我十分感动！其次要感谢我的朋友——《中国人传统思维批判》一书作者岳楚渔先生。楚渔先生知道我在思考“近代湖湘文化研究”的课题后，作为湖南人，他表示大力支持，并找到当时湖南省的一位主要领导，通过这位领导的转批，湖南省社会科学基金办公室后来给了我一个“湘军与近代湖湘文化研究”的重大委托课题，2012 年结项，获评优。感谢岳麓书社的领导，尤其是责任编辑饶毅主任。2012 年，她听说我原来申报过“近代湖湘文化研究丛书”的重大课题，于是乘“十二五”国家重点出版规划项目增补的机会，建议我申报，顺利获得通过；2015 年下半年又在她的大力支持和主持下，本丛书又申报国家出版基金再次获得通过，这样就保证了丛书的顺利写作和出版。饶毅主任不仅为本丛书纳入“十二五”国家重点出版规划和获得国家出版基金的支持做出了重要贡献，而且在本丛书的写作和出版过程中，因我的事情太多，又经常不在长沙，她实际上负起了主编应负的责任，如经常联系作者，询问写作近况，提出修改意见，解决作者遇到的一些困难，催促作者交稿等。她对本丛书的编校也非常认真，一丝不苟。她这种为主编、为作者排忧解难，工作认真负任的精神，值得我认真学习！感谢湖南省参事室和文史馆的领导。2014 年年底，我有幸被聘为湖南省政府参事。省参事室和省文史馆是一个单位。当时主管省文史馆的陈伏球主任交给了我一项任务，即以省文史馆馆员为主要作者班子，主编撰写《湖南时务学堂研究》。2015年该任务完成后，我向当时主管省文史馆的李跃龙主任提出，将撰写“近代湖湘文化研究”丛书纳入省文史馆的工作，并以原参与《湖南时务学堂研究》撰写的文史馆馆员为基本队伍，得到李主任的支持。如果没有跃龙主任的支持，本丛书是很难于短时期内完成的。因为依据国家出版基金的要求，本丛书最迟须在2017年10月完成。感谢参与丛书写作的陈先枢、刘少虎、杨锡贵、周敏之、许顺富、梁小进、刘觅知、邵华等诸位同仁，他们的积极参与，保证了本丛书的按时出版，因为本丛书虽然构思已久，准备已久，但真正进入全面写作则是在列入国家“十二五”重点出版物规划特别是国家出版基金计划之后，前后也就不到两年时间。尤其要感谢方克立、唐凯麟两位先生。两位先生德高望重，是各自研究领域的大师级人物。方先生是中国社会科学院首批学部委员，研究生院原院长，他研究的虽然是中国哲学史，但作为湖南人，他也十分关心湖湘文化尤其是近代湖湘文化研究，是湘潭大学《湘学研究》主编。唐先生是湖南师范大学资深教授，是湖南学术界的一面旗帜，他的专长是中国伦理学，但对湖湘文化尤其是近代湖湘文化他也有许多精辟见解，他的弟子中不少人是研究湖湘文化的知名学者。二位先生屈尊出任丛书学术顾问，既是对本丛书的极大支持，也是对我们这些近代湖湘文化研究者和爱好者的莫大鼓励和鞭策。尤其是二位先生长期以来对我都十分关心，提携我，帮助我，早在20世纪80年末，我还在北师大跟着龚书铎先生读博士生的时候，方先生就把我拉进了他主持的现代新儒家研究课题组，我毕业走向工作岗位后，方先生仍然给我许多帮助和指导，我有什么困难或需要他支持的事情，只要我提出来他都会给予大力支持。自我2003年被聘为湖南省“芙蓉学者计划”首批特聘教授，同时受聘为湖南师范大学国家重点学科中国近代史学科特聘教授后，就多次得到唐先生的关心、帮助和支持，记得 2008 年我第一个聘期期满，到省教育厅接受专家组的考核，唐先生是五位专家之一，也是五位专家中唯一一位社会科学专家，其他四位都是自然科学研究领域的院士，唐先生对我五年来的工作给予了充分肯定，并就以后我的工作和发展提出了很好的建议。后来因为工作或研究方面的事情，我又多次请教唐先生，打扰唐先生。二位先生对我的关心和帮助,我将永远铭记在心,知恩图报。感谢（按姓氏笔画为序）王兴国、王继平、朱汉民、李育民、李跃龙、刘泱泱、刘建武、杨念群、郑佳明、郑焱、周秋光、唐浩明、莫志斌、陶用舒、彭大成诸位先生，诸位先生都是研究湖湘文化特别是近代湖湘文化的大家和权威，在学术界有着广泛的影响力，应我的请求，担任丛书学术指导委员会委员，贡献他们的智慧和独到见解，从而提升了本丛书的学术品质。感谢所有关心、帮助和支持本丛书立项、撰写和出版的各界朋友。滴水之恩，必当涌泉相报！当然，丛书不可避免地会存在这样或那样的一些问题，特别是丛书虽然有个统一的主题，每本书我也提出了一个比较详细的写作大纲，但由于每本书都是独立成篇，撰写者有修改、补充的权利，如何写？写什么？也都由撰写者自己决定，所以书与书之间就或多或少地会存在一些资料引用和观点方面的重复，甚至矛盾之处，我尽管做了统稿，但这些现象还是存在。作为丛书主编，我理当负责。在此，真诚地希望广大专家和读者提出批评意见，以便我们在以后再版时加以修改，来信请寄长沙湖南师范大学历史文化学院，邮编：410081，或电子邮箱：zhengdh2002@126.com

在丛书即将出版之际，拉拉杂杂写了上面这些话，权为序。

郑大华

2017 年 10 月 1 日

目 录

绪　论

一、研究意义与价值

民族文化是一个民族的灵魂，是一个民族区别于其他民族的最本质之所在，是民族生命力、凝聚力、创造力的源泉。胡锦涛同志在党的“十七大”报告中明确指出：“文化越来越成为民族凝聚力和创造力的重要源泉，越来越成为综合国力竞争的重要因素。”① 习近平同志也指出：“中华文化积淀着中华民族最深厚的精神追求，是中华民族生生不息、发展壮大的丰厚滋养。”可见，一个国家要兴旺发达，一个民族要自立于世界民族之林，就必须有强大的民族凝聚力和精神动力，就必须有强大的民族文化。中华文化源远流长，是世界文化中与欧洲文化、印度文化鼎足而立的三大体系之一，而且是世界四个古老文明摇篮里孕育产生的文化体系中唯一延续至今、未出现过断层的文化。梁漱溟就讲过：“历史上与中国文化若先若后之古代文化，如埃及、巴比伦、印度、波斯、希腊等等，或已夭折，或已转易，或失其独立自主之民族生命。唯中国始终以其自创文化绵永其独立之民族生命至于今日，寿命称最久。”② 在当前实现中华民族伟大复兴的关键时期，我们更要继承和发扬民族优秀文化传统的精神，为实现中国梦提供强大的精神动力和智力支持。

湖湘文化是中华文化的重要组成部分。近代以前，湖南在全国的地位是“碌碌无所轻重”，湖湘文化虽然源远流长，博大精深，是中华文化中独具地域特色的重要一脉，但其影响主要反映在学术和思想方面，对湖南社会、政治、经济和民众生活的影响不大，更不用说对整个中国的社会、政治、经济和民众生活的影响了。晚清以后，湖湘文化在近代中国大放异彩，不仅深刻地影响着湖

① 胡锦涛．中国共产党第十七次全国代表大会报告[N].人民日报，2007-10-25(1).

② 梁漱溟．中国文化问题略谈［M］// 宋恩荣．梁漱溟教育文集．南京：江苏教育出版社，1987：269.

南社会的各个方面，而且对中国近代历史进程起过重要的推动作用。湘军兴起之后的近代湖南是戊戌变法、辛亥革命和大革命的中心地区，产生过一大批对中国近代历史有重大影响的人物。著名史学家谭其骧就曾指出："清季以来，湖南人才辈出，功业之盛，举世无出其右。"① 从曾国藩、左宗棠兴起洋务运动，到谭嗣同、唐才常献身维新变法；从黄兴、宋教仁引领辛亥革命风骚，到蔡锷首举反袁护国义旗；从毛泽东、蔡和森宣传马克思主义，到毛泽东、刘少奇、任弼时、彭德怀等老一辈无产阶级革命家建立中华人民共和国，在近代中国的每一个重要历史时期，受湘军崛起所激发的近代湖湘文化及其载体近代湖南人都起到了"开风气之先"或"中流砥柱"的作用。正是在近代湖湘文化精神的激励下，一代又一代的近代湖南人为民族独立、社会进步、人民解放而上下求索，英勇奋斗，为我们留下了十分宝贵的精神遗产。改革开放后湖湘文化研究的开创者、著名历史学家林增平在《近代湖湘文化试探》一文中写道："1840 年鸦片战争前的漫长的古代，在湖南没有出现过几桩足以影响全国局势的大事；属于湖南籍的名人，寥若晨星。而跨入近代（1840 年后），就迥然不同，在诸如太平天国起义、戊戌变法、辛亥革命等重大事变中，湖南所产生的反应，着实引人瞩目；且人才辈出，为人们所称道，延续至现代，更呈现出鼎盛的局势。"②

时至今日，随着区域社会文化史研究的兴起和发展，湖湘文化已成为学术界的研究热点。尤其是作为湘军的诞生地湖南，"湖湘文化热"更包含着湖南人的自豪情结，正是由于湖湘文化的载体湖南人在近代中国发挥了极其重要的历史作用，今时今日的湖南人更应继承和发扬近代湖湘文化精神。在构建社会主义和谐社会的新形势下，如何继承和发扬近代以来湖湘文化契合于当下湖

① 谭其骧．长水粹编［M］．石家庄：河北教育出版社，2000：312.
② 林增平．近代湖湘文化试探［J］．历史研究，1988（3）：3-18.

南社会发展的精神内核，如何重塑湖南人的文化自信、价值观念，探讨近代湖湘文化与湖南社会内在关系的历史演变，提炼近代湖湘文化精神价值，尤其是如何实现近代湖湘文化精神价值的当代转换，这不仅对塑造当代湖南人的精神价值世界，而且对当代湖南如何有效地打造湖湘文化这一历史文化“形象名片”，为党和政府制定符合本地区区情的经济、文化、社会政策，以开发和利用本地区的文化、旅游资源提供科学依据都具有极为重要的意义。

二、文献综述

1. 关于中国近代文化转型研究

第一，关于文化转型的界定。文化转型是一个极其复杂的概念，在文化学、人类学、社会学以及历史学各自领域中都有不同的界定和阐释。耿云志提出：“文化转型最基本的含义，是文化改变了自己的前进和发展的方向，从而也改变自己的性质和表现形式。这种改变，都是在自身基础上发生改变，决不是完全被动地被他种文化所替换。”① 有学者认为文化转型中的文化“既非文学、艺术等具体形式的文化，也非思想、观念等精神层面的文化，而是内化到人类一切社会活动领域、历史地凝结成的生活方式，是内在于人的思维方法和行为习惯中的机理性的东西，它是伴随着人类产生发展过程始终且从深层影响、制约个体的活动图式和社会的运行机制，是不同于自然秩序和人类生存本能的社会行为规范”，因此，文化转型“主要通过自觉文化对自在文化之间的张力与冲突进而对其进行批判性超越来完成”。② 邢军认为：“文化转型

① 耿云志．近代中国的文化转型：问题与趋向［J］．广东社会科学，2008（3）：106-116.

② 徐平．当代中国文化转型［J］．宜春学院学报，2016（2）：44-47.

是在文化内部演变积累到一定程度，并在外来文化催化下，吸收其精华而产生的新文化。当代文化转型实质是从传统文化向现代文化的转型，以构建现代性文化体系和时代性价值体系为价值尺度，具体体现在促进人性解放、理念更新、文化繁荣和生态良好。”① 李长江、欧阳奕认为“文化转型时期是指某一时期内，文化发展明显地产生危机和断裂……不是一个短的时期”②。陈一放认为“文化转型具体表现为文化范式的彻底更新、文化结构的现代转换和自我文化意识的确立”③。

第二，关于中国近代文化转型的界定。耿云志认为：“近代中国的文化转型，其基本含义是指中国文化由古代转化到近代。具体来说，是由基本封闭的，与大一统的中央集权的君主专制制度相联系的，定孔子与儒学为一尊的，压抑个性的古代文化，转变为开放式的，与近代民主制度相联系的，自由与兼容的，鼓励个性发展的近代文化。”④ 郑大华认为：“文化转型指的则是文化从传统向近代的变化。其内容主要包括三个方面：一是构成要素的变化，除了原有的中国的传统文化外，新的西方的近代文化以及其他地区和国家的文化开始在中国出现，并经过与中国传统文化的碰撞、交流与融合，逐渐成为了中国近代文化的一部分。二是部门文化的变化，这又包括两方面的内容：一方面，一些传统的部门和学科或不能适应社会现代化的需要而逐渐衰落，或接受西方近代文化的影响，变革原有部门和学科的内容和体系，从而向现代部门和学科转化；另一方面，西方的一些新部门和新学科开始传入中国，并最终得到确立和发展，从而极大地丰富了中国近代文化的部门

① 邢军．当代中国文化转型的内在逻辑与路径选择［J］．学术界，2015（9）：172-177.

② 李长江，欧阳奕．中国文化转型研究［J］．科技和产业，2013（1）：130-136.

③ 陈一放．论当代中国的文化转型［J］．社会科学研究，1998（3）：41-47.

④ 耿云志．近代中国的文化转型：问题与趋向［J］．广东社会科学，2008（3）：106-116.

和学科体系。三是价值观念的变化，诸如纲常名教、专制独裁、男尊女卑、夷夏之辨、重农抑商、'天不变、道也不变'等一些旧的价值观念受到冲击或否定，并逐渐为民主、自由、平等、博爱、重商、进步等一些新的价值观念所取代，民主与科学开始成为中国近代文化最核心和最基本的价值观念"，其中，"与传统文化冲突最多、其变化的过程最为曲折、反复和艰难的是价值观念的变化。价值观念的变化，既是近代文化不同于古代或中古文化的一个根本点，也是衡量文化的近代转型是否发生和完成的一个重要指标"[①]。

第三，关于中国近代文化转型的具体内容和表现形式。龚书铎指出中国近代文化转型具体内容是指文化构成的变化（由单一的封建文化转变为包括有封建文化、西方文化、民主主义文化、无产阶级文化的新文化），文化内在结构的变化（指文化本体发生的变化，包括民权、平等思想观念的传播），文化部门结构的变化（包括原有的学科内容、体系的变革，新领域、新学科的兴起和发展）。[②]李良玉指出近代中国文化转型包括五个方面内容：一是政治制度的转变，即以民主化的近代法治国家取代传统的封建王朝体制；二是经济形态的转变，即以开放的资本主义工业化市场经济取代传统的封闭的自然经济；三是传统观念的转变，即人与人之间以社会契约型的权利义务观念取代传统的伦理化的道德观念；四是传统生活方式的改变；五是传统语言文字的转变。他进一步指出了近代中国文化转型的缺失：一是近代化的议会民主制国家制度从来没有确立起来；二是健全的商品经济统一市场始终没有建立起来；三是作为近代民主与法治社会重要政治基础的新型社会价值系统始终没有建立起来。[③]杨宪邦认为中国文化结构由基层经中

① 郑大华，彭平一．社会结构变迁与近代文化转型［M］．成都：四川人民出版社，2008：20-21.

② 龚书铎．社会变革与文化趋向：中国近代文化研究［M］．北京：北京师范大学出版社，2005.

③ 李良玉．近代中国的文化转型与历史变迁［J］．江苏社会科学，1993（4）：82-87.

层到上层，“即由社会生产力、社会生产关系，经社会制度，到社会心理和社会意识形态这五个层面全面发生空前未有的变化”[①]。

张磊从文化转型内容上分析认为，中国近代文化是“从传统的农业文化向工业文化和现代文化的转型”。从近代至今，中国文化的转型过程大体经过了两个阶段。第一阶段是从 19 世纪 90 年代开始，到 1949 年中华人民共和国的成立，这长达半个世纪的时间，是中国文化缓慢转型期。在文化领域中，19 世纪末以康有为、梁启超为代表的维新派在摄取中西文化内容的基础上提出了近代新学体系，并在社会上产生了较为广泛的影响，这标志着中国传统文化转型的开端，由此拉开了中国文化转型的序幕。第二阶段是 1949 年至今，是中国文化的曲折和加速转型期。这其中可大致划分为两个小的阶段：中华人民共和国成立至“文革”结束，是中国文化的曲折转型期；改革开放以后是中国文化的加速和全面转型期。[②] 汪林茂指出，晚清是近代文化初步成型并且初具规模和形态，构建比较完整的体系的时期。在这个意义上“当今的现代文化大厦，正是在此基础上建立并发展起来的”，晚清的文化运动，“几乎浓缩了数百年西方文化史的内容，浮光掠影般地走过了西方数百年文化史的历程”。他把晚清文化转型分为四个阶段：第一阶段（19 世纪初至 19 世纪 50 年代末）是近代文化的萌发阶段，第二阶段（19 世纪 60 年代至甲午战争前）是近代文化的初兴阶段，第三阶段（甲午战争后至 1900 年）是近代文化的发展阶段，是自觉的文化运动时期，第四阶段（1901 年至 1911 年）是民族新文化建设时期。晚清的近代文化转型至少有四条主线：一是中西文化冲突和融合的过程，二是价值观念变迁的过程，三是知识系统更新的过程，四是社会实践活动不断提升的过程。[③] 和汪林茂类似，

① 杨宪邦．儒家思想与中国文化向近代化转型［J］．中华文化论坛，1996（3）：59-63.

② 张磊．文化转型的评判标准探析：兼论文化转型的百年历程［J］．西北农林科技大学学报（社会科学版），2003，3（2）：11-15.

③ 汪林茂．晚清文化史［M］．北京：人民出版社，2005：17.

郑大华在他和彭平一合著的《社会结构变迁与近代文化转型》一书中，也将中国社会变迁和文化转型分为嘉道时期、19 世纪中叶到甲午战争之前、甲午战争至民国初年和五四新文化运动时期这样几个阶段：嘉道时期，是近代中国的社会变迁与文化转型的历史起点；19 世纪中叶到甲午战争之前，是近代中国的社会初步变迁与文化初步转型阶段；甲午战争至民国初年，是近代中国的社会进一步变迁与文化进一步转型阶段，这一阶段又可以清宣布预备立宪为分界，分为前后两个时期；五四新文化运动时期，是近代中国的社会变迁与文化转型出现新的发展趋向的阶段。①

第四，中国近代文化转型的各个方面。知识分子思想转型是文化转型的中心问题，李涛以晚清民国教育家群体为例考察近代知识分子的文化转型，认为中国教育近代化是在中与西、新与旧的氛围中展开的，“在教育科学及思潮的传播变迁过程中，近代教育家充当了自身从传统到现代转型的转化者及西方教育思潮的传播者的双重角色”②。苏全有认为知识分子的开放观念在鸦片战争以后即已出现，“由文化优越感而自卑感并进而反戈一击，由夷务而西学、新学并进而顶礼膜拜，这一流变过程充分反映了近代中国知识分子在文化方面的思想转型”③。王韵秋认为，“五四”以后中国知识分子“将思想启蒙与反帝反封建相结合，将农民与农村问题作为实现中国早期现代化的政治命题提出来”，“这是认识上的一个飞跃，标志着中国知识分子完成了由传统到现代的转型”。④

王先明考察了西学在近代文化转型中的作用，认为“西学的

① 郑大华，彭平一．社会结构变迁与近代文化转型［M］．成都：四川人民出版社，2008：33.

② 李涛．论近代知识分子的文化转型——以晚清民国教育家群体为例［J］．辽宁师范大学学报，2003，26（4）：91–95.

③ 苏全有．近代中国知识分子思想转型问题研究［J］．河北大学学报（哲学社会科学版），2004，29（1）：49–54.

④ 王韵秋．近代中国知识分子的思想转型对早期现代化的影响［J］．西北师大学报（社会科学版），2004，39（4）：53–58.

冲击，一方面激活了传统中学的文化因素，使之与时代的变动相结合，形成互动，追随时代进步的风向；另一方面，西方文化本身的科学和民主因素也逐步纳入中国传统文化之内，构成了晚清社会文化由旧趋新的基质”[①]。祝天智、黄汝娟考察了甲午战争与近代中国政治文化转型的关系，认为“甲午战争是中国政治文化演进的重要标界，完整意义上的中国资产阶级政治文化出现于甲午之后。甲午战争推动了中国政治心态的转换，加速了中国政治价值观的革新，促成了知识精英政治人格的激变”[②]。张军、岑大利分析了中国近代文化转型中维新思想家对国民性改造的思想，他们一方面借助于传统儒学中的圣贤人格而重塑符合新时代之要求的理想人格，一方面又不遗余力地主张塑造新民，形成了文化转型时期独特的人学思想。[③]郝雨从分析五四时期新文化的发生和传播来阐释中国近代文化转型，认为：“中国以封建性为核心和主体的传统文化精神，到 19 世纪已不可避免地面临整体性危机，尤其是受到世界性的现代文化精神的全面挑战，因而中国文化各领域、各层面的话语构造及符号系统也都从根本上发生着动摇、断裂、崩溃、重组和转型等。一时代、一性质或一类型的文化精神必须要有与之相应的话语构造与符号系统来加以承载、传达和体现。”[④]

郑大华考察了近代中国文化转型的助力和阻力。他指出：近代中国文化转型的助力和阻力，不外乎来自于外部因素和内部因素两个方面。所谓“外部因素”，即第一次鸦片战争之后的“西力东侵”和“西学东渐”；所谓“内部因素”，即中国社会和文化的内部结构及其特点。近代中国文化就是在内部因素和外部因素共

① 王先明．中国近代社会文化史续论［M］．天津：南开大学出版社，2005：198.
② 祝天智，黄汝娟．甲午战争与近代中国政治文化的转型［J］．天水行政学院学报，2002，3（2）：114-118.
③ 张军，岑大利．塑“圣贤”与养“新人”：中国近代文化转型中的人学思想［J］．长江论坛，2006（5）：75-79.
④ 郝雨．中国现代文化的发生与传播——关于五四新文化运动的传播学研究［M］．上海：上海大学出版社，2002：6.

同作用的影响下而发生转型的，换言之，近代中国文化转型是西方的外来因素与中国的内部因素彼此碰撞、相互作用的结果。总的来看，西方的外来因素和中国的内部因素对于近代中国文化转型都具有助力和阻力两方面的作用，但在不同的发展阶段和历史时期它们所起的作用的大小和重要性是不一样的。对于近代中国文化转型的启动，西方的外来因素的作用具有十分重要的意义，如果没有西方的外来因素的刺激，1840 年鸦片战争之前中国内部孕育的一些新的思想因素所表示出来的文化转型的可能性就很难成为现实性，事实上，它也没有发生向近代文化的转变，那种认为如果没有西方的外来因素，中国社会也将沿着自己发展的轨迹进入到资本主义的近代社会的结论，只能是一种没有任何事实根据的假说。而当近代中国的文化转型启动后，其转型的性质和速率在很大程度上又是由中国的内部因素决定的，易言之，近代中国文化转型的成败得失与中国内部的新旧之间的力量对比及其消长有着密切的关系。[①]

郑大华还对中国近代文化转型的特点进行了考察，认为它有四个方面的特点：第一是它的外源性。所谓外源性是相对于内源性而言的，意思是说这种文化转型不是“由社会自身力量产生的内部创新”，而是在西方的外来因素的刺激和作用下发生的从传统到近代的转变。正因为近代中国文化转型是外源性的，“西力东侵”和“西学东渐”对近代中国的文化转型的启动起过十分重要的作用，所以，近代中国文化在变迁与转型的过程中，除了内源性的文化转型所碰到和必须解决的“古今”问题外，还有“东西”问题。“东西”与“古今”问题的并存，使近代中国的文化转型的任务，比之属于“内源性”的一些国家（如西欧）要复杂和困难得多。第二是它的差异性。东南沿海和沿江地区的文化转型的启动和发展最早、

① 郑大华，彭平一．社会结构变迁与近代文化转型［M］．成都：四川人民出版社，2008：21-28.

最快，中部和北部地区的启动和发展其次，西北和西南地区的启动和发展最晚、最慢，整个文化转型呈现出从东向西、从南向北逐渐递减的趋势。其原因就在于，近代中国的文化转型是在西方的外来因素的刺激和作用下启动的，“西力东侵”和“西学东渐”对近代中国文化转型的影响很大，而首先受“西力东侵”和“西学东渐”影响的便是东南沿海和沿江地区，具体来讲是长江下游地区和珠江三角洲地区，位于这些地区的上海、广州和其他口岸城市是西方列强对中国进行经济侵略、文化输入的桥头堡。西方列强一般先把文化输入到上海、广州和其他口岸城市，然后再经上海、广州和其他口岸城市辐射到其他地区。除地区之间的差异外，城乡之间以及大城市与中小城市之间的文化转型也存在着较大差异。一般而言，城市要早于和快于乡村，大城市要早于和快于中小城市。所以，就某一地区的文化转型而言，又呈现出从大城市再到中小城市最后到乡村而逐渐递减的趋势。第三是它的艰巨性。这主要表现在：其一，在进入近代以前，中国是典型的传统社会，历史悠久，发展完善，不仅具有超强的稳定性，而且还具有极强的历史惰性，因此，要将这样一个典型的传统社会转变为近代社会，其艰巨性可想而知。事实上，在近代中国文化转型的过程中，中国的内部因素曾对这种转型起过非常大的阻碍作用。其二，除了中国内部因素的阻力外，西方的外来因素对近代中国的文化转型的阻力也是巨大的，尤其是西方列强（包括后来的日本）始终都想把中国变成它们的殖民地，为达此目的，它们不仅发动了一系列侵略战争，给中国近代的社会生产力造成了极大的破坏，而且还强迫中国统治者签订了一系列不平等条约，极大地破坏了中国的领土完整和国家主权，它们还和中国统治者相勾结，破坏中国人民的革命斗争和进步事业，这些都严重地阻碍了中国近代的文化转型。其三，就近代西方的文化转型来看，新兴资产阶级是其推动者和领导者。但在中国，民族资产阶级不仅产生和形成较晚，而且自诞生之日起就是一个具有两面性的阶级：一方面，中国民办资本主义企业同外国资本主义和国内封建势力之间的矛盾，决定了中国民族资产阶级愿意参加反对外国侵略和反对封建压迫的斗争，具有历史的进步性和一定的革命性；另一方面，中国民办资本主义企业同外国资本主义和国内封建势力之间存在着千丝万缕的联系和一定的依存关系，又决定了中国民族资产阶级反对外国侵略和反对封建压迫不坚决、不彻底，具有先天的软弱性和妥协性。中国民族资产阶级先天所具的这种软弱性和妥协性，使近代中国的文化转型更为艰难。第四是它的不彻底性。近代中国文化转性的艰巨性，导致了近代中国文化转型的不彻底性，虽然文化的构成要素发生变化了，新的学科和文化部门建立起来了，一些旧的价值观念受到冲击或否定，并逐渐为一些新的价值观念所取代，民主和科学开始成为近代文化核心的价值观念，但直至近代结束，不仅中西文化之间的矛盾与冲突没有完全解决，一些旧的价值观念依然束缚着人们的头脑，不民主或反民主、不科学或反科学的现象不仅存在，而且还十分严重，如政治上的专制独裁，思想上的封建迷信，学术上的政治干预，等等。无论是社会还是文化，都没有完成其变迁和转型的过程。[①]

第五，关于文化转型同社会变迁的关系。学术界对社会变迁与文化转型关系的研究还比较少，一般都是从毛泽东“一定的思想文化是一定的社会政治经济的产物”所阐发而来。一种观点认为文化转型本身就是社会变迁的一部分，社会变迁决定了文化转型。龚书铎指出:“近代中国的社会现实,是近代文化抉择的出发点。文化和社会现实分不开，它本身就是社会的一部分。因此，建构什么样的文化是由社会现实来抉择的，而文化也必须关心社会现实，发挥它的功能。如果文化疏离了社会现实或者阻碍了社会现

① 郑大华，彭平一.社会结构变迁与近代文化转型［M］.成都:四川人民出版社，2008：28-32.

实的发展，则它将被社会现实所冷淡或抛弃。近代中国社会发展的主题是独立、民主、富强，相应的近代文化也是围绕这个主题来建构的。”他进一步指出了文化的先导性作用：“在社会变革中，思想文化往往起了先导的作用，为变革造舆论，而反动统治者为维护其统治，也总是力图加强对思想文化的控制，宣扬反动思想，以抵制社会进步。”[①] 郑大华指出：“我们在考察中国近代社会变迁和文化转型时就会发现，二者之间存在着一种非常复杂的互动关系。对于社会变迁和文化转型之互动关系的阐释既要符合历史唯物主义与辩证法，又不能单纯的局限于此，单一的社会决定论或文化决定论都不能说明中国近代社会与文化纷繁复杂的历史状况。”[②] 就近代中国社会变迁与文化转型的总的关系来看，“社会变迁引起文化转型，并决定着文化转型的速率和性质，而文化转型又对社会变迁有着重要影响，有时还为下一步的社会变迁制造或提供其思想前提”。[③] 他和彭平一合著的《社会结构变迁与近代文化转型》一书，其主要内容之一便是考察近代中国的社会变迁与文化转型之间的这种纷繁复杂的互动关系。

王继平认为文化形成与变迁的生态环境包括自然生态环境和社会生态环境，社会生态环境又包括社会经济环境、社会制度环境和既往或相异的文化环境。他认为文化生态环境对文化的形成和变迁具有重要的制约作用。“近代中国社会有两个重要趋势，一是近代中国社会处在不断的发展和巨变过程中；二是近代中国并不是一个独立的社会形态，而是一种过渡的社会形态。”“近代中国社会的这一总的特征使中国近代文化的社会生态环境也具有相应的特点，即处在发展和剧变之中，呈现出芜杂纷繁，各种因素

① 龚书铎．社会变革与文化趋向：中国近代文化研究［M］．北京：北京师范大学出版社，2005：2.

② 郑大华，彭平一．社会结构变迁与近代文化转型［M］．成都：四川人民出版社，2008：13.

③ 同② 33–34.

并存的局面。”[①] 刘莹认为社会转型是指社会生活的各个领域、各个层面的整体性变革，包括社会政治结构、经济结构和文化的变迁。此外，文化变迁具有高于政治、经济结构变迁的超前性和独立性。中国文化从传统走向近代的历程是和中国近代经济、政治的变化以及中国人对西方文化的认识水平密切联系的。[②]

另一种观点认为社会变迁的本质就是文化转型。李良玉认为近代以来，中国社会经历了最深刻、最剧烈、最全面的社会变动，它体现在政治制度的更替、经济结构的转换、意识形态的更新、文化格局的重组和社会生活的演变等各个方面。因此，中国近代百年社会生活的各个领域、各个层面的变迁，本质上具有文化转型的性质。[③] 武云认为，近代中国的文化转型，目标是实现中国的近代化，是指全部社会生活的变革，这是一种质变过程。“它不仅意味着社会生产方式、经济结构的转化，也包含着其他社会层面诸如政治形态、意识形态、组织方式、生活方式的转换。同时，这又是一个持续、渐进的社会变迁和调整过程。”[④]

还有一种观点则是把文化转型与社会变迁区分开来，林毓生通过研究五四新文化运动，认为传统的改造可以在文化系统中单独完成，把文化从政治社会秩序的整合状态中分化出来，作为文化更新再造的历史前提，强调了解文化与社会关系的出发点在于文化与社会系统互相不能化约，尤其是两者的区分状态对传统改造的重要性。[⑤] 郑大华也是不赞成那种认为社会变迁的本质就是文化转型的观点。他认为，所谓社会变迁，就是从传统社会的经济结构、阶级结构、各种法律制度尤其是国家的政治制度和社会

① 王继平．中国近代文化导论［M］．长沙：湖南人民出版社，2003：47.
② 刘莹．浅议近代社会转型与文化变迁［J］．华夏文化，1998（1）：4-6.
③ 李良玉．近代中国的文化转型与历史变迁［J］．江苏社会科学，1993（4）：82-87.
④ 武云．注意从文化形态上研究近代社会［J］．福建论坛，（人文社会科学版）2002（1）：84-87.
⑤ 林毓生．中国传统的创造性转化［M］．北京：生活·读书·新知三联书店，1988.

结构向近代社会的经济结构、阶级结构、各种法律制度尤其是国家的政治制度和社会结构的转变。在这四个方面的变迁或转变中，最先发生变迁或转变的是经济结构，主要表现为旧的经济因素——以一家一户为生产单位的自给自足的小农经济或自然经济——的逐渐衰败、减少和新的经济因素——近代资本主义的工商业经济——的产生并不断发展壮大。经济结构的变迁，必然要引起阶级结构的变迁，产生于旧的经济因素之上的旧的阶级——封建地主阶级——将渐次退出历史舞台，而产生于新的经济因素之上的新的阶级——中国民族资产阶级和后来的无产阶级——则将取代旧的阶级成为历史舞台的主角。随着经济结构和阶级结构的变迁，建立在旧的经济基础之上的、以维护旧的统治阶级的利益为目的的各种旧的法律制度尤其是国家的政治制度——封建专制制度——势必受到人们越来越多的批判（包括批判的武器和武器的批判）而最终被废止或推翻，建立在新的经济基础之上的、以维护新的阶级利益的各种法律制度尤其是国家的政治制度——资产阶级的民主制度——则将逐步地建立起来，尽管其建立的过程非常曲折、复杂和艰难。上述经济结构、阶级结构和各种法律制度尤其是政治制度的变迁或转变，又必然要引起社会结构的变迁或转变，具有近代意义的职业功能结构逐渐取代了传统的以士、农、工、商组成的“四民社会”的身份等级结构，在宗法关系的基础上所形成的家族、宗族制度以及以血缘、地缘和业缘为纽带而产生的各种社会团体或组织（如会馆、行会、帮会等），或发生解体和蜕变，或为新的社会团体或组织（如政党、商会、学会等）所取代，人们开始从各种人身依附中解放出来而成了真正意义上的独立的个人。而文化转型指的则是文化从传统向近代的变化，它包括构成要素、部门文化和价值观念三个方面，因此在本质上，社会变迁并不等同于文化转型，尽管二者存在一种错综复杂的互动关系。[1]

2. 关于湖湘文化研究

人们对湖南地区所形成的独具特色的区域性文化——湖湘文化的研究肇始于清末，只是当时并没有明确提出“湖湘文化”这一概念而已。新中国建立后，近代湖南社会文化史的整体研究相对于其他区域研究发达的地区而言起步比较晚，在早期湖湘文化研究和一些湖南通史性著作中，开始涉及把湖南特别是湖南文化作为一个有别于中国其他部分的区域文化性存在，这是由于自然历史条件形成的区域社会文化特性在中国近代历史上所发挥的独特作用，特别是湖南社会文化与湘军的兴起之间的关系。就 20 世纪 80 年代以来学术界的研究来看，主要集中在以下几方面：

第一，关于湖湘文化内涵研究。要研究湖湘文化，首先对湖湘文化必须有一个清晰、明确的界定。但遗憾的是，至今为止，学界对湖湘文化尚未形成一个统一、公认的概念。新中国成立之前的湖湘文化相关研究中，在论及湖湘文化起源之时，大致有两种观点：“一是上溯到屈原、贾谊，一是径取宋朝之理学。前者以钱基博、秦熏陶、刘茂华、王原一等人为代表，后者以杨毓麟、李肖聃为代表。”[2]20 世纪 80 年代以来，大陆最早研究湖湘文化的文章——罗福惠的《近代湖湘文化鸟瞰》，就将湖湘文化等同于湖南文化，两者通用。由于研究者各有不同的观点、立场、研究角度，这也导致湖湘文化研究在学理上的缺乏。近年来，湖南省内的学者在这方面做了大量的工作，综观已有的研究，基本体现在以下几方面：第一，从时间和空间上来看，湖湘文化系中国传统文化的一个重要支脉，是先秦以来或者是唐宋以来湖南各族人民

① 郑大华 . 要加强社会变迁与文化转型之互动关系的研究［J］. 史学史研究，2007（3）：7-9.

② 周秋光 . 湖湘文化宏观研究［M］. 长沙：湖南师范大学出版社，2001：456.

具有特色的民风、民俗、社会心理、社会意识和科技文化等的总和，是一种区域性的历史文化[①]。罗敏中认为“湖湘文化的源头是楚文化，因为湖南的原住民杨越是楚蛮的一支，从畛域上来讲，湖湘亦为古荆州，早在楚成王时便受周天子之赐：‘镇尔南方夷越之地，无侵中国’，正式纳入楚国的版图”[②]。陈甲标指出湖南早在夏商西周的先楚时代，便在和中原文化的不断冲突和融合之中形成了自己的先楚文化。到了楚国开拓南疆将湖南置于版图之后，湖南的先楚文化便和楚文化融合，形成了具有鲜明特色的“湖湘楚文化”[③]。第二，有学者从广义与狭义的角度将湖湘文化进行区分，广义的湖湘文化应该是包含物质的、制度的和精神的三个层次。[④]狭义的湖湘文化应该是指南宋时期胡宏、张栻及其湖湘子弟形成的“湖湘学派”。彭大成引用郭嵩焘“盖濂溪周子与吾夫子，相去七百载，屹立相望。揽道学之始终，亘湖湘而有光”的话，将周敦颐视为湖湘文化的开山之祖。同时认为两宋之交在岳麓书院讲学的胡安国、胡宏父子以及南宋的张南轩是湖湘文化的最初奠基者。[⑤]第三，有学者将湖湘文化的研究视角放在大文化的框架之下，认为文化不仅包括见诸文字的以思想文化为主的高级层面，而且应该包括诸如生活方式、心理素质、风俗习惯、民族心态等低级层面。[⑥]第四，有学者认为应该把湖湘文化视之为一个多层次的文化系统，侧重于从认知模式、情感模式和社会关系行为模式去理解湖湘文化，户华为就认为“湖湘文化是指以湖湘地区特定的地域环境与人文传统为依托，渊源于历史上人与自然及人们之间对象性关系而形成的具有本区域特色的文化结构体系……上接以屈

① 朱汉民，陈谷嘉．湖湘学派源流［M］．长沙：湖南教育出版社，1992：326.
② 罗敏中．论湖湘文化之源及其“蛮”的特质［J］．湖南师范大学社会科学学报，1997，26（5）：60-64.
③ 陈甲标．湖湘文化兼容性特征的形成与影响［J］．湖南社会科学，2000（6）：51-54.
④ 王兴国，聂荣华．湖湘文化纵横谈［M］．长沙：湖南大学出版社，1996：4.
⑤ 彭大成．湖湘文化与毛泽东［M］．长沙：湖南出版社，1991：4.
⑥ 周秋光．湖湘文化学术研讨会综述［N］．光明日报，1999-7-30（7）.

原为代表的楚文化传统，中经胡安国、胡宏父子开创湖湘学派奠定基础，由张栻广为传播，继由明末清初大思想家王夫之承接发展，至清中叶以降达于极盛”，“以传统理学心性之道和践履思想、乡土情结为内核，讲求经世致用，以区域自觉和乡贤崇拜来延续自己的传统，不断强化自己在各方面优势，增强文化自信和凝聚力，形成一种完整严密、自成体系的多层次文化系统，并氲化为当地特有的社会关系、价值体系、行为模式和广博精深的诸种具象”。[a] 第五，有学者从系统性与历史性的角度界定湖湘文化，皮学军认为“‘湖湘文化’作为一种地域亚文化，已经存在了数千年，从这个意义上讲，湖湘文化就相当于湖南文化，即湖南人在历史进程中创造的文化（物质的和精神的），许多人将之称为‘广义’的‘湖湘文化’。但作为一种学术传统或理论，湖湘文化还只有千年（宋代周敦颐开始到胡安国、胡宏再到张栻等）历史，这可以理解为湖湘学派。但真正成为一种精神、一种理念，则主要是近 400 年来（从明末清初的王夫之开始，到近代的曾国藩、黄兴、毛泽东等）湖南人在‘理学’学理或人世践履（即经世致用）上的表现，而这可以理解为‘湖湘精神’（即“湖南人的精神”）。为国人称道的‘湖湘文化’则是后者，即坚忍不拔、踔厉敢死和勇为天下先的‘湖湘精神’以及受此精神熏染的‘湖湘人才’”。[2] 邓洪波认为：“湖湘文化主要指宋代以来，形成于洞庭湖以南地区，即今湖南省区范围之内的区域性文化。它虽然毫无例外地包括雅与俗两个层次、精神与物质两个部分。但其内涵与本质仍然是一种理学型的文化，有着推崇理学、强调经世致用、主张躬行实践、爱国主义、敢为天下先的奋斗与创新精神、兼收并蓄博采众长的开放精神等

① 户华为．湖湘文化及其特征与历史定位［J］．湘潭大学学报（哲学社会科学版），2005，29（2）：84-88.

② 皮学军．论文化自觉与近 20 年来的“湖湘文化”研究［J］．湖南文理学院学报（社会科学版），2009，34（4）：52-57.

特点。”①

第二，关于湖湘文化的历史演变。从湖湘文化发展的源头来看，学界一般认为湖湘文化的源头应当追溯到春秋时代的楚国文化甚至先楚时代的蛮夷文化②，也有学者从文化人类学角度提出湖湘文化的形成应该包含了神话与信仰的因素，这些因素构成了湖湘文化的地域特色。曹波认为“湖湘文化是中华文化中的一朵奇葩。它的源头可上溯至炎、舜先祖。湖南是炎帝、舜帝的故里。炎舜神话也就成为了湖湘文化的重要渊源”。③林河也提出“傩文化就是湖湘文化的根，至少也是湖湘文化的源头之一”；而“傩文化”其实就是“中国古代农耕社会的一种原始信仰”，“是古代中国农耕民族为了祭祀农神——傩神而创造出来的原始文化”。④钱基博认为整个湖湘文化的源头在于“一为文学之鼻祖屈原”，“一为理学之开山”的周敦颐，而且在历史演变中，明代李东阳、王夫之和清代魏源、王闿运、曾国藩等对于湖湘文化发展产生了重要影响。⑤李肖聃则认为湖湘文化的起源在于周敦颐所开创的理学，他把宋明理学作为他所研究的湖湘文化内容的主体。⑥周秋光以发展兴衰时期为标准，将湖湘文化的发展演进分四个阶段：南宋时期的第一次大融合形成了古代湖湘文化；洋务运动时期的第二次大融合，使以经世致用为特征的湖湘文化兴盛于一时；戊戌变法和辛亥革命的第三次大融合，使湖南全省风气大开；新文化运动以来的第四次大融合，是湖湘文化发挥巨大社会功能的时期。⑦王立新认为湖湘文化的真正源头就是胡安国父子所开创的湖

① 邓洪波．宋代湖南书院与湖湘文化的形成［J］．船山学刊，2005（2）：29-32.
② 罗福惠．近代湖湘文化鸟瞰［C］// 湖南大学岳麓书院文化研究所．岳麓书院一千零一十年周年纪念文集：第 1 辑．长沙：湖南人民出版社，1986：68.
③ 曹波．始源神话与湖湘文化［J］．湖湘论坛，2007，20（4）：50-51.
④ 林河．傩与湖湘文化［J］．民族论坛，2004（4）：7.
⑤ 钱基博，李肖聃．近百年湖南学风·湘学略［M］．长沙：岳麓书社，1985.
⑥ 同⑤.
⑦ 周秋光．湖湘文化学术研讨会综述［N］．光明日报，1999-7-30（7）.

湘学派，“碧泉、隐山是核心湖湘文化的发祥地，也是湘学的真正诞生地，后世的湖湘文化和湘学精神都是在湖湘学派的基础上发展而来的”[①]。杨金鑫也认为湖湘文化发展源流应是湖湘学派的创立之时，而“湖湘学派始于南宋，胡安国首开先声，其子胡宏独创新论。门人张南轩衍其说因而大成”[②]。王夫之是中国思想史上具有重大影响的思想家，其在湖湘文化尤其是近代湖湘文化发展演变中起到了承上启下的关键作用。杨铮铮指出“王夫之生长在湖南，肄业于岳麓书院，受湖湘文化和岳麓书院的学术传统的影响，对宋代湖湘学派大师胡宏、张栻的学术思想极为推崇，并在人性论、知行观及治学思想上直接继承和发扬了湖湘学派的学术宗旨”，王夫之是“湖湘文化由古代向近代转化过程中的关键人物”。[③]

基于近代以来对中国社会和湖南社会产生深远影响的湖湘文化实质上是以湖湘理学为思想支点和核心的文化，所以，湖湘文化的研究重心一般都始于湖湘理学对湖湘文化发展的重要影响。近代湖湘文化是学界研究的重点，而关于湖湘文化近代化的开端也存在不同的见解。罗福惠认为，道光年间嘉道经世派的兴起可以作为湖湘文化近代的开端，并以此可以划分湖湘文化近代发展的五大阶段：即道光末世的经世主变派文化；同治时期的理学经世派文化；光绪前期的资产阶级维新变革派文化；光绪后期的资产阶级革命派文化；五四运动后的无产阶级新文化。[④]彭大成对近代以后的湖湘文化的演进途径，根据湖湘文化发展的思想线索，分成两条思想线索：第一条是由王夫之—谭嗣同—杨昌济—毛泽东的爱国主义和民主启蒙思想发展路线；第二条是由王夫之—曾

① 王立新．湖湘学派与核心湖湘文化——并及湘潭碧泉、隐山湖湘文化资源［J］．湘潭大学社会科学学报，2003，27（1）：22-26.

② 杨金鑫．王船山是湖湘学派承上启下的关键人物［J］．湖南师范大学社会科学学报，1995，24（5）：80-128.

③ 杨铮铮．王夫之对湖湘文化的近代转换［J］．船山学刊，2005（1）：21-24.

④ 罗福惠．近代湖湘文化鸟瞰［C］// 湖南大学岳麓书院文化研究所．岳麓书院一千零一十年周年纪念文集：第 1 辑．长沙：湖南人民出版社，1986：68.

国藩—杨昌济—毛泽东的中国传统文化思想发展路线。他认为两条思想脉络的起点都是王夫之，终点则是毛泽东，其中曾国藩对湖湘文化的传承起了重大作用。[①] 饶怀民则认为近代湖湘文化的发展大体上经过了三个阶段：第一阶段从鸦片战争开始到甲午战争为止，为地主阶级的经世派、洋务派文化时期；第二阶段从中日甲午战争开始到辛亥革命，为资产阶级维新派、革命派文化时期；第三阶段从辛亥革命失败到五四运动前后，为无产阶级新文化时期。[②] 周秋光则认为湖湘文化的近代化不是始于1840年鸦片战争，从整个中国文化转型变迁的角度看，中国传统文化的近代化始于西方文化的输入，在面临着强势西方文化的压力与冲突之下，中国传统文化才发生质的转变，而湖湘文化的这种转变是从甲午中日战争之后才开始的。因为湖湘文化在甲午战争前并没有发生根本的变异，仍属于封建传统文化；而在甲午战争后，湖湘文化在物质、制度和社会心理方面都发生了前所未有的变化。他还进一步阐述，甲午之后湖湘文化的近代化表现有五个方面，包括开设近代新式学堂、举办各种学会、推行市政管理措施、建立各项近代文化设施、开办新式企业。[③]

第三，关于湖湘文化特征研究。湖湘文化的特征一直是学者们研究的重点。民国时期，学者虽然没有明确提出“湖湘文化”的概念，但由于近代以来民族救亡运动所产生的民族主义高扬、革命情绪浓烈的时代背景，为弘扬民族精神，发掘传统文化中有利于现实社会改造的内容，很多学者也都从湖湘文化的精神特征入手进行总结概括，一般认为湖湘文化精神具有：革命性、独创精神，奋斗精神，经世致用精神，舍己为人、奉献和献身的教育

① 彭大成．湖湘文化与毛泽东［M］．长沙：湖南出版社，1991：5.
② 饶怀民．李燮和研究中的几个问题［J］．求索，1999（2）：108-112.
③ 周秋光．论湖湘文化的近代化开端及其标志［J］．湖南师范大学社会科学学报，1989，18（5）：81-128.

精神，艰苦卓绝和从不党同伐异的治学态度精神等几方面。[①]

进入20世纪80年代之后，学界从不同的方面、不同的角度总结提炼湖湘文化各方面的特征。在过去主要是对湖湘文化中积极有利于现实经济社会发展的特征进行总结概括。罗福惠将湖湘文化的特征归纳为四个方面：第一，文化中的政治意识极为强烈；第二，文化具有一种明显的连续性；第三，学风盛炽；第四，民风强悍。[②]朱汉民等人认为湖湘文化具有三大基本特征："第一，因重经世、重践履，推崇理学而不流于空疏或虚诞；第二，因推崇理学，有务实的经世观念，躬行践履而易流于保守；第三，因理学和经世观念的制约,重躬行实践而局限于政治伦理。"[③]彭大成将湖湘文化的主要特点归纳为：哲理思维和诗人才情的有机统一；经世致用的哲学思想与力行践履的道德修养；"气化日新"、自强不息的奋斗精神；忧国忧民的知识分子群体参政意识；运筹决胜、平治天下的军政谋略等五个特征。[④]丁平一等人则试图从总体上概括湖湘文化的特征，他认为："经过漫长的历史积淀，由近代湖湘士民们陶铸而成的湖湘文化传统：即强烈的爱国主义和民族主义精神；求新求变的变革精神；重践履、重实求的经世致用学风；踔厉敢死勇为天下先的士风民俗。"陈先枢对湖湘学风的特征进行了探讨，指出湖湘学风具有经世致用、伦理践履、文化乡恋和教学图新四个重要特征。[⑤]

户华为则认为应该从学理和精神两个层面去理解湖湘文化的特征，既有其学理也有其精神，"其学理就是宋明'湖湘学派'所阐发的理论，就其精神来讲，主要是近代湖南人曾国藩、黄兴、

① 周秋光.湖湘文化宏观研究[M].长沙：湖南师范大学出版社，2001：462-468.

② 罗福惠.近代湖湘文化鸟瞰[C]// 湖南大学岳麓书院文化研究所.岳麓书院一千零一十年周年纪念文集：第1辑.长沙：湖南人民出版社，1986：77-81.

③ 朱汉民.湖湘文化的基本要素与特征[J].湖湘论坛，2000，13(5)：59-61.

④ 彭大成.湖湘文化与毛泽东[M].长沙：湖南出版社，1991：16.

⑤ 陈先枢.试论湖湘学风的特征[J].湖南社会科学，1997(2)：61-64.

毛泽东等人后浪推前浪似的‘湖湘精神’（若从广义来讲，也可以认为是自屈原以来，湖湘大地上先人们的优秀品格）。自然，学理不同于精神，精神也不能代替学理。当然，学理厚重了，也会在一定条件下内化为某种精神，而优秀精神的发扬和延续，也必然推动学理的发展”。[①] 在湖湘文化研究上应该区分两个层面的特征，特别要注意两层次之间的关系。

谭双泉认为面对晚清“二千年来未曾有的大变局”，湖湘文化在近代发生了嬗变，表现出敢于同旧传统决裂、坚持崇尚实学、“旧瓶装新酒”等与以往不同的特征。[②] 陈甲标专门论述了湖湘文化的兼容性特征，认为早在先秦时期楚国和湖南原住民之间不断战争和融合之中产生的“湖湘楚文化”便已具备了兼容的特点，秦汉以后湖南不断的人口迁移又进一步加强了湖湘文化的这种兼容并蓄特性。他还指出湖湘文化的这种兼容性对于整个湖南社会产生了全方位和多角度的影响。[③]

文选德以独特的视角用岳麓山来形象比喻湖湘文化，认为麓山文化是湖湘文化的集中体现，他分别从岳麓山顶代表以老庄学说，融合抱朴子及历代方家术士道人思想之精华，形成了“清静无为”“道法自然”的绝尘、超俗、功成、身退之道家文化；山腰是代表着佛家思想，经岳麓山历代高僧智士传承弘扬，形成了“慈悲为怀”“去恶从善”的善良、宽容、奉献、无畏之佛家文化；山脚的岳麓书院以四书五经为中心，经历代儒家仁人志士的苦心历炼，形成了“修齐治平”“敢为人先”的仁礼、忠恕、中庸、向上之儒家文化，而岳麓山就代表着这儒、释、道三家文化精髓的结合，

① 户华为．湖湘文化及其特征与历史定位［J］．湘潭大学学报（哲学社会科学版），2005，29（2）：84-88.

② 谭双泉，章猷才．略论近代湖湘文化嬗变中的若干特点［J］．湖南社会科学，1997（3）：69-73.

③ 陈甲标．湖湘文化兼容性特征的形成与影响［J］．湖南社会科学，2000（6）：51-54.

形成了彰显湖湘文化之“经世、爱国、务实、奋斗”特质的麓山文化与湖湘文化。①

周秋光将湖湘文化的主要特点归纳为：历史源远流长，绵延传承，有一种明显的连续性，政治意识极为强烈；爱国主义传统尤为突出，历久常新，激励三湘儿女奋发图强，报效祖国；博采众家的开放精神与敢为天下先的独立奋斗与创新精神。②还有如王兴国③、宋伟明④、郭汉民等学者都极其重视湖湘文化中的爱国主义特征，郭汉民还仔细地分析了近代湖湘文化中的爱国传统，认为爱国主义是湖湘文化的一个显著特点，“与强烈救国使命感和责任相联系的是百折不挠的奋斗精神与勇于牺牲的献身精神，这又是近代湖南人爱国主义的一大特色”；近代湖湘文化中的爱国思想突出表现在“反对外国侵略、捍卫国家主权和领土完整，与学习西方、改革内政、争取国家富强的统一”。⑤周跃云从民性、民风、思想品德和行为习俗四方面对湖湘文化的特色进行了概括：第一，民性淳朴、敦厚、崇尚“经世致用”；第二，民风强悍、刚烈、勇于任事，具有不甘沦落、不屈不挠的开拓精神；第三，在思想品德方面集中表现为崇尚程朱理学，讲究道德修养，注重节操、志向，不妄言，不妄为；第四，在行为习俗方面，表现为克己、谨慎而保守。⑥

郑大华则对上述一些学者所总结出来的湖湘文化的特征提出了不同的看法。在他看来，所谓特征，是唯我独有、别人所无的东西，如果人人都有，又怎能称为特征呢？以不少学者所总结出来的湖湘文化最显著的特征之一“经世致用”而论，它是中国儒家文化

① 文选德．麓山文化与湖湘文化［J］．新湘评论，2007（6）：42-46.
② 周秋光．湖湘文化的个性特征及其缺陷［J］．船山学刊，2001（4）：27-31.
③ 王兴国．湖湘文化汇合百家、兼收并蓄的博大精神［J］．船山学刊，1992（1）：148-153.
④ 宋伟明．近代湖湘文化中的爱国主义精华［J］．湘潭师范学院学报，1997（2）：22-26.
⑤ 郭汉民．近代湖湘文化的爱国传统［J］．益阳师专学报，1997（4）：14-19.
⑥ 周跃云．近代湖湘文化与湖南地理［J］．湖南师范大学社会科学学报，1990，19（3）：86-128.

的精华，是历代知识分子一以贯之的优良传统和价值取向。不仅近代湖南的知识分子如此，近代其他地方的知识分子也是如此，比如嘉、道年间，湖南的陶澍、贺长龄、魏源主张经世致用，浙江的龚自珍，安徽的包世臣、姚莹，福建的林则徐，山西的徐继畬，江西的黄爵滋，等等，也都主张经世致用。既然经世致用不是湖湘文化所独有的东西，它也就不能成为湖湘文化的特征。至于有的人把爱国主义说成是湖湘文化的特征，那就更失之毫厘、差之千里了。因为爱国主义是近代中国文化的时代旋律，近代湖南人爱国，其他地方的人也一样爱国。中国近代史上涌现出一大批著名的爱国人士，湖南人只占其中的一部分。如果说爱国主义是近代湖湘文化的特征，那么它也应该是岭南文化、江浙文化或其他区域文化的特征。他认为真正能称之为近代湖湘文化特征，是那种敢为天下先、“无所依傍，浩然独往”，勇于奋斗，不怕牺牲的“特别独立之根性”，正如杨毓麟所说的那样，“其岸异之处，颇能自振于他省之外”。[①]

近年来，学界对于湖湘文化的认识逐渐地理性客观，文化是一个系统与多层次的存在，同时也是不断发展的，因此，对于湖湘文化的研究不仅要提炼出其积极的合理的因素，还要辩证地去分析历史上湖南社会特点所决定的湖湘文化中消极的因素。周秋光认为湖湘文化的缺陷有四：经济上极冷、政治上极热的两极分化倾向；经世致用的学风在某种程度上造成了湖南人急功近利、缺乏对人的终极关怀，过于强调经验的作用而忽视了理论的建构；易走极端，保守与激进并存；“楚材晋用”现象较为突出。除此之外，缺乏大局意识、有时窝里斗；不合群，团结精神差；性格急躁，不能虚衷受益；不善纳言和向他人求教；也不善于包装和推销自己；等等。[②] 还有的研究者就湖湘文化消极方面的特征也进行了深入研

① 张枬，王忍之．辛亥革命前十年间时论选集：第 1 卷下册［M］．北京：生活·读书·新知三联书店，1960：617-618.

② 周秋光．湖湘文化的个性特征及其缺陷［J］．船山学刊，2001（4）：27-31.

究。谭长富和康化夷通过对湖湘文化中的固守传统、缺乏创新精神；过于浓烈的民族情结、拒斥外来事物而缺乏开放精神；重农轻商、重义轻利而局限了科技工商的发展；自负矜持而易于脱离现实等四个方面进行了反思。[①]而学者们希望在实现湖湘文化的现代转型时，既要有对于传统湖湘文化适应时代发展与需要的因素的继承和弘扬，又要能全面科学地去认识湖湘文化的这些消极因素，特别是在创造性构建和实现湖湘文化现代化过程中能有效地遏制、克服其缺失和负面因素，推动湖湘文化新的辉煌。

第四，关于湖湘文化与湖湘人物研究。在湖湘文化研究中，人物研究是学者所关注的一个重点领域，湖湘文化形成发展过程之中，有许多关键性的人物对之发挥了重要作用，近代湖湘文化大兴之后，湖湘文化又促进了近代以来湖湘人才的兴盛。首先，湖湘文化与人物研究主要集中在历史上对于湖湘文化发展起到重要作用的人物研究。在湖湘文化历史发展过程之中，有许多湖南或外省人物对于湖湘文化发展发挥了重要作用。比如在湖湘文化发源时期，学界普遍认为屈原、贾谊对于湖湘文化发展和湖湘文化精神形成有重要作用，特别是屈原、贾谊的忧患意识与爱国主义对于湖湘文化精神特质形成的重大影响。曹波将屈原、贾谊对湖湘文化的影响，归结为湖湘文化中的“屈贾情结”，“可以说，‘屈贾情结’成了‘中国历史上入世的知识分子一个文化的幽结’。是中国（尤其湖南）爱国主义传统的滥觞”[②]。还有许多学者认为历史上湖南作为政治上的流放之地，贬谪于此的中原士人对于湖湘文化传承与发展也起到了丰富、推动的作用。比如柳宗元曾经在湖南为官，他在湖南的经历升华了湖湘文化。“柳宗元以彪炳千古的诗文，寄寓自强不息的人格精神，表达忧国抚民、革旧图新的深

① 谭长富，康化夷．湖湘文化的反思［J］．求索，2004（6）：150-152.

② 曹波．屈贾情结在湖湘文化中的传承与升华［J］．湖湘论坛，2008，21（2）：45-47.

邃思想，倡导‘吏为民役’的政治理念，开创游记散文先河，成为一代思想文学宗师。他对湖湘文化的传承产生了极为重要的影响，奠定其在中国思想文化史上的独特地位。”[①] 此外，王夫之是湖湘文化由传统走向近代的关键人物，学界对王夫之与湘学和湖湘文化的关系研究颇多，普遍认为，王夫之“生长在湖南，肄业于岳麓书院。受湖湘文化和岳麓书院的学术传统的影响，对宋代湖湘学派大师胡宏、张栻的学术思想极为推崇，并在人性论、知行观及治学思想上直接继承和发扬了湖湘学派的学术宗旨，是湖湘文化由古代向近代转化过程中的关键人物”[②]。王兴国也认为王夫之“继承和发展了古代湖湘文化中的民族主义传统，开启了近代湖湘文化的优良爱国主义传统；继承了古代湖湘文化经世致用传统，并且开创了近代湖湘文化注重经世致用的优良学风；继承了古代湖湘文化那种敢于和善于吸纳百家、综合创新的精神，开启了近代湖南先进人物敢为天下先的‘湖南人精神’”[③]。

再者，近代以来，湖南历史上也涌现出诸多影响近代中国历史的重要人物，其中如魏源、曾国藩、郭嵩焘、谭嗣同等与湖湘文化之关系都是学界研究的重点。学界大都认为，正是湖湘文化的独特精神内涵，才促成了近代以来一大批湖南优秀人才的出现，如魏源与湖湘文化之关系，刘立祥、殷国明等认为魏源的思想“源于湖湘文化，又对湖湘文化影响深远”[④]。关于曾国藩，曾长秋指出，“曾国藩一生主要做了三件事：钻研义理之学、镇压太平天国和开创洋务运动。而这三件事，都对于传统文化，尤其是对湖湘文化的传承分不开。特别是他所做的后两件事，都是学以致用的结果”。进而总结道，“曾国藩以理学为核心，以湖湘文化为载体，并对传

① 翟满桂．柳宗元的成就及与湖湘文化的关系［J］．文史博览·理论，2005（10）：7–10.

② 杨铮铮．王夫之对湖湘文化的近代转换［J］．船山学刊，2005（1）：21–24.

③ 王兴国，聂荣华．湖湘文化纵横谈［M］．长沙：湖南大学出版社，1996.

④ 刘立祥，殷国明．魏源“师夷”思想与湖湘文化精神［J］．求索，2007（7）：72–73.

统文化兼收并蓄。重视经世致用，使得他获得了卓越的政治才干和丰富的军事经验”[①]。关于郭嵩焘，王兴国认为郭嵩焘是近代探讨湖湘文化优良传统的第一人，宣扬了由屈原、周敦颐至王夫之、曾国藩一脉相传的湖湘文化之精髓，“探讨了湖湘文化兴盛于近代的原因，用自己的辛勤劳动与勇敢探索，为丰富和发展湖湘文化做出了卓越的新贡献”，郭嵩焘不仅在学理上积极弘扬湖湘文化，“而且亲身实践湖湘文化中经世致用、兼容并蓄之博大精神特别是引进和介绍了西方近代先进的资本主义新文明。对中国近代的社会进步与政治革新产生了深远的影响”[②]。章犹才和欧阳斌通过对蔡锷的人格进行分析，研究了湖湘文化从“古代传统观念到近代民主革命观念的转化嬗变”，指出湖湘文化在近代的变革大潮中必须“穷通损益”来扬弃陈旧的传统，才能“葆其活力，培育新人”。[③]张云英和罗建英通过对毛泽东个性特征的分析研究，认为以王夫之为代表的近代湖湘文化，孕育了毛泽东的独特个性：哲理思维与诗人才情的有机统一的思维模式，造就了毛泽东现实主义与浪漫主义神奇结合的虎气与猴气相统一的独特的个性气质；气化日新、自强不息的奋斗精神，孕育了毛泽东“动”“斗”性格；忧国忧民的知识分子群体参政意识，豪迈自负，救中国自湖南始，济天下自我始的历史责任感，造就了毛泽东自信、豪迈、乐观的个性；经世治用的实学思想孕育了毛泽东注重调查研究的力行意识。[④]

研究湖湘文化绝对不能回避近代的湖湘人才现象。近代之前，湖南在全国“碌碌无所轻重”，湘军兴起之后，“湖南人才辈出，

① 曾长秋．承往古衰朽之续　开近代风气之先——论曾国藩对湖湘文化的传承[J]．船山学刊，2005（4）：26–28.

② 王兴国．郭嵩焘与湖湘文化［J］．湖南师范大学社会科学学报，1995，24（5）：73–79.

③ 章犹才，欧阳斌．从蔡锷人格的复杂性看湖湘文化的近代嬗变［J］．湖南师范大学社会科学学报，1996，25（6）：80–85.

④ 张云英，罗建英．论湖湘文化对毛泽东个性特征的影响[J]．船山学刊，2006(3)：38–39.

功业之盛，举世无双”，这与湖湘文化有着很大的关系。如民国时期，钱基博就提出过湖南地理与民风对于近代湖南人才兴起的影响，他认为湖南“人杰地灵，大儒迭起，前不见古人，后不见来者……义以淑群，行必厉己，以开一代之风气，盖地理使之然也”[①]。这一方面的研究从 20 世纪 90 年代以来有了很大的发展，展开的层面不断地深入，切入的角度也越来越新颖。朱翔指出湖南的自然地理环境、社会地理环境和政治地理环境都适宜于高层次军政人才的培育。[②]张伟然专门论述了湖南的民风和士人气质，提出了和前人不同的观点，他认为湖南的民风由古代到近代经历了两个方面的变化，“一是从古代的怯懦畏事到近代的强悍果敢，二是从古代的懒惰到近代的勤奋”，民风影响士气，所以湖湘士人在此种民风的熏陶之下形成了特有的果敢、负气和质直的气质。[③]宋代以来湖湘学派所塑造的湖湘学风在近代湖湘人才群体兴盛中也起到了重要的作用。刘四平和吴仰湘引《湘学新报》例言所说“学术为政治之本，学术明斯人才出”，指出了湖湘学术之蓬勃兴盛和湖湘人才的联袂群起是相伴相随的，宋末和近代是湖湘人才最鼎盛的时期同时亦是湖湘学术最昌明之时。[④]陶用舒则专文论述了湖湘经世之学对湘军人才群的重要作用。[⑤]民国之后，在新民主主义革命过程中，湖南也涌现出大量的湘籍无产阶级革命家，也有学者对湖湘文化之于湘籍无产阶级革命家群体形成的影响进行了深入分析，易永卿指出“湖湘文化对湖南无产阶级人才群体的形成和发展有着广泛而深刻的影响。正如毛泽东所说：‘曾、左吾之先民，黄、蔡邦之模范。’湖南无产阶级人才群体正是在马克思主义的哺育下，

① 钱基博，李肖聃．近百年湖南学风·湘学略［M］．长沙：岳麓书社，1985：31.
② 朱翔．近现代湖南人才地理研究［J］．地理学报，1998.53（3）：279-284.
③ 张伟然．湖南历史文化地理研究［M］．上海：复旦大学出版社，1995：71.
④ 刘四平，吴仰湘．论湖湘学术之兴与湖湘人才之盛［J］．湖南师范大学社会科学学报，2002，31（1）：116-121.
⑤ 陶用舒．湘军人才群和经世致用之学［J］．益阳师专学报，2000（4）：73-77.

对中国传统文化、特别是近代湖湘文化思想‘以条理之，挈其瑰宝，而绝其淄磷’，‘庇千山之材为一台，汇百家之说成一学。取精用宏，根茂实盛’。终于‘台积而高、学积而博’，成长为中国最出色、最有影响的人才群体”。[①]

第五，湖湘文化与近代湖南和中国社会。湖湘文化的独特精神内涵赋予了近代湖南人特有的精神气质和品格，也在一定程度上推动了湖南和中国社会在近代中国的进步，周辉湘指出："湖湘文化是在洋务运动后期才逐渐走向近代化的。在这个过程中，各种学会发挥了重要的载体作用。湖湘文化的近代化与湖南社会的近代化同步，社会经济、政治、民俗文化等都在这一过程中步入近代的行列。"[②] 这个过程对湖南近代历史的发展产生了重大影响，比如洋务运动的领导者就深受湖湘文化的熏陶，他们经过对湖湘文化集大成者王夫之的经世济民思想的继承，"架起了一座由湖湘文化通向洋务思潮的桥梁"，虽然由此开始了中国最早的学习西方的步伐，推动了近代中国初步的现代化与进步，但它只是一种封建统治的"自我调节理论"，故而这种"经世观"只能为封建统治进行输血，而不能为中国的现代化制造新鲜血液。[③]

甲午之后，严重的民族危机促成了戊戌维新运动的兴起，湖南何以由一个保守落后的内陆省份一跃成为戊戌维新时期最富朝气的省份，历来是学术界研究之重点，很多学者也都认为是湖湘文化的精神内涵才形成了湖南人在文化心理上的重大转变，陈丽华认为湖湘文化的注重经世致用、兼容并蓄与爱国主义的特点促成了湖南人在甲午之后由盲目排外到"文明排外"的转变。[④] 郑焱

① 易永卿．湖湘文化对湖南无产阶级人才群体的影响[J]．湖南社会科学，2005(4)：132-135.

② 周辉湘．湖湘文化的近代化与湖南社会的进步［J］．衡阳师范学院学报（社会科学版），2002，23（1）：67-72.

③ 周辉湘．湖湘文化与洋务思潮关系略论［J］．求索，1998（1）：112-117.

④ 陈丽华．从湖湘文化的特征看维新时期湖南"文明排外"思想形成的原因［J］．韩山师范学院学报，2007，28（1）：48-51.

认为在湖湘文化影响之下，湖南的维新思潮具有其独特性，谭嗣同以湖湘文化的精神内核结合传统文化与西方文化而形成的人格觉醒与平等学说，它的广泛传播是湖南维新运动蓬勃发展的思想基础。[①]罗志田围绕“近代湖南区域文化的主流究竟是趋新还是守旧”这一具体问题，从湖南区域文化的一些特性入手，探讨这一特定区域文化语境对湘籍人士思想观念和社会行为的影响，认为“趋新而非守旧是近代湖湘区域文化的主流趋向”，而这种趋向来源于对魏源、郭嵩焘、曾纪泽“确立为正面形象并与以前曾、左一辈的趋新形象结合，而确立的以趋新为表征的近代湖南文化传系”的认同，新旧之争从根本上来讲只是学风之争。[②]

还有学者从不同侧面考察分析了湖湘文化对于近代湖南社会发展的影响。例如蒋作斌通过考察了不同时期湖湘文化与湖南教育的关系，也认为“湖南教育促进了湖湘文化的发展，而湖湘文化又反过来丰富了湖南教育。其结果是使湖南人才辈出为中华民族的发展做出了贡献 ”。[③]张做功与古夫认为：“在湖湘文化的形成与推广中，湖南教育当居首功，而在历代湖南教育发展的进程中，对其影响最大者，当推湖湘文化。”[④]陈文联、刘翔对湖湘文化对于近代湖南私立教育的影响进行了深入分析，认为：“作为区域文化传承的载体，湖南近代私立学校受到湖湘文化广泛而深入的影响，在办学特征上更是深深地打上了湖湘文化的烙印。其具体表现为：教育救国的办学宗旨、图变求新的办学理念、经世致用的办学方针、磨血育人的办学精神等。这些特征是湖湘文化的精华所在，是催发并推动湖南近代私立教育发展的重要因素，是湖南近代私立教

① 郑焱．论湖南维新时期的社会思潮［J］．湖南师范大学社会科学学报，1994，23（6）：98-102.

② 罗志田．近代湖南区域文化与戊戌新旧之争［J］．近代史研究，1998（5）：51-82.

③ 蒋作斌．湖南教育与湖湘文化［J］．河北师范大学学报（教育科学学报），2002，4（6）：58-60.

④ 张作功，古夫．湖湘文化与湖南教育［M］．北京：教育科学出版社，2006.1.

育发展的内在动力和灵魂。”[①]

第六，湖湘文化及其精神的现代转型和当代价值。湖湘文化在近代历史上大放异彩，社会历史条件发生变化，尤其对于当下湖南社会而言，湖湘文化也产生了转型和价值问题。朱有志等把湖湘文化的精神实质形象地归纳为十个方面，把它们放置到时代发展的大背景下，剖析它们与时代精神相悖之处，进而提出传统湖湘文化向时代文化的十大转换，分别是政治文化向经济文化的转换、革命文化向建设文化转换、人治文化向法治文化转换、封闭文化向开放文化转换、重农文化向重工文化转换、崇官文化向崇商文化转换、军事文化向产业文化转换、游击文化向集团文化转换、争斗文化向和合文化转换、自负文化向自信文化转换。[②]李霞、代华东认为湖湘文化在经济全球化、文化产业化的浪潮下，正悄然转型，并且“这种转型构成了当代湖南经济社会转型的内生力”，这种内生力包含转型的指向、切点、力度三大要素，“三要素相互联系、相互影响、缺一不可；指向是前提，切点是基础，力度是关键。在湖湘文化转型的‘方向’、‘作用点’以及‘力度大小’三个核心要素优化组合后，内生力的推动作用会完全显现”[③]。陈先初通过分析新文化运动以来湖湘文化的发展历程，指出：“湖湘文化在与社会的频繁互动中加速演进，基本完成了现代转型。转型后的湖湘文化不再具有那种与相对封闭社会环境相对应的传统型区域文化的典型形态，而是成了处于流通社会条件下的、既具地方特点更具普遍意义的现代中国文化单元。这一文化单元的基本面相为：发展方向上的前瞻性、品格塑造上的激进性、

① 陈文联，刘翔．论湖湘文化与湖南近代私立学校的办学特征［J］．黄河科技大学学报，2007，9（2）：13-16.

② 朱有志，刘云波，等．当代湖湘文化应该实现10大转换［M］．长沙：湖南大学出版社，2006.

③ 李霞，代华东．湖湘文化当代转型的核心要素［Z］．“湖南省第五届研究生创新论坛——湖湘文化传承与发展研究分论坛”会议论文，2012.

内容转换上的创造性和功能选择上的社会性。”[①] 朱汉民认为作为中华文化中一个组成部分的湖湘文化，总是随着中华文化史的变迁、发展而不断地演变、重构。在当代湖南，“湖湘文化面临一场由伦理—政治型的传统湖湘文化转型为工商型的现代湖湘文化的问题”，因此，“湖湘文化传统资源在现代文化转型与新世纪人类文化建设过程中不能被丢弃，而应该得到更好的传承与发扬”[②]。黄昕、廖自然则分析了在全球化背景下，湖湘文化转型的必要性，“由于他域文化的冲击，加之湖湘文化自身的不足，以及经济社会发展的需要等一系列因素，促使湖湘文化进行现代化转型成为当务之急。湖湘文化的现代化转型，必须坚持社会主义先进文化的前进方向，在保护和传承自身精华的前提下与时俱进，以开放包容的姿态实行‘引进来，走出去’战略，进一步提高自身的竞争力和影响力，从而更好地发挥其凝聚人心的作用，更好地为湖南的经济社会发展服务”[③]。

对于湖湘文化及其精神的当代价值的研究，研究者主要还是把视角放在湖湘文化对于当代湖南社会经济发展的作用上，有许多学者认识到了湖湘文化对于当代湖南社会经济发展具有正反两方面作用，如罗能生认为：“它（湖湘文化）的一些缺陷对湖南经济的发展起了消极的作用，而它的一些积极因素可以成为促进湖南经济发展的精神动因。又是湖南经济发展未来创造辉煌的原因之一。”[④] 史海威、雷菁认为文化是经济生长的土壤，与经济发展是一种正比例关系，“湖湘文化作为一种区域文化亦存在两面性，其优良文化品质为湖南经济提供强大精神资源、智力支持和发展契

① 陈先初．湖湘文化的现代转型及基本面相［J］．湖南社会科学，2014（3）：178–182.

② 朱汉民．湖湘文化传统与现代发展［J］．湖南社会科学，2011（1）：1–4.

③ 黄昕，廖自然．全球化背景下湖湘文化的现代化转型［J］．湖南工业大学学报（社会科学版），2013，18（1）：142–147.

④ 罗能生．湖湘文化与当代湖南经济发展［J］．湖湘论坛，2003，16（3）：41–42.

机；其‘重理轻欲’‘重义轻利’‘重农轻商’的传统价值取向养成的集体‘道德人’和‘政治人’特点，阻碍湖南经济发展。创新湖湘文化推动湖南经济发展的关键在于：合理反思湖湘文化精神实质，促成文化新合力；科学扬弃湖湘文化传统，实现文化重心大转移；同步推进社会体制创新，营造文化创新良好环境”[①]。宋光清对此也持同样的观点，认为“经济是长期的，文化是永远的。湖湘文化源远流长，对经济社会的发展产生了极大的影响。发扬湖湘文化的积极因素，克服其负面影响可促进经济社会全面协调发展”[②]。何智能则从旅游业的角度出发，探讨了湖湘文化与经济建设的关系，指出：“湖南旅游是湖湘文化新的重要载体。它促进了湖湘文化遗址的保护与重修，加快了湖湘文化与其他文化的交流。湖湘文化则是湖南旅游的特色和出路。它本身即是湖南旅游的重要资源，是湖南旅游发展的突破口。”[③]余求根则关注了长沙旅游业与湖湘文化：“一个城市的文化内涵和市民素质的整体状况，决定着一个城市旅游业的形象。要充分利用湖湘文化在长沙的各种文化旅游资源，致力于城市整体文化旅游氛围的营造，改善旅游大环境。加大发展湖湘文化旅游的力度，丰富文化旅游产品的种类，使长沙文化旅游产品开发向多元化、精品化方向发展。”[④]

上个世纪90年代以来，湖南文化产业异军突起，特别是以湖南卫视为代表的传媒业在全国拥有重要影响力，这也引起了研究者的极大关注，部分学者认为这种现象与湖湘文化有着极大的关系，当前湖湘文化对推动湖南文化产业发展以及湖南文化软实力建设的影响也成为学界研究的一个重点。李平贵、姚文静认为：“湖

① 史海威，雷菁．湖湘文化创新与湖南经济发展［J］．湖南大学学报（社会科学版），2015，29（6）：125-128.

② 宋光清．论湖湘文化对经济社会发展的影响［J］．湖南省社会主义学院学报，2006（5）：31-33.

③ 何智能．试论湖湘文化与湖南旅游之关系［J］．湖南商学院学报，2001，8（6）：35-37.

④ 余求根．试论湖湘文化与长沙旅游文化［J］．各界（科技与教育），2008（9）：55-56.

湘文化是湖南文化软实力的核心要素。当下湖南文化软实力的建设必须立足于湖湘文化底蕴，汲取湖湘精神，夯实文化传承力；突出湖南区域特色，提升文化影响力；推进品牌建设，增强文化竞争力；依托现代传媒，扩大文化传播力；培育文化人才，激发文化创造力。唯有如此，湖南经济、科教、文化的发展模式才能彰显其对内的凝聚力与对外的吸引力、影响力。”① 刘健安认为传媒业的“湖南电视现象”便是“得益于湖湘文化的滋润而成为‘现象’。而‘现象’必将丰富‘湖湘文化’，这就是文化的辩证关系”。② 魏文彬的《湖湘文化与电视湘军》，阐述了湖南电视现象与其地域文化的内在关联，认为“湖南电视所具有的独特的文化气质及其所创造的影响力”，乃是源于湖南深厚的湖湘文化底蕴。③ 郑大群从一个较新的角度出发，认为“新中国首家女性报纸和女性电视频道均诞生在湖南，并且在同行业中一直处于领先地位，取得一系列优异成绩，究其原因，主要是具有‘经世致用、敢为人先’精神气质的湖湘文化所起的主导作用，以及逐渐觉醒的现代女性意识的影响”④。伍先禄认为当前增强湖南文化软实力，提升湖湘文化对外传播的效果必须“重视‘类’文化特性，即文化共性问题。文化共性是对外传播的基础。湖湘文化对外传播的优势从传播客体来分析就是湖湘文化本身具有的‘类’文化特性，它包括湖湘物质文化资源、精神文化资源和饮食服务文化资源中蕴涵的‘类’文化特性。为了更好地挖掘和传播湖湘文化的‘类’文化特性，需要整合湖湘文化资源，形成湖湘文化对外传播的合力；也需要加强湖湘文化与域外文化的比较研究；更需要加强湖湘文化价值观的传播以提升湖湘文化的对外影响力”⑤。

① 李平贵，姚文静．基于湖湘文化底蕴的湖南文化软实力建设战略思考［J］．湖北科技学院学报，2015，35（9）：10-12.

② 刘健安．“湖南电视现象”与湖湘文化［J］．理论与创作，2001（1）：19-20.

③ 魏文彬．湖湘文化与电视湘军［J］．中国广播电视学刊，2007（7）：78-79.

④ 郑大群．论湖南女性媒体与湖湘文化的关系［J］．长沙大学学报，2006，20（6）：12-14.

⑤ 伍先禄．论湖湘文化的“类”文化资源及其对外传播［J］．科技资讯，2015，12（22）：6-7.

在湖湘文化精神特质的当代价值方面，潘小刚则认为湖湘文化有着浓厚的德治思想传统，“德治由此在湖湘文化中开枝散叶，源远流长，在湖湘文化的代表人物身上，无比清晰地显现出德治思想千年发展的脉络”，“传统湖湘文化中包含着丰富的德治思想，但湖湘文化中的德治与今天的以德治国仍然有着本质的区别，湖湘文化要适应当代社会的发展，必须实现当代转型。这种转型的一个向度就是由传统德治文化向法德并举型文化转变”[①]。赵蓓认为：“湖湘文化经世致用的强大传统，难免会导致排斥科学理性的片面性和狭隘性。但在许多时候从经世致用出发的思想和活动，又会衍生出或提升为科学理性。”[②] 陈潭、易丹妮从区域政治传统的角度探讨了湖湘文化对当代湖南社会的影响，指出：“以湖湘文化为丰富养料所孕育出的湖南区域政治传统仍有其现实意义”，“其中大力提倡的忧国忧民的爱国情操、民族主义意识、舍我其谁的自信心、踔厉敢死的牺牲精神、注重实践的实干作风对于我们建设有中国特色的社会主义具有重要价值”。[③] 王耀中、李金龙认为湖湘文化作为一种地域亚文化具有开放性特征，在当代湖南文化与社会建设中弘扬这种开放性精神“有利于吸收世界文明的一切优秀性成果，建设有中国特色社会主义文化，有利于湖南克服内陆型意识，全方位地实现经济上的对外开放”[④]。

第七，湖湘文化与其他区域文化的比较研究。作为在近代中国历史文化发生重大影响的区域文化，学者们还将其与其他区域文化进行了比较，来分析考察湖湘文化何以在近代大放异彩。杨念群的《儒学地域化的近代形态——三大知识群体互动的比较研

---

① 潘小刚．由德治走向法德并举——湖湘文化实现当代转型的一个向度［J］．湖南科技学院学报，2005，26（12）：61-63.

② 赵蓓．从经世致用到科学理性［J］．船山学刊，2007（4）：194-195.

③ 陈潭，易丹妮．湖湘文化与湖南区域政治传统论析［J］．南华大学学报（社会科学版），2004，5（3）：5-10.

④ 王耀中，李金龙．论湖湘文化的开放性及其现实意义［J］．湖南社会科学，2002（4）：107-110.

究》，对湖湘文化的学理根源——湖湘理学，以及湖湘知识群体在近代出现的儒学“地域化”状态之下和江浙、岭南进行了卓有成效的比较研究。他认为“儒学地域化过程所导致的思维范式的多元化，会形成绵延久长的传统，它统摄着不同地域知识分子群体对待西学侵入所采取的迥然不同的话语应对策略”。这种传统在湖湘表现为强烈政治思维和帝王之学盛行，在岭南表现为神秘主义主导下的理想主义“政治神话”的重构，在江浙则表现为学术职业化和专门化的倾向大行其道。① 刘云波从江浙文化与湖湘文化产生发展的自然社会条件出发，认为“吴越地域文化性格很难与激烈、叛逆、反抗等词汇联系起来，恰恰相反，而是呈现出喜静、惧变、平和、细腻、柔情等个性心理倾向”，因之，与“军政文化相对薄弱形成鲜明对比的是，江浙文化具有突出的经济、学术取向”，而“与江浙文化突出的经济、学术取向相比，近代湖湘文化则有着比较浓郁的政治、军事色彩”。② 周秋光将两湖文化、湘赣文化作了比较，认为湖湘文化与这两种文化相比，既有相同又有不同。相同之处表现为：都具有强烈的爱国主义精神，重经世致用，都有一定程度的民本思想和张扬个性、敢于探索、接受新知、文学艺术上富于想象、追求瑰丽新奇等；不同之处表现为：一是社会发展与文化重心移动不同；二是文化精英政治意识和强弱不同；三是文化的连续性不同；四是文化的主要载体和体现者士绅的力量和影响也有很大不同。湖南、江西都是山河走向一致的内陆省份，气候和土地、矿产资源相似，清代前期江西远胜湖南，而近代湖南迅速崛起，既与明末清初江西移民大量进入湖南有关，也和湖南近代以来地理政治环境的变迁密不可分。③ 黄中军则从民主主义

① 杨念群．儒学地域化的近代形态——三大知识群体互动的比较研究［M］．北京：生活·读书·新知三联书店，1997.
② 刘云波．江浙文化与湖湘文化比较论［J］．求索，2006（8）：215-219.
③ 周秋光．湖湘文化学术研讨会综述［N］．光明日报，1999-7-30（7）.

革命时期湘粤人才辈出现象分析得出："近代岭南文化的精神特质表现为具有浓厚的重商意识、富于开放创新和民主精神以及学术上的鲜明功利性倾向。近代湖湘文化的精神特质表现为以政治伦理为中心的人生价值取向、经世致用的实学思想、刚劲强悍和忍耐刻苦的性格特征。"①

第八，关于其他方面研究。在其他研究方面，如谭其骧从历史地理学方面对湖湘文化精神内涵的形成和特征作了分析，他认为对于湖南人性格和湖湘文化精神内涵影响较大的有移民和蛮族通婚两大因素。②张伟然在1995年出版的著作《湖南历史文化地理研究》运用了多学科的研究方法和手段，对湖湘文化从先秦到清末各个时期的文化要素之分布、差异和变迁以及该文化区域发展之背景、格局、地理环境、行政建制和移民等因素进行了论述。③还有从文艺学视角探讨湖南文学与湖湘文化之间的关系的相关研究成果。田中阳认为"屈贾情结"作为"经世致用"的心灵爝火，造就了湖湘现当代文学的磅礴大气和灿烂辉煌，同时，"经世致用"也对中国的近代文学产生负面影响，这种负面影响主要表现在文学服从于政治功用，讲求急功近利、急于求成以至形成否定知识、轻视知识的极端。湖湘文化精神要在新时期的文学事业中发挥更大的作用，就必须改造湖湘文化让她真正成为一种开放的、多元的、淡泊明志的文化。④欧阳斌认为流寓文化、理学文化、红色文化和地域民俗文化构成了湖湘文化的主体内容，也是湖湘文化的四大支柱，这是湖南文学审美品格产生的文化背景。在此基础上产生的具有湖湘特色的文学审美品格主要包括：慷慨大气、辞藻华美和浪漫主义的楚味；经邦济世、忧国忧民和针砭时弊的辣味；浓

① 黄中军．论近代岭南文化与湖湘文化的精神特质——由民主主义革命时期湘粤人才辈出引发的思考［J］．韶关学院学报，2007，28（7）：41-44.

② 谭其骧．长水集［M］．北京：人民出版社，2011.

③ 张伟然．湖南历史文化地理研究［M］．上海：复旦大学出版社，1995.

④ 田中阳．湖湘文化精神与二十世纪湖南文学［M］．长沙：岳麓书社，2000.

郁湘地风情的俗味。[1] 钟友循的《20世纪中国文学论稿》从文化学、社会学的角度对湖南文学与湖湘文化等进行了审视，在其《文学的缺失还是文化的缺失》一文中，他找寻了湖湘人没有出现文化巨人的原因：其一是湖湘人的某些精神文化特征雷同；其二是创作中缺乏一种本应属于作家本人艺术家品格之要素的内在的、强烈的内在激动；其三是湖南小说的乡土情感缺乏思想深刻性、现代意识与现代观念、高境界大眼光史诗品格等大气的东西。[2]

三、相关问题的界定与研究思路、内容

1. 相关问题的界定

“文化”本身是一个非常宽泛的概念，迄今为止，关于文化的定义众说纷纭，各不相同。在学术研究上，研究者也各从不同的研究领域和视角对文化给出了不同的理解。总体来说，从广义文化角度来看，文化包括物质文化和精神文化，是人类在认识世界和改造世界实践过程中一切的总和。从狭义来看，文化是指人类意识形态和精神文明及其与之相适应的制度和组织机构。就历史发展的角度而言，文化总是伴随着社会经济政治的发展而变迁，文化发展的特点由社会经济政治的特点所决定。“一定的文化是一定社会的政治和经济在观念形态上的反映，又给予伟大影响和作用于一定社会的政治和经济。”[3] 文化具有社会性、历史性、层次性和系统性。就社会与历史发展的角度而言，文化是一种社会现象，它是由人类在长期认识与改造世界过程中所创造形成的产物，

① 章犹才，欧阳斌．从蔡锷人格的复杂性看湖湘文化的近代嬗变［J］．湖南师范大学社会科学学报，1996，25（6）：80-85.
② 钟友循．20世纪中国文学论稿［M］．合肥：安徽文艺出版社，2005.
③ 毛泽东选集：第二卷［M］．北京：人民出版社，1991：694.

是人类社会实践的产物，经历了由外而内又由内而外的转化过程，是对客观世界感性上的知识与经验的升华，同时又内化为自身的认知模式与行为模式。文化是一种历史现象，是人类社会与历史的积淀物。确切地说，文化是凝结在物质之中又游离于物质之外的，能够被传承的国家或民族的历史、地理、风土人情、传统习俗、生活方式、文学艺术、行为规范、思维方式、价值观念等，它是人类相互之间进行交流的普遍认可的一种能够传承的意识形态，从这一点看，文化形成于人类最早的社会实践过程，同时又不断影响人类的社会实践历史。从狭义文化的本体来看，文化是一个既具有层次性又具有系统性的有机整体。在具体的社会历史过程之中，既有所谓精英文化和大众文化之分，又有大文化传统与小文化传统之分，文化的不同层次影响着社会的不同层面与不同群体，进而形成文化在精神意识上对于社会实践历史发展的联动作用。文化又具有系统性，简单来看，文化是一个由各方面因素构成的有机整体，比如观念形态、精神产品和生活行为方式等，三者统一对社会历史发展产生影响。

从本书所研究的角度出发，我们所研究的湖湘文化中的文化概念，主要是指人类在社会实践过程之中所形成的精神意识、价值观念方面的产品，从深层次哲学化的意义阐释角度来看，笔者认为，文化所体现的是人作为群体的存在方式和表达方式，人从自身的世界观和认识论出发，在认识世界和改造活动中不断体现生命存在的方式和意义，并通过社会实践物化为人类活动方式及所创造的物质财富和精神成果的总和。在这一过程中，一定社会形态与一定时间空间范围之中的人们形成了自身所特有的知识体系、价值观念、行为模式等，并通过长期的历史发展而不断潜移默化影响着置身于其中的每一个人。

20 世纪 90 年代以来，随着西方社会科学理论的引入以及学术界对本土学术范式的反思，区域文化研究成为重新解构中国传统文化、细化历史研究的一个重要取向。湖南近代以来人文荟萃，人才辈出，成为中国近代史上具有重要地位的省份之一，湖湘文化对湖南近代崛起之作用因而也越来越为人们所重视。可以说，对湖湘文化的追根溯源，是由于近代湖湘文化之灿烂辉煌引起的。人们从近代湖南社会变迁、人才群体形成等独特历史现象出发，就思想、观念、学术等文化概念上的因素加以整合，使之成为理解近代湖南社会发展的一个切入口。也正因为如此，导致人们在湖湘文化这一概念的使用上呈现出简约化取向。从前文综述可以看出，湖湘文化概念本身存在诸多解释。研究者从不同角度和立场给予湖湘文化不同的阐释，从学理上来看，这些不同阐释都是为了更好地从历史与社会发展的角度给予湖湘文化明确的定位，来解释社会历史现象与发展变迁的内在原因。伴随着区域文化热潮的兴起，特别是现实社会之中经济利益与情感需要的考虑，湖湘文化本身逐渐地出现了异化的趋势。文化是人作为社会群体的存在与表达方式，体现了生活于社会之中人所受到的认知、价值、行为和情感模式的约束与潜移默化的影响，从另一方面来看，人的现实社会实践与经历又会影响其对于文化的认知。20 世纪 80 年代以来，湖湘文化特别是近代湖湘文化的特异性及其在历史上的深远影响满足了作为文化载体的人的某种需要，人们各自从不同立场和角度对“湖湘文化”加以满足自身需要的解读和想象，构建了过去与现实之间的一种观念和情感上的互动关系。这实际上是现实之中人们以过去的历史事件和现象作为载体对于现实的特殊认识，即把现实披上想象的历史外衣。“现在的人们经常按照自己不断变化的多样化见解有意识或无意识地重新塑造着过去”[①]，在某种程度上，人们对湖湘文化的认知与理解已经偏离其本质，而是不断地按照自己的意图和利益去想象湖湘文化，使得湖

① 柯文．历史三调：作为事件、经历和神话的义和团［M］．杜继东，译．南京：江苏人民出版社，2000：3.

湘文化被“神话化”。因此，作为学术研究的湖湘文化，首先就应辩证湖湘文化的历史本源，在社会历史发展与区域地方特质中去重新认识湖湘文化。

实际上，文化这一概念的本身便是一种包含着诸多因素在内的有机整体，对文化的认识必须厘清并分析诸种因素的内在联系是如何构成一个整体的。因此，作为区域文化的“区域性”的特征分析，其关键应是把地域社会中的各种文化因素整合起来的精神内核，这种精神内核在地域文化形成之初即已鲜明地呈现出来，并且决定了地域文化发展和变迁的方向，其结构性因素的扬弃也是以这种精神内核为旨归的。作为区域性标识的文化精神内核，湖湘文化也是一个多元多层次性的概念体系。就本书而言，湖湘文化是指依托于湖南地区独特的自然地理环境和社会历史条件，发源于楚文化并且在长期历史变迁过程中以及人与自然、人与社会之关系演变中不断丰富和发展起来的一种体系完整、层次鲜明的文化系统。而作为一种民族和区域文化，其外在表现形式和特点都由其精神内核所决定。它包括由湖湘文化发源之际屈、贾精神所塑造的忧患意识和其后发展变迁过程中形成的以事功为第一要义的人生价值取向，这种文化精神内核潜藏在每一个湖湘文化的承载主体亦即湖南人身上，在不同的历史时期有着不同的外在的具体表现，并决定了湖南人以何种方式投身于社会变迁的历史大潮之中，呈现出一种共同的精神气质及文化品性。

近代湖湘文化是湖湘文化研究的重心所在。从前文研究综述来看，学术界公认在湖湘文化发展过程之中，王夫之是承上启下的关键性人物，也是近代湖湘文化发展的重要思想资源。有清一代，王夫之思想隐而不显，直到湘军兴起才得以博得盛名。其中就可反映出王夫之及其时代对近代湖湘文化的影响。同时，近代湖湘文化的上限问题涉及近代中国社会变迁的起点问题。一直以来，中国近代史研究的一个热点问题是中国近代社会变化的根本原因，其变迁决定性的动力究竟是内部的还是外部的。以往中国近代社会变迁与文化转型研究的上限大都集中在鸦片战争前后，研究者认为鸦片战争带来的西方外力的冲击是中国社会与文化开始近代化的决定性力量，其前的中国社会与文化不具有与西方资本主义社会与文化同质的因素，因而也不可能向着西方资本主义发展的模式而发展，这种“西方中心论”的观点忽视了中国社会与文化作为一个自在、自为的社会文化有机体的存在，忽视了社会文化多样性而产生的不同发展道路，把“进步”这一概念等同于西方，产生的后果是在历史研究中预设的规范性的存在，即中国为什么“没有”或者“不能”保持同西方资本主义社会与文化的一致，而往往很少考虑这种预设性的前提存在怎样的问题。作为历史思考必然的反思，我们不应当仅仅考虑历史应当怎样，更多的是发现存在于历史迷雾中的“何以”，即历史的发展本来的面目。对于中国近代社会变迁与文化转型来说，我们应该更加深入了解中国社会与文化的本身，外力冲击的作用不可否认，这也是中国近代社会与文化本身的特质之一，而外力冲击之后的中国社会与文化的发展还存在之前的一种连续性的因素在起作用，传统固有的因子不会简单地消亡，它会在社会与文化的各个方面结合西方的冲击来起作用，因之也形成了中国近代社会与文化纷繁复杂的历史情状。正如柯文所指出：“中国中心取向所要概括的是：19、20 世纪的中国历史有一种从 18 世纪和更早时期发展过来的内在结构和趋向”，“呈现在眼前的并不是一个踏步不前、惰性十足的传统秩序，主要或只可能从无力与西方抗争的角度予以描述，而是一种活生生的历史情势，一种充满问题的紧张状态的局面，对这种局面，无数的中国人正力图通过无数的方法加以解决”。[①] 这也就是我们深入发掘嘉道时期社会与文化变化因素的原因所在，作为中国历

① 柯文．历史三调：作为事件、经历和神话的义和团［M］．南京：江苏人民出版社，2000：210.

史大变局的前夜，嘉道时期的社会与文化蕴涵着影响深远的变化因素，可以作为研究中国近代历史发展不同于西方的原因，这种视角不是从西方中心论来分析中国为什么没有走向西方资本主义发展道路，而是生动地展现中国近代社会与文化自身特质。作为中国历史大变局前夜的嘉道时期的中国社会，经历了清王朝百余年的发展，已经处于一个由盛转衰的关键转变时期。这一时期的中国社会，既存在着传统社会朝代兴衰循环的历史问题，如吏治的腐败，土地兼并的加重，阶级矛盾的加剧，也存在着由于时代发展而产生的新问题，商品经济的快速发展与小生产者群体的扩大，如人口快速的增长带来的人口过剩，这些旧的新的问题构成了嘉道时期中国社会的整体状况，而其中新的因素预示着中国社会可能的发展方向，在受到鸦片战争所带来的西方冲击之后，这些新的因素就构成了中国近代社会变迁的一部分。因此，固然近代湖湘文化的赫赫威名是由于近代中国和湖南社会面临西方冲击和湘军兴起所导致，但追溯近代湖湘文化及其精神的演变，不能不上溯至嘉道时期湖湘经世学派的兴起乃至有清一代王夫之对近代湖湘文化变迁的影响。

2. 研究思路与方法

有学者就曾指出："在古代的绝大多数时期内，湖湘文化平淡无奇，没有什么影响力。但进入近代后，尤其是太平天国运动发生后，湖湘文化则突然一跃而起，'一鸣惊人'，成为近代中国文化中一枝光彩夺目的奇葩。个中原因，值得认真研究。"[①] 实际上，文化这一概念的本身便是一种包含着诸多因素在内的有机整体，文化是一个综合性概念，其概念本身也存在多元性。就湖湘文化这一概念而言，这里的文化应指由一定的社会经济基础决定

① 郑大华．中国代近思想史学术前沿诸问题［M］．长沙：湖南师范大学出版社，2012：46.

的社会的政治、法律制度、思想、学术、观念等意识性的社会存在。文化本身也是一种具有结构性的存在，这种结构性的存在是包含诸多意识性因素在内的有机整体，对文化的认识必须从单一性因素出发，同时又必须分析研究各因素的内在联系是如何构成一个整体的。

从前文对湖湘文化研究综述来看，学界在湖湘文化概念的使用上出现化约化趋势，即概念本身的界定和定位都很模糊，具体看来，在理论上已有研究成果缺乏理论深度，尤其是缺乏地域文化研究理论的观照，在论证使用之时流于空泛，所以从目前学术研究成果来看，我们很难对湖湘文化的内涵和外延、精神内核、变迁过程有准确的把握。基于此，本书从以下两方面进行研究。

一方面是要强化湖湘文化与湖南社会之间关系的研究。以往的研究成果虽然在这方面有一定的涉及，但基本上没有深入到湖南社会具体历史变迁的过程中去探讨湘军、湖湘文化的发展，而是就事论事，流于空泛。这在一定程度上仍然是由于湖南社会文化史与湘军研究基本上采用“政治史”和精英研究的范式，当然，笔者在这里无意争论所谓范式的转变问题，我们从上面的综述可以看到湘军与湖南社会文化的研究往往关注了政治范畴和精英传统与阶层，而对社会具体空间的研究很少，即使所谓的下层研究、人民大众思想的研究，也基本上无法真正深入到具体的社会场景中去加以考察分析。郑大华指出：“近代湖湘文化形成和发展的最主要或根本的原因，恐怕还要到近代湖南的社会存在中去寻找，到时代与传统的冲击所形成的历史机遇中去寻找。”[①] 笔者认为有必要加强对湖南社会具体生活场景中反映出社会变迁、社会文化与权力的真实含义的研究，加强问题意识的建立，转变视角，从更微观和更具体的社会历史语境中去考察近代湖湘文化及其精神

① 郑大华．中国近代思想史学术前沿诸问题［M］．长沙：湖南师范大学出版社，2012：46.

的历史演变，这无疑可以进一步拓宽与深入近代湖湘文化的研究。

另一方面是加强湖湘文化研究的学科交叉与融合研究。这种交叉和融合主要是在方法上。与其他省区的区域社会文化史研究比较，湖湘文化的研究在方法论上尤显得匮乏。尽管在中国区域社会史和文化史理论和方法论上仍然存在着受西方社会学和中国近代史研究理论影响以及理论本土转化的问题与争议，但所谓的方法论、“范式”的引用仍然可以拓展区域社会史研究的广度和深度。在以上的综述中，我们很少看到新方法的应用。区域社会史和文化史研究应该而且有必要加强应用其他相关学科的方法和理论。其中最主要的是社会学、人类学、文化学等学科的方法和理论。如“国家与社会”理论，“地方性知识”理论，“大传统与小传统”理论等。这些方法和理论的应用，无疑会给湖南社会文化史研究带来许多新的研究视角，开拓许多新的研究领域，并且细化我们以前的研究。但在使用这些跨学科的方法和理论的同时必须注意到主次问题，即历史学的方法和理论为主，其他社会学科的方法和理论只是借鉴，尤其要避免按图索骥，生搬硬套。

3. **研究内容**

本书主旨在于探讨近代湖湘文化的精神及其当代价值，因此其重点在于对其精神在不同历史时期外在表现及特征的演变进行历史地具体地分析。作为湖湘文化区域性标志特征的是其精神内核，这是从湖湘文化一开始形成便已作为区别性标志存在。近代湖湘文化之所以具有如此强烈的标识性，就是因为作为近代湖湘文化载体的近代湖南人表现出的共同的精神气质和价值追求也即近代湖湘文化精神表现出强烈的标识性，因此，不管近代社会如何变迁，近代湖湘文化精神始终如一，即忧患意识和事功化的人生价值取向。但从历史研究的角度出发，在社会历史变迁的过程中，文化并不是固化不变的，社会存在的变迁会导致文化发生变迁，文化变迁反过来又会影响社会变迁的方向和速度。尤其在近代中国社会，发生了由传统文化向近代文化的转型，与之相适应的，湖湘文化作为中国文化整体的一部分，也必然发生转型，既包括构成要素的变化，也包含价值观念、思维方式的变化，其中一些原有的构成要素和价值观念、思维方式消失了，产生了新的构成要素和价值观念、思维方式，文化作为各种构成要素的有机整体，其内部构成因素的变化自然会导致文化精神在每一时期表现出不同的特征，并且随着近代中国文化的转型，也出现了艰难的蜕变。近代湖湘文化的发展变迁以甲午中日战争为界，近代湖湘文化精神的特征和外在表现也以甲午为界发生蜕变。如甲午之前近代湖南人以湘军集团为代表，其爱国主义表现为忠君和维护儒学道统，其事功的人生价值取向表现为经世致用的儒学学风和关注经济实务。甲午之后，近代湖湘文化精神中忧患意识由忠君转变为挽救民族危亡的民族主义，维护儒学道统的特征也开始逐步向学习西方转变，事功化的价值取向变得更为激进，使得近代湖南人才集中于政治而少于经济、自然科学等方面。当然，这种精神外在表现的转变更夹杂着甲午之后湖南人心理的深刻转变。由此可看出，近代湖湘文化生存之土壤近代湖南社会和中国社会一旦发生激烈变迁，与之相适应的，在每一时期，近代湖湘文化精神也会发生变化。同样，近代湖湘文化精神中的忧国忧民是一个永恒的主题，在我们为实现中华民族的伟大复兴而努力的当下，这种精神内涵应大力加以阐发。在建设中国特色社会主义和社会主义文化中，如何丰富忧国忧民这一精神内涵的生命力，这是一个值得我们深思的命题。事功化的价值取向在近代中国社会中曾经创造过近代湖南人的辉煌，但同时也给其后湖南社会的发展带来了消极影响，那么在新时期和新形势下我们是否应该放弃这一精神内涵，或者建设一种新的湖湘文化精神价值，或者实现事功化的价值取向创造性的转换，同样也是值得我们深入思考和研究的一个重要问题。

第一章

近代湖湘文化精神形成的内外机制

“湖湘”一词，虽然大众对之已习以为然，但本身其所指和最早来源，学者对之有不同看法。湖湘文化是指以湖湘区域或湖南地域特定的自然地理环境和人文传统为依托，由湖湘历史上人与自然以及社会中人与人之间关系所形成发展起来的一种有着鲜明地域特色的文化结构体系。“湖湘”一词的使用，本身带有不确定性和模糊性，或者说更多的是为湖湘文化的使用而产生。湖南在历史上单独作为行政区划较晚，比较权威和公认的看法，皆认为“湖南”一名最早出现在唐代宗广德二年（764）设置的湖南督团练观察处置使。[①] 而“湖湘”一词指代现今湖南区域者，尽管学界有不同考证，但基本上集中在唐代和五代十国时期。[②] 湖湘从古至今就被称为“古道圣土”“屈贾之乡”“潇湘洙泗”。在这块土地上诞生了具有鲜明特色的湖湘文化，从文化形成渊源来看，湖湘文化是本土文化和外来文化的双重渊源而形成的交互文化，也即湖湘文化并非独立产生、存在的文化，也不是湖湘土著自身所创造的结果，而是由本土和外来多种区域文化之间交流互动的结果。从这个意义上说，并没有一个离开交互文化而独立存在的本土文化。因此，湖湘文化探源就是要从地域文化的交流互动中，多维地探讨湖湘文化的渊源。 它有三个重要的渊源：上古本土文化、楚文化和中原文化。从湖湘文化的内在机制演变来看，湖湘文化的发展演变又与历史上屈、贾两位重要的湖湘文化精神标志人物以及多民族社会和移民的社会发展特征有着重要关系。

① 伍新福.湖南通史：古代卷［M］.长沙：湖南出版社，1994：281.

② 皮学军.论文化自觉与近 20 年来的“湖湘文化”研究［J］.湖南文理学院学报（社会科学版），2009，34（4）：52-57.

一、湖湘文化的历史发源

1. 上古本土文化与湖湘文化

在湖湘文化的形成过程中，由本土历史文化积淀的文化传统，是十分重要的文化源头。在汉唐以前，湖南地区就已经形成了历史悠久的地域文化传统，这些不同的文化传统，会以不同的文化形式包括宗教观念、审美观念、道德观念、科技思想、文学艺术等观念形态，特别是通过风俗、习惯、民间艺术、民间宗教、方言、地方性格、文化心理等民俗文化形态体现出来，并一代代延续下来。其中，湖湘文化最早的源头是有着鲜明特色的本土文化——上古时期湖湘地区的苗蛮古越文化。湖南在旧石器时代就有人类活动。湖南的旧石器时代呈现出“澧水文化类群”和“沅水文化类群”并存的特点。“澧水文化类群”就是澧水流域和洞庭湖西岸的平原地区发现的旧石器时代文化，典型的有常德虎爪山、鸡公墙、乌鸦山等遗址，包含了旧石器时代早期偏晚阶段（距今约 40 万年）、旧石器时代中期、旧石器时代晚期和末期连续发展的四个文化——虎爪山文化、鸡公墙文化、乌鸦山文化和十里岗文化；“沅水文化类群”就是在沅水、渠水和沅水河谷地带发现的旧石器时代文化，而古时的沅水为沅水的主要支流，因此也有人称之为沅水文化类群。从目前已发现的文化遗址和遗物来看，湖南境内旧石器时代的古人类，在生产和生活状况方面与其他地方的古人类大致相同。粗糙的砍砸器、刮削器和尖状器等，以及木棒工具，只能适用于采集和狩猎等最原始方式的生产与生活。其后经历新石器时代和商周时代，逐渐形成了有着鲜明地域特色的湖湘苗蛮古越文化。

在古代典籍中记载着许多关于上古湖湘的传说。最早见诸史籍的有炎帝在湖南活动的传说和记载。炎帝，又称神农氏，为远古传说中一个强大氏族部落的首领。炎帝氏族部落与黄帝氏族部落，原来都出自我国甘肃一带，后沿黄河东下，发展为中原文明的华夏部落集团。炎帝、黄帝也因此一同被尊为中华民族的共祖。在上古史传说中有两次大规模民族部落战争，其中有一次就是炎帝部落东下后，同以蚩尤为首的九黎部落发生冲突。最初炎帝败于蚩尤，后来炎帝与黄帝联合起来，擒杀蚩尤。第二次就是炎、黄部落战胜蚩尤九黎以后，黄帝部落又反过来攻打炎帝部落。这两次战争造成的后果一是由于黄帝部落的征伐，黄帝“伐涿鹿之野，血流漂杵，诛炎帝而兼其地”[①]。这也使得炎帝部落往南流亡迁徙，从洞庭之野直达九嶷苍梧。湖南许多地方留下了炎帝神农氏的传说与遗迹。如湖南炎陵县境内有炎帝陵，据传炎帝神农氏曾在湖湘土地上播种华夏文明的火种，教民稼穑，为解除疾病对人民所造成的痛苦，“尝百草之滋味，水泉之甘苦，令民知所辟就，当此之时，一日而遇七十毒”。[②]

这场上古史上大规模民族部落战争的第二个后果是造成了九黎部落的南迁，成为后来的三苗国，其分布范围主要集中在湘南和江西一带，到达湘江中游，这也说明古代湖湘地区是少数民族聚居的地方。上古时期湖南主要是三苗、南蛮人活动的区域，盛行作为部族文化的苗蛮文化。古籍记载“潭州古三苗之地”“三苗建国在长沙”，所以三苗活动的中心应当是在长沙一带。其文化特征可以在文化遗址和文物上得以大致反映，如湘乡岱子坪、长沙腰塘与团里山、浏阳樟树潭等文化遗址。按考古学界的分类，前期相当于屈家岭文化范畴，后期为龙山文化范畴。除生产工具有显著的进步外，作为生活用具的陶器也大有发展，种类多样，有甑、鼎、盆、罐等，少量已有镂孔、卷沿、折沿造型。除了粗糙厚重的炊具、容器外，还出现了小型、精致的薄胎食器，色彩多样，印纹形式丰富。这说明当时的陶器除作生活实用外，已开始艺术化，有了文化上的审美追求。黄帝之后，尧帝、舜帝继续讨伐南方的

① 伍新福．湖南通史：古代卷［M］．长沙：湖南出版社，1994：48.
② 同①．

三苗部落，经过长期激烈的战争，三苗部落的势力日益削弱，在迁徙过程中停留在武陵地区的苗蛮就是今湘西苗族的源头。在长期的民族迁徙与民族融合的过程之中，三苗部落形成了极具特色的苗蛮文化。据学者研究考证,最早的“蛮”字,并无今天所谓“粗鲁”“野蛮”之意，“蛮”字的隶书形式是“蠻”，在象形书写上是上面两只鸟，下面是条弯弯曲曲爬行着的虫。“蛮”本是苗族人的互称，“其相呼以蛮，则为深忌”，在当时并无褒贬之分，后汉族称其为“苗子”“蛮子”实有仇视、蔑视之意。梁启超经过考证得出结论：“据汉儒说，黄帝所伐之蚩尤即苗酋长……经累代放逐之后，其族愈窜愈南，至春秋时谓之蛮”，“此族（苗族）最初之根据地,《左传》指定位置曰‘左洞庭，右彭蠡’。则今之湖南岳州、长沙;湖北之武昌;江西之袁州、瑞州、临州、南昌、南康、九江，实其地也。”梁启超说：“在陕西、四川、甘肃之间，即窜于三危者……其一部，即苗之本部，仍在湖湘间。”[1] 总体来说，“蛮”之一字，虽然并不带有褒贬之意，但也专门是指远离中原与正统的少数民族。湖湘地区长时期处在尚未开发的状态，其主要居民也即三苗部落及其他非中原的少数民族部落，也就形成了一种与中原文化截然不同的文化气质，被视之为一种“蛮”性文化。简单而言，这种偏离和逆反中原正统文化的三苗“蛮”性文化主要反映为桀骜不驯、凶横强悍，这与三苗部落等少数民族所生活的上古湖南恶劣的自然环境有着密切的关系，先民们在改造征服自然界的过程中形成了这种极具特色的文化特性，经过长时期的民族融合和演变成为了湖湘文化重要的形成渊源，也构成了湖湘文化重要的精神气质，今天所谓之“霸蛮”，即有部分是源自于此。

① 吴荣臻．苗族通史：一［M］．北京：民族出版社，2007：32.

2. 外来文化与湖湘文化

湖湘文化的渊源除上古本土文化外，外来文化也发挥了重大影响。通过考古学者研究可以得知：“距今约40万年左右，湖南境内开始有人类活动；在距今1万年前进入新石器时代；商周之际，由于中原文化的传入，湖南被带入了青铜时代；战国时期，楚文化占据湖南后，进入早期铁器时代；秦帝国的建立，湖南被正式纳入以中原华夏文化为主体的历史体系，成为中华民族的组成部分。”“从文化传统的演变来看，我们认为，湖南先秦文化发展的总体趋势是从湖南本土文化传统起主导作用到外来文化传统起主导作用的过程。”①

外来文化之一也是湖湘文化最为重要的源头就是楚文化。湖湘为古荆州之地，长时期不得中原重视和开发，《史记·楚世家》记载：“熊绎当周成王之时，举文、武勤劳之后嗣，而封熊绎于楚蛮，封以子男之田，姓芈氏，居丹阳。”丹阳居湖北之地，楚国并未将长江以南的湖湘之地纳入到自己的辖治范围之内，到春秋中晚期，楚人已经进入湖南地区，熊渠在周夷王时，就已经取得庸、杨越（今湘西北）等地。但是，将洞庭、苍梧列入楚国的行政区，则是到了战国时期。楚成王恽元年（前671），楚国受天子之赐：“镇尔南方夷越之地，无侵中国”，从此获得南方广袤的土地，湖湘之地也纳入到政制管辖之内，作为湖湘之地的主要统治者，随着楚国征湘，楚人进入湖湘之地并逐渐成为湖南境内的主体民族。《左传》就记载，“文公十一年，楚子伐麇”，这里的“麇”就是今天的湖南岳阳、临湘之地。战国时，楚悼王以吴起为相，向南征伐，合并东部的湘水和资水地区，其后又并沅水和澧水流域，称为“巫中”。早先进入湖湘之地的多是楚国的军人，在征服湖湘之后，带来了楚国较为先进的生产工具和生产技术，促进湖南地区在古代

① 向桃初．湖南先秦文化时空结构及成因探析［J］．湖南大学学报（社会科学版），2012，26（3）：10-16．

的发展。从现代的考古发现可以得知，战国时期，湖南地区即已成为楚国的重要行政地区，通过楚人的开发，在这一时期湖湘地区已成为楚国重要的铜矿采炼和铜器铸造基地。而且，湖南地区也出现了比较大型的楚国城市，如湘水流域的长沙城，澧水流域的鸡叫城，沅水流域的黄楚城等等。“发掘材料表明，其中最有代表性的是长沙城。战国时期的长沙已是楚人聚居、人口稠密、农业手工业和商业都相当发达的城市。到目前为止，仅长沙地区所发掘的春秋战国楚墓已达三千余座。”①

楚人入湘，带来了有着鲜明地域风格的楚文化，并通过与湖湘本地苗蛮文化的冲突与融合逐渐开始成为湖湘之地在古代的主流文化。楚人所带来的楚文化居于强势地位，湖南本土居民开始在文化上接受楚文化。楚文化深受中原正统文化的影响，但又在长期发展过程之中形成了自己的文化特点。有学者指出楚文化是一种长江文化，其文化思想表现为五行学说、阴阳术数学说与老庄的消极避世观念。从学术文化来说，诸子百家之一的道家思想就发源于楚国，据历史资料记载，老子是楚国苦县人，庄子是宋国蒙人，还有后来所谓“黄老”之说，像长沙马王堆汉墓所出土的帛书之类，基本上都是楚人所作。因此，长江文化的核心思想就是道家思想。这对后来湖湘文化“坚韧”“朴实”等精神气质有重大影响。楚国贵族与周天子没有很深的渊源关系，特别是楚国封王之后，双方关系更为恶劣。楚国自号为“我蛮夷也”，强调区别于中原的正统的不同身份，也深受中原正统的歧视。楚文化也表现出在学术之外的鲜明特色，有学者就将之概括为“带有原始野性的蛮，强烈的乡土意识和怀乡恋乡情结，爱国主义精神”②。

另一方面，湖南毕竟是中国的一个区域，虽然历史上远离中

① 伍新福．湖南通史：古代卷［M］．长沙：湖南出版社，1994：48.

② 罗敏中．论湖湘文化之源及其“蛮”的特质［J］．湖南师范大学社会科学学报，1997，26（5）：60–65.

原地区，开发较晚，但同样受到发源于黄河流域的中原文化的影响。早在上古时期，中原部落与三苗部落的战争就使得中原文化开始缓慢渗透到湖湘地区。上古时期，舜帝曾经征讨三苗部落，后来又采取德化的柔性方式，《史记·五帝本纪》还记载，舜在南巡之时，“崩于苍梧之野，葬于江南九嶷，是为零陵”，今天湖南永州宁远县九嶷山还有舜帝陵，也流传着舜帝南巡洞庭，娥皇、女英葬于君山的传说。虽然上古传说见于典籍，但更多具有象征性的文化意义。舜帝作为中原文化的代表，在湖湘地区的文化遗迹实际上表明湖湘也属于中华一脉，即使在古代交通条件不发达，湖南远离中原，但在文化上还是尊崇中原文化的正统性，同样，作为儒家学说所建构的道统理论之中重要的文化形象代表，舜帝在湖湘地区的遗迹以及传说“对于湖湘文化的道统意识的强化是起了重要推动作用的。所以，宋以后，湖南的舜祭祀与湖湘的道统意识相互促进”[①]，这表明湖湘文化在发展之初即受到中原文化的重要影响。春秋战国之后，发源于黄河流域的中原文化随着历史的进程，逐渐成为中国的主导文化，随着“中国”范围的不断扩大，逐渐对各地域的文化产生了支配性影响。秦统一六国后，中国成为了大一统的国家，湖南也随之成为中央王朝统治之下的一个区域和部分。湖南成为中央王朝统治下的大一统多民族国家的一部分。在这样的社会历史条件下，秦汉时期国家统一的民族文化开始逐步形成。湖湘文化的发展在中国作为一个整体的背景之下进行。从秦汉时期开始，由于全国大一统，中原及其他地区的移民进入湖南，加上中央王朝对于湖南地区统治的逐步建制化，湖南地区的政治、经济、文化都有了长足发展。到唐时期，“湖湘”作为一个区域初步形成，湖湘文化发展有了稳定的行政区划背景。一方面，湖湘文化的发展必然受到中国文化的“正统性”影响，在意识形态、

① 朱汉民．舜文化与湖湘文化建构［J］．湖南社会科学，2012（5）：223-228.

政治制度、教育学术思想观念等方面具备共性；另一方面湖湘文化长久以来所形成的特性继续稳定发挥作用，使之成为中华文化中一支富有地方特色的区域文化。

二、屈原、贾谊与湖湘文化精神的起源

湖湘文化既属于中国传统文化中的一个组成部分，又在长期发展演变过程之中结合湖南地域特色形成了自身与其他区域截然不同的精神特质。其中强烈的忧患意识来源于在湖湘文化形成之初屈原、贾谊所塑造的爱国主义传统。在长期历史发展过程之中，湖湘文化中的忧患意识突出表现为爱国主义和对社会现实问题的强烈关注，反映为湖南人身上的对于民族国家前途的强烈使命感、责任感，塑造了一代又一代湖南人“经世致用”的学术品格和人文关怀，是湖湘文化在近代以来能够大放异彩，影响和推动湖南和中国社会进步的重要精神动力。

忧患意识并不是湖湘文化所特有的精神特质，在中国传统文化中忧患意识也是重要的精神内涵。对忧患意识进行具体分析来看，许慎在《说文解字》中这样解释：“忧，心动也。”“患，忧也。”[①]古代典籍之中也多有忧患的解读，如《诗经》云：“未见君子，忧心忡忡，既见君子，我心则降。”[②]忧表示人在遭受困难状态之下的心理状态；患则一指担忧，二指灾祸。两者之合用，源自孟子“生于忧患，死于安乐”。具体而言，忧患意识起源于古代人对于人与自然关系以及人自身生存意义的拷问。古代生产力水平低下，人处于自然灾难的威胁之下，人们对之畏惧恐慌，戒备谨防，由之而产生忧患意识。随着人生存方式的进步和对于人自身自由的追

① 段玉裁．说文解字注［M］．上海：上海古籍出版社，1981：212.
② 言思．诗经全编全赏［M］．北京：中国华侨出版社，2013：208.

求，如何超脱变幻无常的自然和社会对人自由的限制，追寻生存的终极意义，也成为忧患意识的重要动因。在中国人不断发展的历史意识的驱动之下，人开始对于现实状态有了生存的警惕，所以有学者就认为忧患意识“主体在对自然、社会和人生一定问题的思考中呈现出的压抑感受和焦虑不安的精神状态，是具有理性意义和意志倾向的沉重情感”①,甚至是“历史的觉醒者在使命感的驱使下，面对艰难的时世，发生的一种忧虑、悲悯的精神状态”②。如果简单概括的话，忧患意识包含有三个层次的内涵。一是对于事物发展未来状态的预测和警惕，见之于事物状态的未萌发之时，对事物发展作出符合逻辑的判断；二是一种风险意识，从历史演变角度，事物有不可预测之状态，那么就要预先做好对于事物发展风险的防范；三是一种情感上的责任与担当，人有喜怒哀乐之情感体验，对于有着情感联系的事物总是希望能够趋吉避凶，正是由于对于事物未来发展预测的判断，才产生对于事物的责任感，希望能够在自己的努力之下，事物发展能够符合自己的利益和情感需要。正如徐复观所说忧患意识是“人类精神开始直接对事物产生责任感的表现,即精神开始有了人的自觉的表现”③。最后,忧患意识还可以表现为积极奋斗的精神。正是由于对于现状和未来的担忧，才会产生奋发图强的动力。忧患意识是社会意识对于社会存在的反映，它表达了人们对于与自身生存与发展密切相关的某种事物、事态、事件的担忧，主要指向四个方面，即忧道、忧天、忧国和忧民。④在中国传统文化中，忧患意识的内核或者说是重要渊源与表现是爱国主义。虽然在中国古代没有建立现代的民族国

① 孙云．论忧患意识［J］．广州大学学报（社会科学版），1995（1）：31-37.
② 夏乃儒．中国古代“忧患意识”的产生与发展［J］．上海师范大学学报（哲学社会科学版），1989，18（3）：81-88.
③ 徐复观．中国人性论史：先秦篇［M］．上海：上海三联书店，2001：18.
④ 薛安泰．中国传统文化中的忧患意识探析［J］．郑州大学学报（哲学社会科学版），2009，42（6）：44-47.

家观念，但这种爱国主义和情感表现为对于以华夏为主体所建构的“天下”的深重的关切与炽热的情感，表现为对集体和民族前途命运的真诚热爱，正是如此，忧患意识在一定程度上集中反映为忧国忧民，也是中国古代爱国主义的动力和灵魂。

在湖湘文化的形成和演变过程之中，这种忧患意识表现得尤为突出和激烈，也成为湖湘文化影响近代中国深远的重要原因。湖湘文化中强烈的忧患意识来源于湖湘文化在形成之时屈原、贾谊两位所塑造和遗留的精神品性与人格气质，这二位先贤将先秦时期中国传统文化中的忧患意识发扬到极致，并以其高尚的人格情操践行着忧国忧民的爱国主义，在湖湘之地上谱写了最早的湖湘文化华章，构建了湖湘文化最为重要的精神内涵，也影响着一代又一代湖湘人的人格塑造养育。

屈原、贾谊的忧患意识表现之一是强烈的爱国主义。他们二人虽然所处时代不同，但同样作为当时知识分子的代表，对国家、天下有着强烈的归属感，他们热爱自己所处的族群，正是因为这种热爱，他们才会产生对之强烈的责任意识。他们忧国忧民，对于天下、国家的前途命运十分关切，成为湖湘文化忧患意识的杰出代表，并推进湖湘文化中忧患意识的发展演变。楚国大夫屈原是中国历史上一位伟大的爱国主义诗人，他在当时清醒地认识到楚国的日渐衰弱，提出了一系列改革图强的主张，但不为当时楚国的统治者所重视，反而遭到流放。在春秋战国之时，周王室衰微，诸侯纷争，社会动荡。在复杂的政治形势下，士人们普遍缺乏国家归属感与爱国情怀，屈原在受到政治迫害之后，并没有因之而心生怨恨，而是一如既往地心怀楚国，为楚国的前途命运而担忧，在这种情况之下，他只好通过文学创作来发泄与转移心中的苦闷压抑，所谓“众人皆醉我独醒”，司马迁也说：屈原“忧愁幽思而作《离骚》，离骚者，犹离忧也”。在这种“骚”体文学作品中，处处可见他对于楚国强烈的热爱，对于楚国前途命运的担忧。

贾谊同样如此，22岁被汉文帝召为博士，表现出了卓越的政治才干，史载“每诏令议下，诸老先生不能言，贾生尽为之对，人人各如其意所欲出，诸生于是乃以为能，不及也。……诸律令所更定，及列侯悉就国，其说皆自贾生发之”[①]。后来遭到朝中重臣嫉恨，被汉文帝所疏远，不久就被贬为长沙王太傅，在湖南度过了他人生最后的时光。从贾谊一系列重要的政论文章就可看出，正是对于国家的强烈的感情，他才有对于当时天下大势、前途命运的担忧，在被贬湖南之时，仍然以一腔赤诚，满怀热情向文帝上书，针砭时事。屈、贾二人反映出来的这种强烈的爱国主义在当时虽然受到时代的局限，把爱国等同于忠君爱民，但其所表现出来的精神气质却一直影响和推动湖湘文化中爱国主义的发展，尤其是由爱国而产生的对于天下、国家强烈的责任意识，进而发展为使命担当意识。

屈、贾所塑造的这种忧患意识还表现为自强不息、逆境奋斗的精神。正是人对于现实状态有了生存的警惕，对于前途命运的预判，才产生了人的忧患意识，也正是因为忧患意识的存在，促成了人在逆境中的自强不息。屈原在遭到政治迫害时期，身处逆境，但并没有放弃对于楚国的满腔赤诚之情，绝不同流合污，而怀着“众人皆醉我独醒”的清醒努力寻找楚国的出路，写下了“路曼曼其修远兮，吾将上下而求索”的千古传唱之诗篇，纵然被世人所歧视，但也不能抹杀他的人格历练与精神养成，“吾不能变心以从俗兮，固将愁苦以终穷”，当最后情感所系之国家灭亡，精神之国度在现实中毁灭，唯有以此清白之身与之同归于无尽之处，正如他自己所写道:“宁赴清流，葬于江鱼之腹中”，也不愿“以浩浩之白，而蒙世俗之尘埃”。屈原用自己的生命谱写了一曲知识分子悲壮情怀的命运交响曲。贾谊曾有《吊屈原赋》，其中反映出对屈原的同

① 司马迁．史记：屈原贾生列传［M］．武汉：崇文书局，2014：200.

情和崇敬，也饱含对朝廷黑白不分的愤慨和对自己怀才不遇的伤感，但同样贾谊也没有简单的怨天尤人，从此消沉避世，而是坚韧不拔，顽强不息，不断以敏锐的政治观察力，怀着对于天下国家的强烈情感写下了一系列流传百世的政论。屈原、贾谊身上都蕴涵着古代中国知识分子自强不息的精神斗志，正如同贾谊将屈原塑造成“忠贞正道”和“任性孤行”一样，他本身也具有同样愈在穷困之境，愈能彰显其奋斗意志的高尚人格情操。这种人格情操影响了其后湖湘文化精神内核的形成与湖湘士人的精神气质，正是由屈、贾所塑造和培育的这种自强不息的精神塑造了其后湖南人“坚韧不拔”的精神品格。

屈、贾所塑造的这种忧患意识还表现为关注现实民生和经世倾向。忧患意识的来源就在于对现实清醒理性的认识，屈原、贾谊能以强烈的爱国主义关注现实问题，并思考如何解决，表现出经世致用的倾向。屈原所处之时代是一个大裂变的时代，战国时期的诸侯国都在奋发图强，对于战国最强者秦国而言，必须打破六国合纵战略，采取各种方式对六国各个击破，其中楚国作为六国实力最为雄厚者所面临秦国威胁最大，对此形势，楚国上下基本都缺乏清醒认识，而屈原非常警惕，后来遭人进谗而被贬，只有在其诗章之中大量反映其政治态度和主张，希望以此来警醒楚人，对抗强秦，甚至走向一统天下。贾谊的关注现实的态度则更为突出和明显，他面对当时汉廷衰弱、中央不振、诸侯势大、匈奴威胁等环境，提出了一系列切中时弊的解决方案，影响深远。屈、贾二人所表现出来的这种强烈的现实关怀与经世态度影响了其后湖湘文化的发展方向，养成了湖湘文化鲜明的经世致用的精神特质。

屈原、贾谊虽然都不是湖南人，但都在湖南度过了他们最为重要的时期，他们所弘扬的传统忧患意识及高尚的古典知识分子人格情操，对于其后湖湘文化的发展和湖南士人的精神气质产生深远影响，因此湖南人有着浓厚的“屈、贾”情结，湖南也被视为“屈、贾之乡”。曾国藩曾讲过：“洞庭以南，服岭以北，旁薄清绝，屈原、贾谊伤心之地也，通人志士，仍世相望。”[①] 从中也可反映出屈、贾二人在湖南士人中的崇高地位。

三、“湖湘学派”与湖湘文化的正式形成

1. 湖湘学派的形成

作为一种区域文化体系，其内在包含有多层次的因素与资源。对于湖湘文化而言，研究者一般认为从广义的角度来看，应该包含物质的、制度的、社会心理的三个层面，即人类在认识世界与改造世界过程中的一切表现于外和内化于心的成果，从狭义的角度来看，湖湘文化特指构建大文化体系的核心认知模式与价值观念，一般表现为学术与士人思想。虽然文化有两个层面之分，但就中国文化发展的脉络来看，中国传统社会的特点决定了广义文化受狭义文化的支配，湖湘文化的发展也是如此，湖湘文化发祥于楚文化，屈原、贾谊培铸了湖湘文化独特的精神气质和湖南知识分子的人格品性，但真正形成具有稳定不变地域传承型传统湖湘文化核心内容还是在唐宋之后。“狭义的湖湘文化主要指以湖湘理学为基础的人文传统。她主张以身心修养为基础和根本，强调经世致用，体现了传统儒家内圣外王相统一的社会理想。在这个意义上说，狭义的湖湘文化是广义的湖湘文化的核心与精髓。”[②]

两宋之时，湖湘学派形成，并促成了湖湘文化精神内核的确立，究其原因，湖湘文化作为一种区域文化，其发展演变离不开

① 曾国藩．曾国藩全集：一四［M］．长沙：岳麓书社，2011：324.

② 王立新．湖湘学派与核心湖湘文化——并及湘潭碧泉、隐山核心文化资源［J］．湘潭大学社会科学学报，2003, 27（1）：22–26.

中国文化变迁的大背景，而当时中国文化发生了两方面的重大变化，对于湖湘学派的形成以及湖湘文化精神内核的确立产生了重大影响。

其一是中国文化重心开始南移。中国历史在隋唐时期，已经进入到了中国封建社会的鼎盛时期，国家由分裂开始重新走上了大一统。唐代宗广德二年（764），朝廷在衡州设立湖南都团练守捉观察处置使，简称湖南观察使。“湖南”之名由此始。大历五年（770），湖南观察使始迁往潭州（今长沙）。其时，北方人口继续大量南徙，加之湖南战乱较少，人口自然繁殖较快，在唐贞观至开元年间，湖南境内的人口已达123万余人。这一时期，虽然由于人口的流动，大一统之下的民族与区域的交融，湖南与中原地区各方面都加强了联系，但是宋之前湖南地区文化的发展地位并不凸显。相对于中原地区而言，湖南毕竟相距遥远，大部分地区尚属蛮荒之地，文教不及，为当时流放之地。当时就有人说长沙：“郡邻江湖，大抵卑湿，修短疵疠，未违天常，而云家有重襈之人，乡无颁白之老，谈者之过也。地边岭瘴，大抵炎热，寒暑晦明，未愆时序，而云秋有爀曦之日，冬无凛冽之气，传者之差也。”① 到唐末时期，北方中原地区频遭战乱，特别是安史之乱及其后军镇混战造成了北方繁华之地赤地千里，民不聊生，在此背景之下，北方高门大族与普通民众为躲避战火纷纷南迁，湖南因之而成为人口南迁的首选之地，《旧唐书·地理志》载：“自至德后，中原多故，襄、邓百姓及两京衣冠尽投江、湘，故荆南井邑，十倍其初。”此时也出现了中国历史上唯一一个以湖南为中心建立的国家政权，马殷所建立的楚国，为湖南的区域性开发奠定了一个良好的基础。在此基础之上，湖南经济社会都得到长足发展，大量中原移民带来了先进的生产技术，政府也加大了开发湖南的力度，比如兴修

① 张伟然．湖南文化的发展过程［J］．中国史研究，1996（2）：133-142.

水利等，这都促进了湖南的农业生产发展，粮食产量进一步增加。经济的繁荣，北方移民的进入，都为湖南地区的文化发展奠定了基础。

北宋建立之后，其统治范围远不及隋唐，在逐步消灭了南方包括湖南“马楚”在内的地方割据政权后，开始重点经营开发南方。宋真宗咸平二年（999），宋朝在湖南设置荆湖路下辖的湖南转运使，后又设置湖南安抚司，由知潭州兼任，以加强对湖南的统治。北宋末年发生靖康之乱，致使中原地区战火不绝，经济破坏严重，北宋灭亡之后，以汉族为主体的中原王朝将重心移向南方。南宋时期，北方成为少数民族统治的势力范围，长期历史发展过程之中北方所形成的中国经济、政治、文化中心的地位逐渐被南方所取代。湖南虽然地处宋金对抗的前线，但也是南宋极度重视和大力开发的地区，湖南经济社会发展进入了一个繁荣时代。特别是由于北方的战乱，北方的地位开始下降，南方在经济、文化方面逐步崛起，此时南方的经济文化发达程度已经超过了北方，湖南更是成为南宋王朝所倚重的重要地区。宋代尤其是南宋时期，湖南的经济社会等条件都得到了较大的发展，尤其是靖康之乱以后的南宋，那些有名的学者均在南方从事文化教育活动，浙江、江西、湖南、福建等省成为文化最为发达的地方，产生了许多著名的学派，建立了许多著名的书院。许多当时颇有声望的学者随着南迁，其中就有定居湖南者，并为湖湘文化的发展作出了贡献。湖南教育文化也在这一时期得到了飞速发展，如官学教育，“湖南州县学北宋初年为数甚少，真宗天禧中衡阳县令唐烨始建衡阳县学。到宋神宗时，州县学兴起，但全国州府学官共 53 员，而荆湖南路仅潭州 1 员。湖南州县学的发展主要在宋徽宗时及其以后”[①]。同时，私人讲学的兴起也促成了湖南书院的兴盛，“唐时湖南的书院大致

① 伍新福．湖南通史：古代卷［M］．长沙：湖南出版社，1994：456.

有6所：衡州石鼓李秀才书院、衡山南岳书院、韦宙书院、卢藩书院、耒阳杜陵书院、澧州文山书院，为湖湘文化走向成熟奠定了扎实的基础。至宋时，湖南书院大兴，尤盛于南宋。据初步统计，湖南书院的建制数目仅次于江西、浙江，全境有51所，分布在近30个县内，其中以长沙、衡山、醴陵、平江、茶陵等地最多，而绝大多数建于南宋。闻名全国的有岳麓书院、石鼓书院、碧泉书院、城南书院”[①]，这也成为两宋之际中国文化重心南移的重要表现，并为湖湘文化的正式形成奠定了坚实的基础。

其二是理学的兴起。北宋之时，中国学术发展出现了一个大的变化，即儒学的理学化。唐以后，由于社会政治条件的变化，儒学遭遇到极大的危机，面临着佛、道思想的冲击与社会传统秩序的失衡。在此背景之下，晚唐就有韩愈等人提倡“复古”，即通过历史建构三代以来儒家的“道统”来重树儒学的正统性、合法性，并期望以之来重建社会分崩离析与人心道德沦丧。在他们的推动之下，晚唐应时而产生古文运动。北宋建立后，儒学内在学术发展的要求与社会经济政治发展的需要推动了儒学的理学化。一方面，面对着佛、道思想在中国社会中的泛滥，传统儒学中缺乏对于世界本体的哲学思考与建构，同时在个人心性与道德修身上又缺乏与佛道等宗教具有普及型和渗透性的相关理论，因此，这种内在的动力推动了儒学向理学的发展。通过对先秦孔孟儒学内在精神的继承，吸收了两汉经学、魏晋玄学特别是佛道心性修身的相关理论，构建了一种新型的宇宙本体论，并由之推导出一个整体心性学说与修身理论系统，建立了儒学的理学新形态。另一方面，理学的兴起也与当时的社会历史背景有着密切的关系。宋代商品经济的发展，生产方式的变革，要求建立更关注现实的学术思想，并能解决新的社会关系之下人对于外在对象物和自身生存意义的

① 伍新福．湖南通史：古代卷［M］．长沙：湖南出版社，1994：457.

困境。同时，北宋时期是中国历史上经历长久分裂重新相对统一的时期，鉴于唐末之后的藩镇割据与战乱，北宋加强了中央集权，如北宋庆历年间实行了以儒家思想为理论依据的改革即“庆历新政”，在庆历新政中以范仲淹为首的改革派依据“儒学”精神特别是“六经”的精神在全国办学、讲学。在社会心理方面，也要求能有一种适应国家大一统、重塑人心的学术思想理论，儒家士人积极发挥儒家“经世致用”思想对抗佛、道二教的出世思想，反对把儒学凝固化、神学化。在此背景下，一些著名的知识分子要求对儒家经典进行新的解释，这些为儒学的复兴开创了全新局面。

理学的创始者周敦颐虽然是湖南人，但其活动的区域并不在湖南，完成理学理论奠基时期主要在江西。周敦颐在理学构建与发展中的作用主要在于以《太极图说》与《通书》奠定了理学的哲学本体基础体系。尤其是《太极图说》吸收佛、道宗教的宇宙本体论思想，建立了新型的“无极—太极—阴阳五行—万物化生”的宇宙论哲学，将儒家人伦秩序观念建立在宇宙论基础之上。由此本体论的推演，《通书》则提出了一个以“诚”为核心的道德形而上的理论体系，从而奠定了理学思想体系的核心——心性论。周敦颐认为:“诚者，圣人之本。大哉乾元，万物资始，诚之源也。乾道变化，各正性命，诚斯立焉。诚斯立焉，纯粹至善者也。故曰：‘一阴一阳之谓道，继之者善也，成之者性也。’元亨，诚之通；利贞，诚之复。大哉《易》也，性命之源乎！”[①] 这段话明确地沟通了儒家本体论与心性论，其中，周敦颐把“诚”视之为“大哉乾元，万物资始”的宇宙本体，同时又是“圣人之本”道德人格本体，从而将儒家传统的“天人合一”理论奠定在哲学本体论的基础之上，为儒家道德伦理学说建立起一个终极存在的本体依据。周敦颐为理学的兴起起到了奠基作用。其后将理学发扬光大

① 周敦颐．周敦颐集［M］．北京：中华书局，1990：13-14.

的是二程、朱熹、陆九渊等著名学者。二程在世界的本原问题上更超越其老师，他们把“理”视为哲学的最高范畴，也是人类的行为准则。对于“理”的方法，“二程”主张穷理，强调“格物致知”和“正义诚意”，将“存天理，灭人欲”系统化，这些都标志着宋代理学思想体系的形成。而到了南宋，朱熹发展了这些思想，吸收儒家、道家思想精华，将天理、人伦、道德和仁政结合起来，形成了完整的客观唯心主义体系。而陆九渊则别出心裁强调宇宙的本原是人内在之“心”，尤其强调发挥主体人的能动作用，以内心之道德良知之自省而达到“天人合一”，这恰恰弥补了理学后期脱离现实、不关心世事的弊端，建立起主观唯心主义的理学伦理理论体系。理学是儒学在应对社会思想文化危机以及社会政治发展需要而由自身发展内在动力推动所形成的“复兴”化运动与学术变迁。在理学逐步发展过程之中，由于学者研究旨趣的不同，传播过程之中的差异化选择，因之也形成地域化理学形态与派别，如濂、洛、关、闽、江西之学、湘学、浙江婺学等地域学术派别，都是属于宋明理学中的不同学派。他们在根本上坚持一致的儒家道统理论，另一方面又在地域传统的影响之下有着各自对于儒学具体差异化的阐释。

两宋之交，大量学者由于战乱与政权南迁而离开学术文化中心的北方，其中就有胡安国、胡宏父子。从学术思想史发展角度看，一般认为，湘学与闽学皆渊源于二程，胡氏父子的学术思想，上接二程，“二程之学，龟山（杨时）得之而南，传之豫章罗氏（罗从彦），罗氏传之延平李氏（李桐），李氏传之考亭朱氏（朱熹），此一派也。上蔡（谢良佐）传之武夷胡氏（胡安国），胡氏传其子五峰（胡宏），五峰传之南轩张氏（张栻），此又一派也”[①]。这段话很清晰地讲明了二程之学分两支向南传播发展。一支从杨时经李

① 姜锡东．宋史研究论丛：第12辑［M］．保定：河北大学出版社，2011：500.

桐到朱熹，这一派为“闽学”;另一支从谢良佐经胡氏父子到张栻，这一派为“湖湘学”，所谓“吾道南来，原是濂溪一脉”。在南宋高宗建炎年间，胡安国在南岳紫云峰下定居，与其子胡宏二人在此读书讲学，初建碧泉书院，胡氏父子在此读书讲学，开课授徒，一时之间，湖南士人竞相景从。后胡宏扩大书院规模，广招门徒，培养了一大批后来闻名于世的著名学者，如张栻、彪居正、吴翌、胡大原、胡实、赵师孟、孙蒙正、赵棠、胡大壮、胡大本（亦书胡寅弟子）、胡大时等，甚至连朱熹也被称之为胡宏之私淑弟子，遂由此而奠定湖湘学派之基础。

这一时期，湖湘学派开始逐步形成有鲜明特色的学术思想体系，胡氏父子在湖湘讲学授徒，其学术思想来源于“濂溪学”。周敦颐在北宋中期一系列政治社会改革频遭失败的背景之下适应社会人心与儒学发展内在动力的需要，吸收佛、道的思想资源，构建了从自然宇宙本体到心性道德修养的儒家哲学体系，从而奠定了穷尽性理的理学基础。周敦颐事实上也成为湖湘学派所推崇的先贤。近人杨毓麟就说：“我湖南有特别独立之根性……其岸异之处，颇能自振于他省之外，自濂溪周氏，师心独往，以一人之意识，经纬成一学说，遂为两宋道学不祧之祖。”[①] 上个世纪40年代，湖南大学教授李肖聃所著《湘学略》中，也以“濂溪学略”为第一，显然是将周敦颐作为湘学与湖湘学派的开创者。二程为周敦颐之弟子，胡安国乃二程之再传弟子，这样就形成了一个很明确的学术传承谱系。湖湘学派也非常重视濂溪之学，胡宏在《通书序略》中确定了周敦颐在“道统”中的地位。胡宏的弟子张栻更是不遗余力地宣传周敦颐在理学传承中的学术地位与成就，并亲自撰写了大量的文章，将周敦颐作为儒家道统的关键传承者。湖湘学派的哲学体系和概念范畴也深受周敦颐的影响。胡宏将“性”看作

① 饶怀民.杨毓麟集［M］.长沙：岳麓书社，2001：35.

既是宇宙本体，又是人格本体，从而建立起“性为大体”的“天人合一”的本体论哲学。这与周敦颐《通书》中的理论模式十分相似。张栻不仅重视周敦颐的《通书》，还十分重视《太极图说》。他将周敦颐的太极论与胡宏的心性哲学统一起来，提出了“太极即性”的本体论学说。

湖湘学派的学术思想在发展过程之中，既以周敦颐的学术思想为基础，又结合湖南地域特色与社会实践条件发展出具有鲜明特色的湖湘学术思想体系。整体而言,湖湘学派学者将“性与天道”的宇宙论、世界观作为讨论儒家心性道德的哲学基础，以构建精妙的从自然观到心性观的理论路径来将儒家心性道德置于更为宽广和深刻的背景之下，而不仅仅从社会政治或者生活实践的角度大量地讨论儒家伦理问题。在此基础之上，胡安国、胡宏父子在讲学授徒过程之中，其学术思想受二程的影响，提出“道”“物”不分，有形的“物”受无形的“道”支配。他们虽然强调不能离物求道，却把道比作风和水，把物比作动和流。即所谓“道不能无物而自道，物不能无道而自物。道之有物，犹风之有动，犹水之有流也”①。胡氏父子还注意把经世思想同理学有关道、性、心、仁等哲学范畴结合起来，提出先察识、后持养的修养方法，主张在道德实践中进行道德修养，反对正统儒家的那种内省功夫。胡氏父子确立了知行并重、体用合一的学术思想与教育原则，强调在重视心性修养的基础上，注意培养学者们的经世致用的实际本领，形成独特的学术思想体系，实际上奠定了湖湘学派与湘学此后发展的基本品格。

在湖湘学派形成并发展之中，张栻的贡献非常重要。张栻年轻时在碧泉书院受业于胡宏，学业精勤日进。胡宏曾高度称赞他“圣门有人，吾道幸矣”。在学术思想上，张栻不仅继承北宋周、程、

① 胡宏．胡宏集［M］．北京：中华书局，1987：4.

张等几大理学家的思想，并在胡氏父子基础之上更加广泛地兼容各家的学术思想，张栻注重学以致用的“力行”，反对空谈理论，强调道德践履，行至言随。张栻之理学范畴更加丰富，思想体系的构建更加庞大，正朝着扩展湖湘学派学术思想体系规模的方向发展，也体现了南宋理学集大成的时代要求。公元 1165 年，张栻在长沙城南书院授徒传业，后又主讲岳麓书院，张栻在湖南培养教育了一大批弟子，成为湖湘学派的中坚力量，从学者广及江西、浙江、江苏、四川等地，名声远播，李肖聃《湘学略》中说：“南轩讲学于岳麓，传道于二江湘蜀，门徒之盛，一时无两。”[a] 湖湘学派规模得到很大扩展，湖湘学派之学术思想也得到迅速的传播。“有的学者总结和比较湖湘学派在理论上的特点有三：一是以性为太极，居于理之上，与程朱派以为性即理，以理为最高理论范畴不同；二是主张性无善恶，天理人欲同体异用，修正了程氏的性善情恶之说；三是强调践履和经世。湖湘学派在理论上较之程颐、朱熹认为性即理，理先气后，虽同属唯心主义宇宙观，但在逻辑上不如程、朱的严密，也更带主观色彩。他们的精义在后两者。但在强调经世方面，又不及浙东学派的鲜明。故张栻逝世后，其弟子或投闽派朱熹门下，或投浙派陈傅良门下，坚持其说的不多，是与他们学说的弱点分不开的。不过，胡、张之说的后两者，实比程、朱之说通脱，后来凡不太迂远的理学家，不管其是否研究过他们的书，信奉他们的学说，实际上都不得不或多或少遵循他们的轨辙，后世湖湘学者中的多数人正是继承的这个传统。”[②]

此外，这一时期湖南书院教育的兴盛也为湖湘学派与湖湘文化的形成奠定了基础。“书院教育是我国特有的一种教育形式，一般由私人创办主持，但高于一般的私学，是私学教育的最高形态。

---

① 钱基博，李肖聃．近百年湖南学风・湘学略［M］．长沙：岳麓书社，1985：130.

② 周秋光．湖湘文化宏观研究［M］．长沙：湖南师范大学出版社，2001：34.

书院比书斋规模大，由垣墙围绕一组房屋而成。书院起源于唐初民间，最初是士大夫的私人读书之处，与一般的书斋性质相同，后来发展为公众文化场所，并开始了教育教学活动，教学活动与学术研究紧密结合。”[①] 隋唐时期，湖南开始有了书院教育，其中比较知名的有澧州文山书院、韦宙书院、杜陵书院、天宁书院、南岳书院、石鼓李秀才书院、卢藩书院等。到南宋之时，湖南书院教育才真正兴盛起来，“据初步统计，湖南书院的建制数目仅次于江西、浙江，全境有 51 所，分布在近 30 个县内，其中以长沙、衡山、醴陵、平江、茶陵等地最多，而绝大多数建于南宋。闻名全国的有岳麓书院、石鼓书院、碧泉书院、城南书院”[②]。书院大多为学者读书讲学之所，如胡安国创办碧泉书院，最早只是父子二人读书之书堂，随着慕名前来从学之学子增多，规模不断扩大。湖南经济社会发展与教育文化事业的兴盛，书院逐步扩大与增多，在一定程度上弥补了官学之不足，成为兼备官私两者身份与功能的教育设施。书院的兴盛，与湖湘学派之形成发展互为促进，一方面，湘学之建立与传播有了书院为主要学术研究场所和人才培养基地，得以迅速发展；另一方面，书院也因湘学之兴盛而愈加规模宏大与规制完整。如岳麓书院，其能成为天下四大书院之一并名传千古，是与这一时期作为湖湘学派主要学术研究和人才培养基地分不开的。特别是张栻主持城南书院和岳麓书院之时，凭借其学术地位和影响，广招天下知名学者前来讲学和进行学术交流，进一步扩大了岳麓书院的影响力，也促进了湖湘学派的发展。尤其是非常知名的朱张会讲，史志记载：“乾道丁亥，（朱熹）如长沙访张南轩，讲学城南、岳麓，每语学者观《孟子》道性善及放心两章，务收敛凝定，以致克己求仁之功。”[③] 当时因朱熹来此讲

① 聂荣华，万里．湖湘文化通论［M］．长沙：湖南大学出版社，2005：60.
② 伍新福．湖南通史：古代卷［M］．长沙：湖南出版社，1994：458.
③ 吴道行，赵宁，等．岳麓书院志［M］．邓洪波，谢丰，等，校点．长沙：岳麓书社，2012：239.

学，湖湘弟子远道来听课者甚多，盛况空前。据说当时岳麓书院门前车水马龙，“学徒千余，舆马之众至饮池水立竭，一时有潇湘洙泗之目焉”，此虽属后人的夸张之说，但朱熹讲学影响很大也为事实。所以后人曾称道：“考楚志，长沙旧有岳麓书院，为宋张南轩、朱晦庵两大儒讲学地。于时远近向慕，弦诵之盛、出于邹鲁。”[①]“宋朱文公、张宣公讲学岳麓、城南，号称湖湘邹鲁。而吾平江九君子从获朱子游，此楚南书院之极盛也。”[②]

2. 湖湘学派与湖湘文化精神内核的确立

儒学理学化之后所产生的不同派别，实际上是在不同地域传统影响下对于儒家思想侧重点不同而产生的认知模式的差异，按照杨念群的话来讲“儒家思想（或称分析范畴）固然总体上说有强调心的内在道德的功能，或者强调心的内在思想经验的功能，然而宋明以后各个儒家流派的侧重点仍有相当的不同，其歧义之处往往决定着不同类别知识群体的话语运作方式和自身行为之定位”[③]。由于地方性文化生态差异，主流思想观念在地域传统影响之下产生投射性差异，具体反映为对于外在对象物和自身认识的差异。这种地域性差异并不是本质性差异，而存在很大模糊性，只是由于对于主流意识形态与思想观念侧重点不同而在具体时空环境之下表现的显著性特征。具体到湖湘文化精神内核的形成，湖湘学派的学术思想特点反映为对于生活于文化之中人的认知模式的影响与限制。在具备中国传统文化的一般共性之外，湖湘文化的精神内核突出反映为强烈的忧患意识与事功化的人生价值取向，这一突出特质的确立与南宋时期湖湘学派的形成有着密切的关系。

① 丁思孔．重建岳麓书院碑记［M］// 欧阳厚均．岳麓诗文钞．长沙：岳麓书社，2009：462.

② 朱汉民，邓洪波．岳麓书院史［M］．长沙：湖南教育出版社，2013：122.

③ 杨念群．儒学地域化的近代形态——三大知识群体互动的比较研究［M］．北京：生活·读书·新知三联书店，1997：11.

从学理发展来看，湖湘士人在地域化的对理学本体建构之中就存在认知的差异，杨念群指出，湖湘学派"'性'与'道'之范畴既然与'物'之实体概念可以互换，那么其内涵就不可能是空虚玄渺、难以把握的抽象本体；而是灵动活泼，可以感性直接把握的客体对象。这样一来，本体之'性'（道）既能在践履行事中凸显其价值意蕴，又能为'心'的主体范畴所直接涵纳而转换为道德准则。所谓'思其所以然而循天理之所无事，则虽日与事物接而心体无乎不在也'。湘学循此线索已基本走出了一条有别于朱子学（官学）与'心学'的第三条道路"①。这段话很深刻地揭示了湘学发展与理学其他派别的地域化认知差别。

长期以来，在湖南文化发展过程之中就有着鲜明的忧患意识传统，这种忧患意识是中国传统文化中的一个重要思想资源，由被贬谪至湖南的屈原、贾谊发扬光大，以其高尚的人格情操践行着忧国忧民的爱国主义，在湖湘之地上谱写了最早的湖湘文化华章，构建了湖湘文化最为重要的精神内涵，也影响着一代又一代湖湘人的人格塑造养育。而湖湘学派的学术思想构建也贯彻着这种强烈的忧患意识传统，并通过学术传承将这种忧患意识构建成湖湘文化的精神内核。这种忧患意识最集中的表现就是对于国家、民族的忠诚与热爱。从湖湘学派的主要代表人物个人的人生经历来看，他们都生活在一个异族严重威胁的时代。北宋末年的靖康之乱之后，中原沦丧，朝廷偏安一隅，外有金人的威胁，内有投降派的妥协，朝政黑暗，国势衰弱。胡安国、胡宏、张栻等都具有强烈的爱国主义，对外坚决抗金，对内反对妥协投降，改革政治。这种忧患意识贯穿于他们的学术思想与社会实践之中，如胡安国、胡宏父子以对于国势的敏感和担忧，精研《春秋》，在碧泉书院讲学授徒之时，又以"夷夏之辨"教育子弟，将民族大义贯彻到学

① 杨念群．儒学地域化的近代形态——三大知识群体互动的比较研究［M］．北京：生活·读书·新知三联书店，1997：183.

术传承之中。胡宏主张抗金收复失地，称靖康之耻为“此万世不磨之辱，臣子必报之雠，子孙之所以寝苫枕戈，弗与共天下者也”。他劝谏高宗皇帝说：“惟太上道君皇帝身享天下之奉，几三十年。渊圣孝慈皇帝生于深宫，享乘舆之次，以至为帝。一旦劫于金人，远适穷荒，衣裘失司服之制，饮食失膳夫之味，居处失宫殿之安、妃嫔之好，动无威严，辛苦垫隘。其愿陛下加兵北伐，震之以武，心目睽睽，犹饥渴之于饮食。庶几金人知惧，一得生还，父子兄弟相持以泣，欢若平生。引领东望，九年于此矣。”[①]胡宏不仅主张抗金，而且痛斥当时朝廷当权者顾虑畏惧，苟且偷生。秦桧因其学术影响和地位，几次想举荐胡宏任高职，但都遭到了他的严词拒绝，他说：“及今柄臣擅国，违天逆理，专事阿党，利惑君心，阻塞义理之路，而汲引庸佞，戕伐国本，以奉事仇敌，袭旧京败亡之道”[②]，表现出高尚的气节情操。胡宏弟子张栻更是如此，他曾经说：“天理所安，期没身而后已；人臣之义，不与贼以俱生。国余三户而可以亡秦，田有一成而卒能祀夏。”[③]跟其父亲张浚兴师北伐，“以奋伐仇虏，克复神州为己任”，多次上书表示“誓不言和，专务自强，虽折不挠”。他还说：“自古为国必有大纲，复仇之义，今日之大纲也……虽然，复仇之义固其大纲，而施为举措之间，贵乎曲尽，修德、任贤、立政，又复仇之大纲也。”[④]大有其父北伐名将张浚的遗风。正是这种强烈忧患意识所表现出来的爱国主义传统，通过湖湘学派的学术传承与亲身践行，才形成了湖湘文化的爱国主义精神内涵，例如其后南宋灭亡之时，湖南士人与民众誓死抵抗元军，在保卫长沙的战斗中，岳麓书院、潭州州学、湘西书院等三所学堂学生数百人投身沙场，浴血杀敌，几乎全部阵

① 胡宏．胡宏集［M］．北京：中华书局，1987：84.
② 同① 112.
③ 曾枣庄，刘琳．全宋文：第 255 册［M］．上海：上海辞书出版社，2006：29.
④ 同③ 285.

亡，所以后人有言："南轩先生岳麓之教，身后不衰。宋之亡也，岳麓精舍诸生，乘城共守。""潭州之陷，岳麓精舍诸生，荷戈登陴，死者尤多。"①

随忧患意识而来的是经世致用的治学倾向与学风。正是当时对于天下大势的忧虑和责任意识，湖湘学者治学一般都主张学以致用，以学术来"康济时艰"。经世致用是中国传统文化中的重要思想资源，"诚然经世致用是中国传统学术的重要特征之一，但是它在不同时期和不同地域的表现是有程度不同之区别的。例如清代汉学盛行时，在某些省份经世致用思想是不被重视的，但是在湖南却是始终一贯的，到了近代则在全国处于领先的地位"②。到了宋代，随着湖湘学派的创立，湖湘文化经世致用的学风正式形成，并在后世不断发扬光大。湖湘学派的代表人物大都反对为学"不充实用，平居高谈性命之际，叠叠可听，临事茫然"的"腐儒"学风，这种治学无济于国家，而主张"通晓时务物理"，"留心经济之学"。主张为学要做到"明体"以致用，而"致用"的目的是要解决现实的政治、经济和社会问题，使学问能真正得到大"用"，胡宏曾说："学圣人之道，得其体必得其用。有体而无用，与异端何辨？"③这句话就很好地表现了湖湘学派这种鲜明的治学风格。例如胡安国钻研《春秋》数十年，其目的是阐明民族大义即"华夷之辨"；胡宏治学主张心为己发和仁以用言，特别强调心、仁的经世作用，他说"治天下有本，仁也；何谓仁，心也"④。在胡宏的学术思想体系之中，"仁"不再是一种抽象神秘的世界本体，他把仁、心同治国平天下贯通起来，成为经世致用之本。其后，张栻更是把"传道以济斯民"作为学术教育宗旨贯穿于他的讲学授徒

---

① 黄宗羲．宋元学案［M］．北京：中华书局，1986：2434.
② 王兴国．略论近代湖湘文化的经世致用特点［J］．湖南大学学报（社会科学版），2004，18（6）：3-8.
③ 胡宏．胡宏集［M］．北京：中华书局，1987：131.
④ 伍新福．湖南通史：古代卷［M］．长沙：湖南出版社，1994：448.

过程之中，他提出：“士君子之学，不过一实字。”所以除经史之外，还必须学习兵农等经世实用之学。

湖湘学派提倡士人的事功，强调道德践履对于士人的重要性。在知行关系上重视“行”的作用，强调致知力行，知行互发，认为践履乃真知的源泉，行比知更艰难，也更重要，所以说“知之非艰，行之惟艰”，在心性道德修养上，他们也反对单纯的内省。张栻在《道州重建濂溪周先生祠堂记》一文中就鲜明地指出了湖湘之学的重心：“嗟乎！言学而莫适其序，言治而不本于学，言道德性命而流入于虚诞，吾儒之学，其果如是乎哉？陵夷至此，亦云极矣。及吾先生起于远方，乃超然有所自得于其心。本乎《易》之太极、《中庸》之诚，以极乎天地万物之变化。其教人，使之志伊尹之志，学颜子之学；推之于治，先王之礼乐刑政，可举而行，如指诸掌。于是河南二程先生兄弟从而得其说，推明究极之，广大精微，殆无余蕴，学者始知夫孔孟之所以教，盖在此而不在乎他，学可以至于圣，治不可以不本于学，而道德性命初不外乎日用之实。其于致知力行，具有条理，而诐淫邪遁之说皆无以自隐，可谓盛矣。”[①] 湖湘学派强调心性道德修养在于应物处事的日常活动中，必须在实际事功之中才能达成，如胡宏甚至还提倡实际生产劳作，认为：“古之人盖有名高天下，躬自锄菜如管幼安者；隐居高尚灌畦粥蔬如陶靖节者。使颜子不治郭内郭外之田，则饘粥丝麻将何以给？又如生知将圣，犹且会计升斗，看视牛羊，亦可以为俗士乎！”[②] 在这种学风的影响下，湖湘学派培养出来的人才，都是具有实干精神的人物，如吴猎、赵方、彭龟年、游九言、游九功等人，他们或成为经邦济世的能员大吏，或成为卫国杀敌的良将英才。醴陵人吴猎曾积极参加开禧北伐，并屡立战功。其另一湖湘弟子、衡阳人赵方则是南宋嘉定年间荆襄地区最出色的边防统帅，

① 张栻．张栻集［M］．邓洪波，校点．长沙：岳麓书社，2010：576.
② 胡宏．胡宏集［M］．北京：中华书局，1987：145-146.

所以后来黄宗羲就在《岳麓诸学案》中评价说，湖湘弟子都是“有用之才，固不徒以文章，亦非迂谈道学者比也”[①]。“如果从知识论的角度探究湘学与治术的关系，那么湘学在本质上大致可属于‘倾向于行动的知识’。”[②]这种认知模式和价值观念也一直影响着此后湖南士人的人生处世态度。

四、湖湘文化形成的文化生态分析

“文化生态学”（Cultural Ecology）概念由美国人类学家朱利安·斯图尔德于1955年在其代表作《文化变迁论：多线进化方法论》中首次提出，他提出生态学的意义在于解释如何对环境的适应，以“文化生态学”这一概念“解释那些具有不同地方特色的独特的文化形貌和模式的起源”[③]。斯图尔德认为，文化与其生态环境是不可分离的，它们之间相互影响、相互作用、互为因果。文化生态因而成为“相互交往的文化群体从事文化创造、文化传播及其他文化活动的背景和条件”。其后，文化生态理论更进一步地得以阐发，文化的生态环境除了自然环境之外，更有社会环境，文化生态不仅仅包含自然环境和技术、经济因素，而是由“自然环境、经济环境和社会组织环境”三个层次构成，形成了“自然—经济—社会”三位一体的复合结构。具体来看的话，文化的生存发展在很大程度上受制于文化生长的土壤和整体环境，其中就包括人对自然世界的认识以及人与自然环境的关系，同时又包括生产方式、

① 湖南大学校史编委会．湖南大学校史（公元976—2000）：上册［M］．长沙：湖南大学出版社，2003：22.

② 杨念群．儒学地域化的近代形态——三大知识群体互动的比较研究［M］．北京：生活·读书·新知三联书店，1997：188.

③ 唐纳德·L·哈迪斯蒂．生态人类学［M］．郭凡，邹和，译．北京：文物出版社，2002：8.

生活方式对文化的影响和制约以及文化模式、文化变迁、传承传播、价值观念、信仰意识、民俗文化、伦理观念、宗法制度等方面的内容。[①] 所以，要深入分析湖湘文化及其精神形成的内外机制，就必须从文化生态上去进行历史的与辩证的考察。

1. 湖南的自然地理环境

从地理位置来看，湖南位于长江中下游，属于亚热带地区，气候比较干燥，温暖。降水量较为充沛，据不完全统计，19 世纪左右，湖南的年均降水量为 800~1700 毫米，一月平均气温 1℃ ~7℃，七月平均气温 26℃ ~30℃。基本上光照充足，水量比较充沛，大部分地区能满足农作物，特别是双季稻对热量的要求。[②] 气象学家分析中国古代历史文献和现有考古发掘资料，把中国将近 5000 年以来的气候划分为四个温暖时期和四个寒冷时期，明清时期属于第四个寒冷时期，冬季气温比现在低 2℃左右，与现在气候相差不大。[③] 湖南夏季高温以及充足的降水量为农业生产，特别是为水稻生产提供了非常有利的气候条件。从地形上看，湖南位于长江中游、洞庭湖以南，大部分属于湖区和平原，其他为山区和丘陵地带，从四周来看，湖南东毗江西，南连广东，西接四川和贵州，北邻湖北。全省东西宽约 600 千米，南北长 770 多千米。大体来说，湖南三面环山，一面临水，古时就有“七山，一水，二分田”之称。

对农业生产而言，湖南特殊的地理条件以及较为充沛的降水量在一般情况下是有利于农业生产的，但在特定的条件下又往往造成湖南沿湖和沿江地域比较严重的水患，直接危害农业生产。其中洞庭湖平原，由于是湖积、冲积平原，加之乾隆之后连年的

① 夏建中．文化人类学理论学派文化研究的历史［M］．北京：中国人民大学出版社，1997：230.

② 中国大百科全书总编辑委员会．中国大百科全书：中国地理［M］．北京：中国大百科全书出版社，1993：207.

③ 周淑贞．气象学与气候学［M］．北京：高等教育出版社，1997：230.

人与水争地，对湖区生态环境造成的破坏，使得其受到的影响更为严重。这种特定条件一般指降雨量较多的时期，地势较低的湖区就会遭受到严重的水涝灾害，给农业生产和广大农村地区带来巨大的灾难。作为全省主要农业耕作地的洞庭湖平原为典型的冲积、湖积平原，土壤肥沃、气候适宜，明清时期有“鱼米之乡”的美誉,也是全国比较重要的粮食生产地。湘中丘陵地区以衡州(今衡阳)为中心，在清朝时期是全国重要的木材供应地区，湖南西部和南部则因为地势较高，多为群山环绕的山区，因此森林覆盖面积较大，既有丰富的林木资源，也蕴藏着较为丰富的矿产资源。

从外部环境来看，湖南属于长江流域，位于长江以南，“北以滨湖平原与湖北接壤，南枕五岭与广东、广西为邻，东以幕阜、武功诸山系界江西，西以云贵高原连贵州南境，西北则以武陵诸山脉界川东和鄂西”[①]。在古代社会交通不便的情况下,湖南实为四塞之地。同时湖南也是一个东、西、南三面环山，北以洞庭湖连接长江水系，谷地交错，丘陵纵横，地势自西南向西北倾斜，以丘陵为主的省份。因此，这就造成了湖南在近代以前很长时期内较沿海及北方平原诸省相对闭塞的状况。三面环山使湖南对外交通不便，但由长江、洞庭湖和湘、资、沅、澧四大水系所形成的交通网络，使湖南自古以来就成为中原地区南通两广、南海，西进云贵的中介和走廊；从赣、皖、苏、浙西上，从甘陕、巴蜀南下和东进，湖南亦属途经之地。由此可见地理位置颇为重要，近代以前湖南和外界的联系多靠水路。“洞庭湖为水运网的辐辏，出而与长江联运，上溯湘江，可直达桂省的兴安县。其支流耒水，可通郴县，渌水可通江西萍乡。但资水、沅水均因水急滩多，仅下游通民船。大体言之，本省西部南部，或多山区，或多丘陵，交通甚不发达，对外联络，大多取水道出长江”[②]，这种地理状况使

① 湖南省地方志编纂委员会.湖南省志：地理志：上册［M］.长沙：湖南人民出版社，1961：2.

② 张朋园.湖南现代化的早期进展(1860—1916)[M].长沙:岳麓书社,2002:5—6.

湖南境内耕地面积不大，而三面环山山林中经常猛兽出没，洞庭湖和湘、资、沅、澧在古代社会又经常出现洪水肆虐的现象，恶劣的自然环境使得在生产力低下条件下的湖南人谋生实为不易。

从自然地理环境而言，古代湖南地区较为封闭，尤其与域外的交流受限于山水阻隔，对于以农业生产为主的传统社会，土地资源又较为贫乏，这些自然条件都影响了湖湘文化的形成与发展，文化是人的生产生活方式的反映，是一种生存状态的观念化、意识化。人在认识世界和改造世界的具体社会生产生活实践之中形成了各自的文化表达形式，也因具体的自然条件不同形成差异。因之，湖南的自然地理环境也对湖湘文化及其精神特质的形成产生了影响。钱基博先生有一段话论及此点时经常为学界所反复引证："湖南之为省，北阻大江，南薄五岭，西接黔蜀，群苗所萃，盖四塞之国。其地水少而山多，重山迭岭，滩河峻激，而舟车不易为交通。顽石赭土，地质刚坚，而民性多流于倔强。以故风气锢塞，常不为中原人文所沾被。抑亦风气自创，能别于中原人物以独立。人杰地灵，大儒迭起，前不见古人，后不见来者，宏识孤怀，涵今茹古，罔不有独立自由之思想，有坚强不磨之志节。湛深古学而能自辟蹊径，不为古学所囿。义以淑群，行必厉己，以开一代之风气，盖地理使之然也。"[①] 这段论述虽然带有地理环境决定论的倾向，但也形象地揭示出了湖南自然地理环境对于湖湘文化和文化之中湖南人性格的影响。湖南较为封闭的自然地理环境，培养了湖南人的独立意志，但同时也使得湖南人相对于外省人而言显得较为保守，贫乏的土地资源促使人们不得不精耕细作、精打细算，致使在外省人眼中的湖南人显得更为勤劳笃实；长期在恶劣的生存环境为求得生存，孕育出了湖湘民众吃苦耐劳的品格和坚忍不拔的性格。

① 钱基博，李肖聃．近百年湖南学风·湘学略［M］．长沙：岳麓书社，1985：1.

2. 古代湖南的经济发展

中国传统社会是以小农种植和家庭小手工业生产密切结合的自给自足的自然经济，古代湖南也是如此。从历史发展过程来看，先秦时期，楚国开始统治湖南，楚国人给湖南地区带来了较为先进的生产工具和生产技术，使得湖南地区的农业、林业、牧副业、手工制造业和商业等都有了一定的进步和发展。从湖南各地挖掘的楚墓看，铁制农具包括锄、锸、铲、斧、锛、锓、刀、削等已被普遍使用；秦汉时期，湖南的经济发展水平基本上与中原一致，在农业生产上开始大规模地普遍应用铁器、牛耕，农作物品种的增多与产量的增加，使得湖南在当时的粮食不仅能够满足内需，而且还大量外调，在当时已开始成为全国大米的重要产地和供应地。三国时，“长沙好米”已是名声在外。隋唐五代时期湖南各地兴修和扩建了许多水利灌溉工程，多数地区的水稻已实行一年二熟制。粮食作物除种水稻，还种小麦与粟、黍等。经济作物有桑、苎麻、茶叶和棉花。这一时期，湖南对外畅销的农副产品除大米外主要是瓷器与茶叶。长沙铜官窑的釉下彩瓷器不仅行销于国内的通都大埠，而且远销朝鲜、日本、印度和东南亚地区，甚至远达北非和南非。两宋时期，湖南除推广水稻优良品种占城稻，又进行南北农作物交流，普遍种二麦（大麦与小麦），使得湖南的粮食产量年年丰盈。朝廷每年都要从湖南调运大约 65 万石的漕米供京师和北方食用。湖南的茶叶生产每年也有 113 万余斤，约占全国茶叶产量的 10%。其他如种植业和养殖业也有一定程度的发展。种植业有棉、麻和各种果树，其中以柑橘最为突出。自明代起，湖南各府州县进行了不少较大规模的兴修垸子、围湖垦田、修堰开塘的工作。湖南的耕地面积得以迅速扩大。康熙二十四年（1685）湖南的田地数为 13892381 市亩，到乾隆十八年（1753）增长到

32009996 市亩，68 年间增加了 1.3 倍。[①] 耕地面积的增加，自然使粮食生产总量得到了大幅度的提高，从而使湖南成为大米的主要输出地。有清一代，湖南的水稻生产在明代的基础上有了很大提高，由于大量开垦荒地，清代湖南的耕地有了很大的增加，由明代的 31.7 万顷增到 59.5 万顷，增长了 87%。水稻种植面积从明代的 29.4 万顷增加到 51.6 万顷，增长了 75%。清代湖南农民还通过兴修水利，改良土地，提高水稻生产技术，种植和推广双重稻,加强了精耕细作的程度,使湖南的水稻生产得到了很大的发展，亩产量也有了很大的提高，由明代的亩产 2.29 石增加到 4.29 石，增长率达 80% 以上。[②]

明代之后湖南形成了以米谷输出为主的相对单一的商品经济模式，湖南从明代开始就有"鱼米之乡"的美誉，随着历史上对洞庭湖沿湖和湘江沿岸地区的开发，农业生产得到了长足发展，形成了以水稻种植为主的农业生产模式。据不完全统计，全省实际耕地面积在明建文二年（1400）约为 1000 万亩。[③] 经过长期发展，到康熙二十四年（1685）增加到约 1400 万亩，到嘉庆二十五年（1820）约为 3860 万亩，其中水稻种植占总耕地面积的 64.6%。[④] 而粮食生产在全省也呈现出不平衡的态势，"据估计，沿湖米产为总量 2 分之 1，湘水流域亦不下于 4 分之 1，如此则全省米产，集中于洞庭湖盆地及湘水中下游……米产以湘潭最多，保靖最少"[⑤]。水稻生产在清代湖南的社会经济生活中占有极其重要的地位。清代湖南农民种植水稻，不仅自己食用，还把它作为商品出卖。卖米所得是清代湖南农民的主要收入来源。在清代不

① 刘泱泱．湖南通史：近代卷［M］．长沙：湖南出版社，1994：17.
② 邓永飞．清代湖南水稻生产及其对当地社会经济生活的影响［D］．北京：北京大学，2001.
③ 张朋园．湖南现代化的早期进展（1860—1916）［M］．长沙：岳麓书社，2002：26.
④ 龚胜生．清代两湖农业地理［M］．武汉：华中师范大学出版社，1996：81.
⑤ 同③ 27.

仅仰赖湖南米谷的地区广，而且数量大，需求急。单是官仓拨运和官员采买，每年达百万石左右，据湖南巡抚开泰奏称，“乾隆三年拨运福建，四年拨运江苏。三年至八年，各省赴湖南采买，通计五百七十五万石有余”[①],商人贩运的米谷尚不计算在内。而当时“各省商贾来楚粜粮，风帆相望，几无虚日”[②]。仅在江浙地区，据冯桂芬说：“闻往岁以楚米接济江浙，实数不过三四千万石。”[③]可见其需求之多。当然这里的楚米不仅仅指湖广米谷，应还包括四川、江西、安徽等地的米谷，但其中湖广米谷（主要是湖南的米谷）的输入占绝大部分。

由于独特的自然地理环境，湖南地势多峻壁山坡，这种情况不利于农业的开发利用。因此历史上长期以来，湖南都处于一种土地紧张的状况之中，历代史料记载可资利用的土地多已开发。同时又由于湖南地濒洞庭湖，洞庭湖平原使湖南湖区成为了天然的粮仓，水稻种植地区主要集中在洞庭湖周围地区、湘江沿岸一带，这一地区农业经济比较发达、稻米产量也比较可观，但其他地区尤其是湘西北等山区和少数民族聚居地区，经济发展还十分落后，很多地方的生产还停留在刀耕火种阶段，收成的好坏完全依赖于地理环境的作用。除水稻种植以外，湖南还种植红薯、大豆、小麦、高粱、玉米、花生、甘蔗等作物。湖南还出产木材、茶叶、蚕丝、棉花、桐油、苎麻、烟叶等经济作物，其中比较重要的是湘茶和桐油，在湖南商业贸易中有突出地位，远销口外。

湖南本身的地理环境也使得湖南开始转变为一个贸易集散和转口地，当时人记载说：“从前无事时，商民贩运谷米、煤炭、桐

① 李瀚章，卞宝第，曾国荃，等．湖南通志：名宦志［A］．刻本．1885（清光绪十一年）．湖南省图书馆藏．

② 陈弘谋，范咸．湖南通志：积贮［A］．刻本．1757（清乾隆二十二年）．湖南省图书馆藏．

③ 冯桂芬．校邠庐抗议［M］．郑州：中州古籍出版社，1998：245.

茶油、竹木、纸铁及各土产远赴汉口销售，易盐而归。”[①] 加上水路四通八达，有湘、资、沅、澧四水，而从洞庭湖北可出长江到达长江沿岸各省，南可由湘江、漓江至广西，而鸦片战争之前广州实际上是清代唯一对外贸易口岸，所以湘粤这条商路成为转运由广州至内地的进出口货物的主要商道。宜章至郴州一段陆路，“行李商贾，日夜络绎”[②]。运输工人多达数千，骡马多至八千匹。湘潭正是这条商路的中转港口，“东南七省商货咸萃于此”[③]。从这些材料可以看出当时湖南作为商路的繁盛景象。

尽管湖南素称“鱼米之乡”，物产丰富，水路交通便捷，但由于地理环境和历史原因，商品经济仍然较为落后，单一的农业种植经济是湖南社会经济的特点，湖南历史上就有穷山恶水之称，封闭的自然地理环境使得湖南的经济模式趋于单一化，湖南经济开发相对较晚，“向称瘠土，非商贾辐辏之区，山泽之货，关市之税厥利甚微”[④]。从财政上来看，湖南独立建省后，全省的田赋总额（包括地丁和漕粮）在 190 万两白银左右，另外湖南每年承担盐税和杂税 110 余万两白银，上交给中央政府的赋税总额每年约为 320 万两白银。[⑤] 从明清起，虽然湖南的粮食有了长足的发展，当时还有“湖广熟，天下足，湖南熟，湖北足”的民谚；但据当时人的记载：湖南“民甚少千金之产，类多株守家园”[⑥]。清代湖南的商贸虽然比明代有了较大的发展，但本省之人很少从事商贾之

① 骆秉章. 骆文忠公奏稿［M］// 沈云龙. 近代中国史料丛刊. 台北：文海出版社，1977：3768.

② 陈永图，龚立海. 宜章县志：货殖［A］. 刻本.1815（清嘉庆二十年）. 湖南省图书馆藏.

③ 陈嘉榆，王闿运. 湘潭县志：货殖［A］. 刻本.1889（清光绪十五年）. 湖南省图书馆藏.

④ 刘采邦，张延珂. 长沙县志：风土［A］. 刻本.1874（清同治十三年）. 湖南省图书馆藏.

⑤ 李瀚章，卞宝第，曾国荃，等. 湖南通志：赋役志［A］. 刻本.1885（清光绪十一年）. 湖南省图书馆藏.

⑥ 刘采邦，张延珂. 长沙县志：食货［A］. 刻本.1874（清同治十三年）. 湖南省图书馆藏.

业。如岳阳在明代时还是汉苗杂处，商业经济并不发达，“人性悍直，士尚义，居山野者，力耕桑;近水滨者，业网罟，俗尚淳朴，不事华靡”。在岳州下属的巴陵县属于交通冲要之地，但也是“土瘠，民劳苦，俭啬，男子力耕，妇人蚕桑，不知商贾之业类，输赀补胥吏，率克自树，间为美官。若士夫里居，则弗涉郡县，弗广置田园。惟湖乡多北人，言语气质，仍其本俗。其城陵逐末地迩，亦有儒风。《清异录》巴陵陈氏累世孝谨，乡里以慈鸦目之，谓鸦返哺也”①。常德的经济虽比岳州发达，史称“土民日敝而客民日盛矣，客户江右为多，膏腴之田，湖泽之利皆为彼所据，捆载以归，去住靡常。固有强壮盈室而不入版图，阡陌遍野而不出租粮者矣”②,但土民仍以务农为本业。湖南士人并没有像江浙、广东沿海省份士人一样走由儒而商之路，一般百姓又没有财力进行跨省跨区贸易。因此，清代湖南商贸的发展多是借胎怀子，大商大贾基本上都是外省人,而湖南本省之人,多是从事小商贩的经营活动。例如在新化，“商外来者少，故百货不能尽萃，其贩杉贩菜者出外贸易，本地通末惟小盐铺店、绸缎杂货店，至乡村去城地远则多列小肆以备日用”③。泸溪的贩货之人较多,但也普遍存在资本不足的问题，虽然廛肆比列，但每家每户少居积，只有行商往来穿梭，“上武汉下黔蜀，多盐铁油腊鱼之利，舟楫相衔不绝”④。宁乡是靠近长沙郡的一大县,水陆都处于交通要冲地位,但该县“男子力耕，妇人蚕桑,不知商贾之业”⑤。按常理,这是无法想象的。武冈州的

① 陈梧桐．中国文化通史：明代卷［M］．北京：中共中央党校出版社，2000：644.

② 张建民．明清长江中游农村社会经济研究［M］．北京：商务印书馆，2010：31.

③ 梁栋修，杨振铎．新化县志：风俗［A］．刻本.1757（清乾隆二十二年）．湖南省图书馆藏．

④ 顾奎光，李勇．泸溪县志：风俗［A］．刻本.1755（清乾隆二十年）．湖南省图书馆藏．

⑤ 李杰超，王文清．宁乡县志：风俗［A］．刻本.1748（清乾隆十三年）．湖南省图书馆藏．

商业从量上看已经具有了相当的规模，“数处列肆，多者八九百家，少者数十家”，但“所集之货多盐米布帛、取便日用，无甚居奇罔利”①。在这些历史资料的记载中，我们能够看到湖南虽然由于地理位置处于南北之要冲，成为重要的商业转运中心，但湖南本省人却很少从事于商贾之业，这也是湖南经济发展的一个明显特征。

3. 民族与移民

从社会因素来看，对于湖湘文化及其精神特质形成还有重要影响的是湖南的民族与移民。

湖南是个多民族的省份，全省除了占百分之九十几的汉族人口外，还居住着有土家、苗、侗、瑶、白、回、维吾尔、壮等少数民族。这些少数民族虽然人数较少，但所居地区相当广阔，其中湘西、湘南人数较多，聚集为少数民族州、县，他们和汉族杂居在一起，形成复杂的社会状况。湖南少数民族和汉族自古杂居，进入近代以后，由于民众流动相对较多，民族杂居的情况大有发展，社会状况更加复杂。一方面，少数民族和汉族由于语言、风俗习惯、信仰等方面的不同，在集聚地就会时常发生矛盾和冲突。少数民族群众和汉族统治者或者汉族统治者支配下少数民族统治者又有民族矛盾，所以少数民族民众较之汉族民众所受的控制更为严重。少数民族因语言、文字的障碍，也很难受到中原大一统思想的限制，他们有自己的生活方式和思维方式，因而也有其独立性。而且，少数民族的民风一般也比较强悍，因为他们必须强悍才能很好地保护自己的村庄、部落等不受外来人的侵犯。也就是说，防御能力和自卫能力使他们养成了一种强悍的个性，这种个性衍播而成一种坚韧不拔、勇于抗争的士风民气。另一方面，汉族与少数民族相互通婚，也造成湖南人具有“蛮族”之血统，拥有“蛮性”。清初，顾炎武就说过，湖南“诸蛮错处之地，蛮子剽悍乐祸，自

① 席芬修，周思仁．武冈州志：风俗［A］．刻本．1757（清乾隆二十二年）．湖南省图书馆藏．

汉已然，非可以礼义法制柔也”[①]，李少陵先生称“汉人与苗人通婚，成了一个混血的民族，所以才有特殊的个性”[②]。

在文化传播过程中，移民是古代中国最重要的文化传播载体。同时移民所造成的社会与文化的冲突，对地域文化及其精神内核的形成具有重要影响。早在上古时期，三苗部落在与华夏部落的战争失败之后就被迫迁往南方，其中有一部分定居于湖南，成为今天湖南少数民族的发源。先秦时期，楚国大规模开发湖南，就有大量楚人进入到湖南地区，他们带来了楚国的文化与生产方式，促进了湖南的经济社会文化的发展。大规模的移民进入湖南是从隋唐之后，学界有种说法，五代之前，湖南移民主要来自中原，五代之后，尤其是宋之后，湖南移民来自江西，谭其骧先生依据地方志资料统计：宋朝起迁入宝庆府和靖州、湘阴的氏族共 704 族，土著只有 9 族，外来移民知原籍者 517 族，不知原籍者 63 族，不明者 115 族，其中由江西迁入者 324 族，占知籍总数的 62.7%[③]。所以湖南一直有这样一种说法，称其境内居民“十之九皆江西人”。江西向湖南输出移民从两宋开始一直持续到明、清。据统计迁入湖南的移民达 16 个省区，其中江西占 64.45%。江西移民进入湖南的作用，一方面是增加了湖南人口的数量，宋徽宗时湖南的人口总数已达 600 万，如果加上属荆湖北路的岳、鼎、澧、辰、沅、靖六州及未列入“版籍”的峒蛮地区的人口，可达 700 万以上，开垦了湖南的荒土，扩大了耕地面积，宋代荆湖南北两路的田亩数：南路 32.4267 万顷又 96 亩，北路 25.8981 万顷又 29 亩，合计 58.3248 万顷又 125 亩。荆湖南北路的户口数约占全国的 6%，而田亩却占全国的 11%以上[④]，促进了农业经济的发展。另一方面是对湖南居民族源和血缘进行更新与改造，从而导致了人口素质的

① 郑焱．近代湖湘文化概论［M］．长沙：湖南师范大学出版社，2008：13.
② 同① 14.
③ 谭其骧．长水集：上册［M］．北京：人民出版社，1987：307.
④ 张作功，古夫．湖湘文化与湖南教育［M］．北京：教育科学出版社，2006：26.

提高。因为移民一般都具有不同程度的开拓意识，具有自立自强和勤奋创业的精神。多元化移民组成的异质人群是有开创性的人群。相对来说，那些秉性庸懦、游惰懒散、无所作为的人，多数是不愿流离迁徙去追求温饱或较为富足的生活的。所以，从生理素质、心理因素等方面来看，除遭遇某种限制和压迫外，移民一般是强于土著的。现代生物遗传理论也证明，杂居通婚，从子代的繁衍角度说也是有利于优生优育的，来自周边的江西人、福建人、河南人、湖北人、广西人、云南人，相互通婚，并且同土著少数民族通婚。湖南古称三苗之国，从古即为多民族交错聚居之地，经汉族统治者的征讨和赶逐，多退居湘西湘南崇山峻岭之间。移民的汉族同少数民族既相互争斗也互通婚姻，并多隐匿不宣，形成了新的血缘和新的群体，这也是湖南人性格与他省迥异的重要原因。湖南人性格强悍，不是无源之水，能从四面八方跋山涉水，来到异乡进行繁衍生息，开拓生产，不但要求有健壮的体魄，而且要有顽强的意志。定居后，面对各种异质人群，利益纷争，家族械斗，强悍是不能丢掉的品质，弱者难以在此生存下来，强悍的性格在封闭的自然地理环境下，往往以两种方式表达出来：一是诉诸武力、蛮霸凶顽，这也是后来湖南社会匪、盗、侠之士以及各种秘密组织在这里屡禁不绝的重要原因之一；强悍的另一表达方式就是专心学习，皓首穷经，矢志不渝如魏源之为学，曾国藩之治军，谭嗣同之维新，黄兴、毛泽东之革命，读书、奋斗、救国，三位一体，是强悍性格的升华。各地移植来的居民和土著居民长期生活在一起，在三湘四水间有了共同的地域、共同的经济生活、共同的语言，形成了共同的风俗习惯和心理，一个新人群——湖南人诞生了。这是一个具有新鲜血液，具有开拓进取精神的群体，他们是湖湘文化的真正创造者。

第二章

湖湘文化精神在近代的艰难转型

湖湘文化是一种体系完整、层次鲜明的文化系统。它包括由湖湘文化发源之际屈、贾精神所塑造的忧患意识和其后发展变迁过程中形成的以事功为第一要义的人生价值取向，这种文化精神内核潜藏在每一个湖湘文化的承载主体亦即湖南人身上，在不同的历史时期有着不同的外在的具体表现，并决定了湖南人以何种方式投身于社会变迁的历史大潮之中，呈现出一种共同的精神气质及文化品性。就近代湖湘文化而言，其作为区域性标志特征的是其精神内核，这是从湖湘文化一开始形成便已作为区别性标志存在。近代湖湘文化之所以具有如此强烈的标识性，就是因为作为近代湖湘文化载体的近代湖南人表现出的共同的精神气质和价值追求具有强烈的标识性。因此，不管近代社会如何变迁，近代湖湘文化精神始终如一，即强烈忧患意识的精神特质和事功化的人生价值取向。但从历史研究的角度出发，在社会历史变迁的过程中，文化并不是固定不变的，社会存在的变迁必然会导致文化发生变迁，文化变迁反过来又会影响或制约社会变迁的方向和速度。尤其在近代中国社会，发生了由传统文化向近代文化的转型，与之相适应，湖湘文化作为中国文化整体的一部分，也必然发生转型，这既包括构成要素的变化，也包含价值观念、思维方式的变化，其中一些原有的构成要素和价值观念、思维方式消失了，产生了新的构成要素和价值观念、思维方式，文化作为各种构成要素的有机整体，其内部构成要素的变化自然会导致文化精神在每一时期表现出不同的特征，并且随着近代中国文化的转型，也出现了艰难的蜕变。

近代湖湘文化的发展变迁以甲午中日战争为界，近代湖湘文化精神的特征和外在表现也以甲午为界发生蜕变。甲午之前，近代湖南人以湘军集团为代表，其强烈的忧患意识的精神特质表现为忠君和维护儒学道统，其事功的人生价值取向表现为经世致用的儒学学风和关注经济实务。甲午之后，近代湖湘文化精神中忧国忧民的精神特质由忠君转变为挽救民族危亡的民族主义，维护儒学道统的外在表现也开始逐步向学习西方转变，事功化的价值取向变得更为激进，使得近代湖南人才多集中于政治而少于经济、自然科学等方面。当然，这种精神外在表现的转变更夹杂着甲午之后湖南人心理的深刻转变。由此可以看出，近代湖湘文化生存之土壤——近代湖南社会和中国社会一旦发生激烈变迁，与之相适应的，近代湖湘文化精神也会发生深刻的变化。

一、甲午之前湖湘文化的发展

1. 嘉道时期中国文化发展的新变化

文化的发展既有传统的继承性，也有基于时代变化的创造性。一方面，近代中国文化转型有其自身对于传统文化的继承与重新解读，面对着嘉道以来中国社会变迁的复杂性，文化上必然出现与之相适应的变化；另一方面嘉道以来，中国与世界的交流日渐频密，特别是鸦片战争之后，西方文化进入中国，中国人在文化上被动地去重新认识世界、中国文化与西方文化的关系，中国文化也在近代西方文化的冲击下发生艰难而缓慢的转型。从某种角度来看，中国近代“文化转型从过程上看主要表现为文化重构，文化重构首先面对的是西方近代文化和中国传统文化这样两种异质文化的存在。因此，文化重构的基本前提是对中国传统文化的估计和对近代西方文化的认识，其核心内容则是对西方近代文化的选择”[①]，因此可以视之为另一重含义上的“中体西用”。嘉道时期的文化既是承袭清前期文化发展而来，又由于文化自身内在发展和社会危机的原因呈现出新的发展态势，是中国近代文化

① 张应强．中国近代文化转型与留学教育［J］．厦门大学学报（哲学社会科学版），1996（1）：88-93.

转型的内部因素。在思想上这一时期重新捡拾明末清初的批判传统，“明末因反王学末流之弊，思想史上出现了两个明显的趋向，一是经世致用，一是重知识。经清初诸大师的发扬，十七世纪终了后，前一趋向因外缘的缺乏而日益萎缩，后一趋向到了十八世纪中期却得到了很大的发展”[①]。乾嘉考据汉学的兴盛便是这一种知识倾向的发展。同时，尽管考据学在这一时期占据了主导地位，但生产力水平的提高，商品经济的发展也使得18世纪的思想观念出现多元化的变化趋势，乾嘉学术虽以汉学独尊，但“理学、经学、诸子学、小学、史学、科学理论、政治学等，无论是传统的，还是新兴的，都具有这个时代独有的特色”，“这些都表明，中国知识界的视野开阔了，分析能力增强了，研究兴趣多样化了。具体体现在观念领域，就是多元化局面的形成”[②]。

嘉道时期严重的社会危机同这种多元化的思想观念结合便使得嘉道时期的中国文化出现了以下几种新的发展态势。第一，对人的主体价值的重新认识与启蒙思潮的兴起。虽然有清一代文化思想禁锢严密，但随着商品经济的发展和社会生产力水平的提高，学术思想的内在发展使得明清之交启蒙思想在这一时期又重新兴起，以应对当时文化与社会的危机，启蒙思想中追求人的社会价值和强调人的主体尊严开始逐渐凸显出来，比如桐城派的著名代表刘开就提出：“后儒不顾人情所安，而以义理之言束缚天下，严之以仪节。今为学之初而即绳以礼法，言笑不敢稍苟，动履不敢即安，天下于是始不胜其烦苦。此皆理胜情之弊也。”他进一步提出要“因民欲，顺人情”，“民所乐趋之事而不为利导之，草野之间必有因民之欲者”[③]。

① 韦政通．中国思想史：下册［M］．上海：上海书店，2003：989.

② 高翔．近代的初曙：18世纪中国观念变迁与社会发展［M］．北京：社会科学文献出版社，2000：320.

③ 龚书铎．社会变革与文化趋向：中国近代文化研究［M］．北京：北京师范大学出版社，2005：341.

第二，重新认识“世界”与“天下”。由于18世纪末期以后，清王朝由盛转衰，严重的社会危机使得整个帝国处于风雨飘摇之中，而此时外部世界的威胁却隐约而来。中国的华夷世界体系并未因与世界的接触而受到大的冲击。中国知识分子对外部世界的认知由原来的忽视转变为开始重视起来，即使仍然抱着传统夷夏观念，但也说明知识分子走出了“开眼看世界”的第一步。这种嘉道时期“天下”观念的变化主要表现为边疆史地学与域外史地学的兴起，开阔了中国知识分子的视野。

第三，关注政治现实。乾隆朝以后，清朝统治者对思想文化的控制逐渐松弛，中央权威逐渐减弱，而此时的社会危机日益加深，经世致用思潮的兴起使得士人不仅仅把目光放在故纸堆里，开始对汉学之烦琐考证深感厌倦，力图从古代经籍史传中脱身出来，以研究迫切需要解决的社会现实问题，他们积极奔走联系，抨击时政与社会现实，形成了嘉道时期议政观念的复兴。嘉道年间议政的代表人物有龚自珍、魏源、包世臣、林则徐等，他们“对政治隆污、民生疾苦和国家民族之绝续都极为关切”“当时这些人或者被时人推尊为‘国医’，或者以‘医国手’自期，为了挽救根株腐烂的清王朝，以自己的时政论文和诗赋，大胆地揭露时政的败坏，呼唤变法”，其议政的内容主要包括预言衰世、讥切时政、倡言变法三个方面。[①] 这种议政观念的复兴对士人参与政治变革并为鸦片战争后的社会文化变迁提供了新的思想动力。

第四，社会人心风俗的变化。由于整个社会商品经济发展程度有所提高，商业活动十分发达，从商业和手工业中获利的商人追求奢华的生活方式，以及乾隆后期以来官场形成的普遍贪污腐化之风，上行下效，民风自然与淳朴背离，再加上18世纪初鸦片在中国社会快速的传播也使得整个社会的人心风俗日趋沦丧，传

① 刘春玲．论清代嘉道年间的议政风尚［J］．阴山学刊，2001，14（4）：47-50.

统的价值观与伦理道德在鸦片的冲击面前变得苍白无力，中国社会的整个精神面貌显得萎靡颓废。新的社会问题也随之产生。

第五，作为国家统治和社会控制的官方意识形态——经学也发生了重大转变，即汉宋调和与今文经学的复兴。有清一代，汉学、宋学却互相攻讦，势如水火。但嘉道时期社会危机使得当时士人认识到无论宋学，还是汉学，都已不适应社会发展的需要，此时经学研究出现了汉宋之间的调和和会通，以之来解决社会实际问题。此外，今文经学也重新兴盛。对应社会危机的需要，知识分子强调公羊学中"变"的观点，认为"天下无久而不敝之道，穷则必变"。这种"变"的历史观无疑是对传统的"天不变，道亦不变"之历史观的否定，尤其是龚自珍和魏源以今文经学为理论依据，提出"变功令""更法"等主张，并成了嘉道之际复兴的经世思潮的重要代表人物。鸦片战争以后，今文经学又成了中国近代社会变革的主要思想武器。王国维在谈到清代学术时，就说："清代学术凡三变，国初之学大，乾嘉之学精，道咸以降之学新。"具体到治学内容的变化，嘉道之学即"言经者及今文、考史者兼辽金元、治地理者逮四裔"。[①] 沿此取向走下去，自然是治一切学。这也表明学者治学更趋向于实务与事功。

第六，经世思潮的复兴。所谓经世致用，一般是指学术特点，即不空洞无物，而要言之有物，切合实际与实践，具体来讲就是关注"经济之学"，有关国计民生的学问。经世致用这种学风和文化观念并不是湘学和湖南士人的独有的东西，中国学术和文化发展史上，本就有经世思想文化观念，这种学术取向本是中国历代知识分子的一种优秀的价值取向和优良传统，只是它的出现或者是复兴往往是同时间和空间联系在一起的。在时间方面，"一般而言，社会生活比较平稳，文化专制强有力，经世观念往往作为一

① 王国维．王国维遗书：第4册［M］．上海：上海古籍书店，1983：26.

种‘潜质’埋藏在士人古色古香的学术外壳内，隐而不彰；到了社会危机四伏的关口，国家民族面对纷至沓来的内部或外部的挑战，文化专制有所松动，士人的忧患意识便会大觉醒，其学术也在现实生活的冲撞、磨砺之下，沿着经世的方向发展”[①]。在空间方面，即指经世致用这种学风和观念在某些区域表现得较为突出，如南宋江浙一带的叶適、陈亮的事功学派，如湖湘文化固有的经世致用的传统。清朝学术发展的变化也呈现出经世致用的趋势，顾炎武治学就强调博学于文，须学有本原，不限于文字音韵的探究和古代儒家典籍的整理，他说："君子博学于文，自身而至于国家天下，制之为度数，发之为音容，莫非文也。"广博知识的探寻，旨在致用。他认为凡是能够明道纪政事察民隐乐道人之善的文章方能不绝于天地之间，有益于天下，有益于将来，也就是说，凡是与国计民生有关，结合实际而不涉空泛的才是有益之文。[②]这一清初积极的治学思想的两个方面不是齐头并进的，在历史的发展中由于各种因素而导致发展的道路不同。这一学术上的重要特色，在十七八世纪的发展中由于现实政治的因素而被学者有意无意地忽视了，但到了嘉道之时，清王朝已由盛转衰，社会内部危机已经十分严重，士风的衰败和下层人民生活的困苦已经引起了知识分子的重视，到鸦片战争之后，社会秩序开始走向崩溃，时代风俗的变化，国家民族危机严重的大语境造成了知识分子要求变革的愿望，治学路径必然有所改变，同时回归历史寻找解决现实问题的资源。梁启超先生说："凡大思想家所留下的话，虽在当时不发生效力，然而那话灌输到国民的下意识里头，碰着机缘便会复活，而且其力极猛。清初几位大师，实即残明遗老，黄梨洲、顾亭林、朱舜水、王船山之流，他们所提倡的经世致用之学其具体理论虽

① 冯天瑜．道咸间经世实学在中国文化史中的方位［M］// 葛荣晋．中日实学史研究．北京：中国社会科学出版社，1992：179.
② 汤志钧．近代经学与政治［M］．北京：中华书局，2000：47.

然许不适用，然而那种精神是超汉学超宋学的。”[①] 正是在社会与学术因素影响之下，嘉道年间，中国出现了经世思潮的复兴，“当历史进入嘉道之际后，在日益严重的社会问题刺激下，一些思想较为清醒、敏锐的官僚和士大夫，起而重新倡导因乾嘉汉学的兴起久已‘隐而不彰’的经世治学，使其勃然再兴，蔚为风气，成为一股强大的社会思潮”[②]。

2. 湖湘文化及其精神的发展

在中国传统社会文化观念研究中，社会人类学者发现中国传统社会中存在“大传统”与“小传统”的分化。所谓“大传统”，是指在传统社会中作为主流意识形态存在着的儒家文化观念。这种文化观念是国家控制社会的有效手段，它所倡导的行为规范和价值观念支配着社会成员的生活，同时，它也是一种精英文化传统，或可以称作主流文化观念。“大传统”的特点是有着国家政府制度化的支撑，有系统的文字记载和传承，离下层社会民众的日常生活实践较远，但又通过国家所承认和支持的地方社会权力关系网络间接支配着下层社会民众的日常生活。对于中国这样一个有着广大乡村区域的国度而言，“大传统”通过科举制、地方宗族与绅士阶层实际上成为国家间接控制乡村社会的有效工具，传统下层社会的实际支配者宗族和绅士阶层便是依靠这种“大传统”而获得官方所赋予的合法地位和权力。而所谓“小传统”，实际上是指下层社会主要是乡村社会中的民众日常与主流观念有所差异的文化观念。这种文化观念包括由古代巫术传统所衍生而来的民间信仰、仪式和象征等，主要指信仰神、鬼、祖先，还有家族祭祀、墓祭、公共节庆、人生礼仪和占卜术等。[③] 这种小传统在乡民社会

① 梁启超 . 中国近三百年学术史［M］. 天津：天津古籍出版社，2003：33.
② 郑大华 . 晚清思想史［M］. 长沙：湖南师范大学出版社，2005：25.
③ 王铭铭 . 社会人类学与中国研究［M］. 桂林：广西师范大学出版社，2005：140-142.

的一般日常生产生活实践、思维方式、社会关系中发挥着重要作用，它是中国文化的重要组成部分，但与大传统相比，它又有着不同的特点：它是非官方的文化观念，重在实践，较少利用文本，受到社会中的多数支撑并与民间的生活密不可分。在区域社会文化史研究中，“大传统”与“小传统”的区域化研究能更有效地分析区域社会的特性，同时也是探究区域在整体之下呈现出多样化发展的原因的一个重要路径。对于中国传统社会而言，在湖南区域社会的主流文化观念即湖湘文化的学术规范、意识形态是与中国社会传统文化观念相一致的，但在其具体发展过程中，宋以后湖湘学派所表现出的鲜明地域特色，一直影响着湖湘文化大传统的发展，受此支配，湖南社会“小传统”也会呈现出与其他区域的不一致，正是这些差异性的特征，影响了晚清湖南社会的绅士阶层和普通民众的思想文化取向，是湘军兴起的重要文化因素。

简单来看，湖湘文化的“大传统”的差异性可以简单从以下几方面进行概述：其一，在“大传统”的制度化支撑方面，湖南虽然自宋以来有湖湘学派这一重要学术派别，但由于地域等限制，实际上文风不盛，湖南在清初尚未成为一单独的行政省份，所以湖南的科举考试一直是与湖北统一进行，由于湖南地处长江以南，有大江和大湖阻隔，交通不便，故历来湖南士人畏惧艰险，难以赴湖北武昌赶考。康熙时，湖南中举额只占湖广总额的四分之一或十分之三多一些。雍正二年（1724），湖南湖北正式分闱，举人名额为 49 名，副榜 9 名；乾隆十二年（1747），因拨学额 4 名给贵州，故减为 45 名。据有学者统计，湖南进士中额在全国 18 省中居第 14 位，仅稍高于广西、云贵、甘肃等偏远省份。[1] 湖南在全国的文化地位由此可见一斑。王闿运也说：“湖南人物，罕见史传”，“自唐至宋、明，诗人万家，湘不得一二”。[2] 虽然书院众多，

① 张朋园．湖南现代化的早期进展（1860—1916）［M］．长沙：岳麓书社，2002：75.
② 龙盛运．湘军史稿［M］．成都：四川人民出版社，1990：20.

如晚清时期闻名全国之书院石鼓书院、岳麓书院、城南书院、求忠书院等，但主要集中在湘中和湘北较为富庶之地，整体而言文风不盛，所以湖南完整接受儒家教育、进而考取功名者甚为稀少。

其二，南宋以后，随着湘学与湖湘学派的发展，湖湘文化在“大传统”上形成了尊崇程朱理学的特色。这一特色的形成，主要有两方面的原因：一是湖湘学派创始者的学术思想都直接承自南宋二程，胡安国自称：“吾之得之于（二程）《遗书》者为多”，张栻之学“亦出程氏”。[①] 此后，朱熹在就任湖南安抚使时又讲学于岳麓书院，传播理学，湖南人士为之折服。自此，程朱理学在湖湘广为流传，占据了学术的主导地位，无论是宋代事功学派，还是明代阳明学派都未能动摇这种地位。至清代前期，全国士人普遍专注考据训诂，湖南却是个例外。现代学者钱穆的评价说：“清儒考证之学，盛起于吴、皖而流衍于全国，独湖、湘间披其风最稀。”[②] 造成这种情况的原因，曾国藩在《湖南文征序》中说得很明白，他指出，汉学在湖南是“惟考据之文搜集极少，前哲之倡导不宏，后世之欣慕亦寡”[③]，由于传统学风起作用，即使是训诂之风极盛的乾嘉年间，湖南士人依然“务以程朱为宗”。嘉道时，湖南出了一位名重一时的唐鉴，他自少研读理学性道，独宗洛闽程朱，撰《清学案小识》，著《朱子年谱考异》，编《朱子全集》，是当时全国最著名的理学大家，也给以后的湘军人士以影响。另一方面，则是受湖南封闭的自然地理环境的影响。湖南地处内陆，自古以来，社会经济的发展即远较全国其他地区为次，王闿运就曾指出：“湖南自郡县以来，曾未尝先天下。”[④] 近于封闭的地理环境，是湖南在从古代到明清时期的漫长岁月里，经济引而不发，长期寂然无声，

① 方立克．湘学：第二辑［M］．长沙：湖南人民出版社，2002：21.
② 钱穆．中国近三百年学术史：下册［M］．北京：商务印书馆，1997：638.
③ 曾国藩．曾国藩全集：一四［M］．长沙：岳麓书社，2011：219.
④ 王闿运．湘军志［M］．长沙：岳麓书社，1983：21.

始终“碌碌无所轻重于天下”的一个重要原因。自宋代理学根植于湖南这片土地，并被弘扬光大之后，湖南士人就很难从“正统的”理学的传统文化氛围中挣脱出来,尤其是湖湘学派名盛一时后，湖南更自为风气，所谓“普天之下，惟我独尊”，“舍我之外，必无教化”。这种保守的观念一旦形成，又在湖南这个封闭的小世界里滋生蔓延，其影响自然是相当深刻的。因此，湖南社会长期处在一种以丰衣足食为满足，以奉行“三纲五常”为止境，士大夫以文风自豪，百姓以知礼义为乐的境界。所以湖湘文化在宋至明清的漫长岁月里，它只能是“正统的”即以自我封闭、思想保守为特征的传统的湖湘文化。嘉道时期湖南学术传统中的尊崇程朱理学的特色在晚清中国表现得十分突出。清代汉学风靡一时，此外今文经学也在全国有着较大影响，而湖南却在学术传承上独尊程朱理学。这一时期，省内有名的学者和书院都是极力维护宋学，反对汉学。如岳麓、城南、石鼓等书院莫不如是。湖南学术以岳麓书院为中心，清代湖南省内有声望的学者，大都在此就读过。岳麓书院有“道南正脉”之称，历来尊崇程朱理学，并且影响了湖南省内一大批的士人，如罗典，乾嘉年间任山长 27 年，“门下士发名成业者数百人”，其后欧阳厚均也担任山长 27 年，“弟子著录者三千余人”。[①] 这些弟子门人不管有无获得功名，回到州县又往往是地方有势力的绅士，有声望的儒生，又各自影响一大批人。正如当时人说：“倡明道术，衍朱张之传，湖湘间翕然宗之。一时俊伟奇杰之士，或闻夫子之绪余者，皆服古志道，为有体有用之学。”[②]

其三，湖南以湘学为核心的主流文化观念一直都有着经世致用的学风。早在宋代湖湘学派创立之初就主张为学要“通晓时务

① 李瀚章，卞宝第，曾国荃，等．湖南通志：人物志［A］．刻本 .1885（清光绪十一年）．湖南省图书馆藏．

② 龙盛运．湘军史稿［M］．成都：四川人民出版社，1990：20.

物理”，“留心经济之学”，这种学术传统一直影响着湖南士人。到嘉道年间，这种文化落后的局面得以改变，湖南学术在中国经世思潮复兴的大环境下涌现出了一大批经世致用的代表人物，如魏源、贺长龄、陶澍、汤鹏等，成为领全国风气之先的区域。那么，为何湖南的经世致用学术传统在嘉道时期能重新凸显起来，并影响了其后一代湖南士人，笔者认为主要有以下几个方面的原因：一是湖南固有的学术传统的影响。湘学在湖南的传承到明末清初时以王船山为代表，而王船山在明末清初坚持反清斗争，因此王氏学术隐而不彰。王船山虽然在衡阳隐居数十年，著述颇多，但因为政治上的原因，其学术思想不能在湖南士人中得到传播阐发。而到嘉道年间，由于社会危机严重，学术发展自身的要求，加上清廷贵族的专制统治开始逐步松懈，正如梁启超所说：“积威日弛，人心已渐获解放。”[1] 因此，船山学术开始被湖南士人重新发掘重视，湘学也因此得以接续王船山，传承其学术思想。二是因为嘉道时期中国社会各种社会矛盾和社会危机严重，特别是白莲教起义给湖南社会秩序带来了冲击，而清中叶以后湖南社会人口快速增加，人口过剩，移民与民族矛盾也在这一时期尖锐化，这种社会历史背景使得湖南士人更加关注国家和社会的发展前景，对当时严重的社会经济危机问题加以研究，关注到如何解决社会危机，维护和恢复社会秩序的经济实务，对当时的一些弊政和矛盾提出改良方略。三是由于湖南绅士阶层大多出身于中小地主家庭，经济状况决定了他们不能完全脱离生产，必须对家庭生产经营有一定程度的关注，才能维持自己和家庭的生活，这种经济基础使得湖南士人对社会现实有较清醒的认识，对社会下层民众的疾苦与社会弊端多有了解。正是这几个方面的原因使得湖南士人对社会现实十分敏感，其在学术上又有着经世致用的传统，所以才能在

---

① 梁启超．清代学术概论［M］．北京：中华书局，1954：52.

嘉道时期涌现出一大批在全国有较高思想文化地位的士人。

湖湘文化是中国文化的组成部分，在嘉道之后同样也面临着“近代化”，即适应近代中国社会激烈变化的问题，只是在这种“近代化”的转型之中，有着长久以来湖湘文化所形成的湖南人极具特色的思考和认知模式，从中也反映出近代湖湘文化的精神特质。在中国近代剧烈的社会变动中面对“西学东渐”的浪潮，湖湘文化的发展既要保护自己的固有特色，坚守自身的文化传承与价值观念，也需要面对时移世易的新环境不断地吸收西方近代新学。在这样一个冲突、融合、更新、裂变的大时代，湖湘文化进入了一个新的发展时期。在这过程当中，从传统文化当中蜕变出来的经世致用之学和以王夫之为代表的早期湖湘启蒙思想是连接古代湖湘文化与近代湖湘文化的桥梁。近代湖湘文化第一批代表魏源、贺长龄等人，受到来源于船山理学思潮中的儒家伦理内核“内仁外礼”以及“明体达用”的学术思想的影响，最早通过经世之学的媒介转向西学的。鸦片战争以后魏源逐步认识了西方文化的长处，从“制夷”的角度出发，提出了“师夷长技以制夷”的主张，其中所蕴含的认知模式和价值观念的变化实际上是湖湘文化走向近代的标志。其后，在“三千年未有之大变局”的刺激之下，曾国藩、左宗棠等湖南士人又率先将之转化为实践行动，组建湘军，先后创办了安庆军械所、福州船政局、江南制造总局等中国第一批近代企业，并设立翻译馆翻译西方科技书籍，开办船政学堂培养洋务人才，还派遣了中国第一批留美学生，从而揭开了洋务运动的序幕，以此来应对太平天国农民革命和西方冲击带来的传统社会秩序危机，开始了湖湘文化的近代转型。

从湖湘文化发展演变的大背景来看，近代湖湘文化的转型与嘉道时期中国文化的转型是分不开的。正是在此嘉道时期普遍的社会与文化危机之下，湖湘文化精神在近代得到阐发。一方面是湖湘士人普遍存在的对于天下、国家的忧患意识的激发。1840 年鸦片战争前后，当时清醒的知识分子就已经敏锐地感知到世界的变化和中国所遭受到的巨大危机。鸦片战争之后，中国传统的经济基础、政治秩序和生活方式在西方资本主义的冲击下面临着裂变，一部分湖湘士人就面临着如何应对危机的选择，正是对于国家、天下大势的"忧患"，他们才产生强烈的责任意识与担当意识，率先开始了对于国家出路的艰难探索。以陶澍、贺长龄、汤鹏等为代表的湘籍经世派主张"更法""改制"，以"古"改"今"，托"古"改"今"。汤鹏所言"君子必读书则古，以握宰世服物之本"，"乃所愿，则学周公孔子之学，志周公孔子之志，以文周公孔子之文也"，就是明确的反映。因此，他们正视现实，对于现实危机所产生的忧患意识，才有了这种崇尚变革经国济民的学术态度，如汤鹏提出："弊政不变而不可以国矣"，"君子不能毋尚变"，"事有积之已久则弊，而守之以固则枯；坏之已甚则匮，而处之以暗则愚"，进而认为，要改变当前颓唐之势，"无以，而尚变乎"[①]！正是这种对民族、国家前途的忧患而产生的"变"的认知模式，为其后魏源等在恪守传统的基础上，面向世界，为救亡图存进行"器物"上的改革奠定了基础。

魏源早在鸦片战争之前游历天下，通过师友交从，逐渐与嘉道经世派形成一致的学术政治主张，他与当时湘籍前辈一样，对于社会危机有着清醒的认识，从其今文经学的学术主张出发，萌生了变革拯世意识。鸦片战争之后，民族危机激发了魏源的爱国主义，他在《海国图志》里提出"为以夷攻夷而作，为以夷款夷而作，为师夷长技以制夷而作"这一指导思想，实际上就是应对外部危机所主张的变革方法，以此来寻求国家强大、避免重蹈鸦片战争之耻的道路。这种由忧患意识与爱国主义而产生的变革观，突破了传统变革的框架范畴，以一种更宽广和进步的理念指出，

① 汤鹏．浮邱子［M］．长沙：岳麓书社，1987：1.

原先并不被国人所看重的西方之“夷”,实际上也有值得学习的“长技”,“战舰”“火器”“养兵练兵之法”就是其中主要的三种。魏源不仅主张将西方长技用于军事，还主张付之于国计民生。他驳斥顽固派把西方科技视为“奇技淫巧”而不应学的谬论,强调“有用之物，即奇技而非淫巧”。不仅主张将西方长技用于军事，还主张付之于国计民生，“船厂非徒造战舰也，战舰已就，则闽、广商艘之泛南洋者，必争先效尤；宁波、上海之贩辽东、贩粤洋者，亦必群就购造，而内地商舟皆可不畏风飓之险矣……以通文报，则长江、大河昼夜千里，可省邮递之烦；以驱王事，则北觐南旋，往返旬日,可免跋涉之苦”①。虽然魏源的眼光还只限于对外战争中感受最深的西方船炮技术，只是以传统体用之观念来促成文化变革，但其中所反映出来的忧患意识观念却是整个湖湘文化近代化的先导，并体现出中国近代爱国主义先进思想，这种文化变革思想标示着爱国主义不再停留在恪守传统的水平上，与走向世界的近代意识开始衔接，开启了近代爱国主义的先河。

另一方面是由经世传统所阐发的务实与事功观。湖湘经世致用产生的文化环境，所谓经世致用和经邦济世都是讲理论与实践结合，为社会服务。湖湘学派形成之后，以其推崇理学，强调经世致用，主张躬行实践三要素而为近代经世致用思想的形成奠定了坚实的人文底蕴。清前期，学术界的主流是考据训诂之学，乾嘉年间臻于极盛，段玉裁、孙诒让、汪中等考据大家层起迭出，但均为江浙安徽学者，不过很有意思的是，清代考据大家无一人是湖南人，正如钱穆所言：“清儒考据之学，盛起于吴皖而流衍于全国，独湖湘之间被其风最稀。”②章太炎也评估湖南士人“于江、戴、段、孔古音之学实未得其分毫也，偶一举及，其疵病立见”③。分析其原因,主要因为江浙地区本是学术重镇,而清代统治

① 魏源．海国图志［M］．长沙：岳麓书社，1998：30.
② 钱穆．中国近三百年学术史［M］．北京：中华书局，1986：575.
③ 马勇．章太炎书信集［M］．石家庄：河北人民出版社，2003：832.

者特别重视，“以雷霆万钧之力严压横摧于上，出口差分寸，即得奇祸”①。清代前期文字狱基本上都发生在江浙地区。且“江浙本为经济富庶之地，江浙士人在明末清兵南下时又反抗激烈，所以清政府对这一地区的政治文化控制极严，因此，知识分子只有钻入故纸堆中以考据求生。湖南则由于地处偏隅，所受到的思想文化控制相对松弛，士生学术活动的回旋余地也要略宽些。况且湖南交通险阻，与江浙士大夫隔绝，学术交流不畅，汉学之风难以大批吹入，再加上“自宋代湖湘学派创立后，湖南士大夫极崇程朱，深厚的理学传统因此而限制了汉学的流传”②。在湖南书院教育之中也基本传承了湖湘学派治学注重经世以及躬行实践的性格特征，特别是湖南学术重镇岳麓书院在教育之中贯穿了湖湘前辈的教育理念，嘉道年间湖南经世派的代表人物贺长龄、贺熙龄、陶澍、魏源等人治学于此，似乎“惟楚有才”使得湖湘子弟拥有了“为生民立命，为天地立心”的使命感和话语权，也在某种程度上开辟了湖湘文化中“敢为天下先”的经世精神。

嘉庆以后，湖湘经世派的崛起，打破了乾嘉学派的万马齐喑，对古文经学中考据训诂口诛笔伐，提出了守道救时的思想，这自然是不难理解的。比如魏源，他认为“三代以上，君师道一而礼乐为治法；三代以下，君师道二而礼乐为虚文”，至近代，更“有位与有德，泮然二途；治经之儒与明道之儒、政事之儒，又泮然三途”③，因此，他反对一直以来治学上“口心性，躬礼义，动言万物一体，而民瘼之不求，吏治之不习，国计边防之不问，一旦与人家国，上不足制国用，外不足靖疆圉，下不足苏民困，举平日

① 罗汝怀．绿漪草堂文集：卷首［M］．上海：上海古籍出版社，2002：5.
② 郑焱．近代湖湘文化概论［M］．长沙：湖南师范大学出版社，2008：18.
③ 魏源．魏源集［M］．北京：中华书局，1976：23.

胞与民物之空谈，至此无一事可效诸民物”[1]的陈腐倾向，认为“工骚墨之士，以农桑为俗务，而不知俗学之病人更甚于俗吏；托玄虚之理，以政事为粗才，而不知腐儒之无用亦同于异端。彼钱谷簿书不可言学问矣，浮藻饾饤可为圣学乎？释、老不可治天下国家矣，心性迂谈可治天下乎？”[2]所以，他特别强调经术与治术的结合，主张“贯经术、政事、文章于一”，学术都具有现实的社会实用价值，也应该服务于社会的现实需要。正是这种治学思想的影响，魏源还编辑成了在中国近代文化史上占有一席重要地位的《皇朝经世文编》。此书广泛收集自清顺治至道光初年各种有补经世致用的论著2236篇（段），分120卷，其内容涵括学术、治体、吏政、户政、礼政、兵政、刑政等十二大项，于道光七年（1827）首次印出。魏源在选编此书的过程中，所遵循的主要标准是能够有助于解决社会现实问题，他认为“时易势殊，敝极必反，凡于胜国为药石，而今日为筌蹄者，亦所勿取”[3]，因此，凡是言论高深莫测，空洞无物还有不适应当前需要的文章都不辑入。此书一出，海内风行。自道光至光绪的60年间，翻刻七八次，日本亦有选本流传，成为当时士人必读之书，“凡讲求经济者无不奉此书为矩矱”[4]。

湖湘文化以“师夷长技以制夷”思想为指导形成一种“不中不西即中即西”的应世之学，“会通中西，权衡新旧，中学为体，西学为用”成为当时湖湘士人治学的主要倾向，从学理上来看，师夷之技是内圣外王的，丰富和发展了经世致用的内涵，直接影响了湖湘学人的改革变法理论和守道救世思想。在太平天国农民运动兴起之时，湘军崛起，就是继承和发展了贺长龄、魏源以来

① 魏源．魏源集［M］．北京：中华书局，1976：36.
② 同①．
③ 同① 158.
④ 王驰，刘鸣泰，刘克利．湖湘文化大观［M］．长沙：岳麓书社，2003：529–530.

的湖湘经世致用的传统，以洋务运动来应对当时三千年未有之大变局，通过笃实的学风去指导湖人在近代史上的中国大舞台上守道救时，很好地结合内圣与外王的传统观念，积极地开眼看世界，这不能不说是与湖湘文化之精神内核有着直接的联系，所以后来郭嵩焘就说："楚北人才不足与比方楚以南，有由然矣。南士游京师者，类能任事，务实行，以文章气节相高。人心习尚如此，欲无兴，得乎？"[①]这正是由湖湘学派创立之初所传承下来的湖湘文化精神影响导致的，例如刘蓉结合当前变局，认为此时研究的"道义之理"不是只能玄谈辩难的空洞无物的心性象征，而是要能紧贴于社会现实与民生日用之道，能体现出传统伦际原则的一种道德化过程。在湖湘士人的治学之中，所谓的"道"，既高明远大，又蕴藏于日用生计之间，刘蓉就说："道义之学，其蕴极乎高明广大，而实为吾心吾性有生同具之端；其精极乎性命天人，而实皆愚夫愚妇可与知能之事；其功用极乎参赞位育，而要不越乎庸言庸行，民生日用之常。盖凡尧、舜、禹、汤、文、武之所以治，周、孔、颜、曾、思、孟之所以教，胥于是乎在焉。学者诚能励吾志以从之，其高可至于圣贤，最下亦不失为善人君子。"[②]

二、湖湘文化与湘军的兴起

近代湖湘文化之大放异彩，不能不说与湘军有着密切的关系。同样，湘军之兴起，也与湖湘文化之独特精神内涵分不开。郑大华指出："众所周知，在古代的绝大多数时期内，湖湘文化平淡无奇，没有什么影响力。但进入近代后，尤其是太平天国运动发生后，湖湘文化则突然一跃而起，'一鸣惊人'，成为近代中国文化中一

① 郭嵩焘．郭嵩焘诗文集［M］．长沙：岳麓书社，1984：265.
② 龚书铎．清代理学史：下册［M］．广州：广东教育出版社，2007：381.

枝光彩夺目的奇葩。个中原因，值得认真研究。”“实际上近代湖湘文化突然一跃而起的转折是曾国藩湘军的兴起。”[①] 因之，湖湘文化的独特精神内涵塑造了湘军集团；而在湖湘文化近代发展过程之中，湘军集团发挥了重要的影响。

1. 文化观念的对立对湘军兴起的影响

太平天国农民革命不仅仅是一场传统意义上的农民革命，它在更大程度上是对传统社会秩序的一场翻天覆地的破坏。太平天国农民革命以西方基督教为名，所到之处，焚毁孔庙与儒家先贤塑像，不拜祖宗，不祀先人，排斥儒家文化观念，并且创造出一套完全不同于传统社会的政治文化体系，这就与湖湘文化的认知模式和价值观念造成了极大的冲突，所以从文化观念的对立来看，湖湘文化的“大传统”为湘军的兴起提供了思想上的基础。对于湖南社会的各个阶层而言，太平天国农民革命与以往的农民革命有着本质的区别，不像以前历朝历代农民起义是希望改朝换代，但仍然是在传统社会秩序和规则之下的调整改变；而太平天国农民革命则彻底颠覆了传统社会赖以生存的文化根基，尤其是伪托西方基督教为革命宣传手段，无法让湖南社会各个保守的阶层所接受，因此造成了文化观念上的严重对立。这种文化观念的对立表现在两个方面。

一方面是程朱理学信仰与太平天国文化观念的对立。前文已经提到，湖南学术有着以尊崇程朱理学为宗的这一鲜明特色，这一特色对湘军的兴起、兴盛起到了至关重要的作用。湘军主要领导者基本上都出生与就学于湖南，自然也深受湖湘传统学风的熏陶，像罗泽南、曾国藩、郭嵩焘、刘蓉、江忠源、李元度等，年轻时都就读于湖南学术中心岳麓书院，时任山长的是“本宋儒之学，

① 郑大华．如何深化近代湖湘文化研究［N］．光明日报，2004-3-9（C1）．

奖掖后进”的欧阳厚均；曾国藩等人曾师事理学大师唐鉴，唐鉴曾在诗中写道：“晦翁不复作，吾道苦无师；榛芜塞正路，何以剪剔之。乃于众木中，回见最高枝；傲霜吾岂敢，相与共扶持。”[①]这首诗中表达出了强烈的用程朱之学影响青年治学取向、排斥异端的态度。就晚清湖南的一些士人而言，如曾国藩尊程朱为“亚圣”，主张“笃守其说，莫之或易”，一再强调“义理之学为大”“义理之学为先”，对程朱理学的虔敬态度终其生而不改。其他如罗泽南、胡林翼、左宗棠、刘蓉等都无不“究心洛闽之学”，对程朱理学的信仰达到无以复加的地步。因此，程朱理学已经成为湘军将领的一种人生信仰和价值取向，在这样的认知体系中，理学已经构成了社会秩序的根基。理学中的“理”，如衍化为社会关系就是“礼”，也就是儒家思想中关于现实社会中的伦理道德秩序，也是社会行为规范的一种至高准则。周敦颐就曾说：“礼，理也……君君、臣臣、父父、子子、兄兄、弟弟、夫夫、妇妇，万物各得其理然后和。”[②]这种行为规范准则，是社会和谐稳定的基础。作为坚定的程朱理学的信徒，对这种秩序的追崇自然是他们政治、文化观念的一切根基，刘蓉说：“仁义礼智之德，无须臾之敢离，日用伦常之理，无毫发之敢差。”[③]这种礼教观念，伦理道德秩序既然是天地万物、社会生活所赖以存在的根本，那么，维护其稳定的存在，也就成了晚清湖南士人的一种深层次的使命感与责任感。我们也可以把它看作晚清湖南士人在湖湘文化氛围中培养而成的极浓烈的卫道意识。罗泽南曾说过：“天下无事，士人率以名节相尚，处则浴德澡身，出则为斯民兴利除害，斯世必不至于乱。既乱矣，相与倡明大义，振厉士气，当万难措手之际，从而补救之，削平之，未始不可挽回。”[④]可以说，程朱理学在湖南的独尊，造就了晚

① 龙盛运．湘军史稿［M］．成都：四川人民出版社，1990：22.
② 曹端．通书述解［M］．上海：上海古籍出版社，1987：39.
③ 刘蓉．养晦堂文·诗集［M］．台北：文海出版社，1969：23.
④ 钱穆．中国近三百年学术史［M］．北京：中华书局，2000：693.

清湖南士人的使命意识，也使得他们对太平天国起义所带来对社会秩序的危害和冲击特别敏感，太平军焚毁孔庙，烧毁儒家经书，这对于晚清湖南士人来说是绝对不能容忍的，因为这些都破坏了他们赖以生存的文化根本，是对他们价值信念和信仰取向的颠覆。曾国藩就说："士不能诵孔子之经，而别有所谓耶苏之说，《新约》之书。举中国数千年礼义人伦、诗书典则，一旦扫地荡尽，此岂独我大清之变，乃开辟以来名教之奇变，我孔子、孟子之所痛哭于九原，凡读书识字者，又乌可袖手安坐，不思一为之所也！"[①]正是这种由程朱理学尊崇带来的坚定信仰，使得他们要在社会秩序遭到异端破坏，伦理道德被颠覆的时期应时而起，投笔从戎，卫道而战，所谓"既已带兵，自以杀贼为志，何必以多杀人为悔""天父天兄之教，天燕天豫之官，虽使周孔生今，断无不力谋诛灭之理，既谋诛灭，断无以多杀为悔之理"[②]。甚至为了卫道，不惜九死而不悔，"独赖此精忠耿耿之寸衷，与斯民相对于骨岳血渊之中，冀其塞绝横流之人欲，以挽回厌乱之天心，庶几万有一补"[③]。

另一方面则是民间信仰风俗与太平天国文化观念的对立。前文已提到，大传统或主流文化观念占据社会的统治地位，小传统或非主流文化观念是在大传统或主流文化观念的支配之下，受其控制。湖南士人阶层尊崇程朱理学必然对民间风俗产生重大影响，在中国传统社会中，士人的导向力是非常巨大的，士为四民之首，行为文教之先，以品行文章教化乡人。湖南"士有善于乡，有善于天下，气相取，量相摄"[④]，"庠序之士罔知华靡"[⑤]。在这种士风的影响之下，湖南百姓基本遵循数千年来的力农传统，以务农力

① 曾国藩．曾国藩全集：一四［M］．长沙：岳麓书社，2011：140.
② 曾国藩．曾国藩全集：二〇［M］．长沙：岳麓书社，2011：661.
③ 曾国藩．曾国藩全集：二二［M］．长沙：岳麓书社，2011：116.
④ 张天如，谢天锦．湘乡县志：风俗［A］．刻本.1748（清乾隆十三年）．湖南省图书馆藏．
⑤ 高大成，张英举．嘉禾县志：风土［A］．刻本.1817（清嘉庆二十二年）．湖南省图书馆藏．

穑耕稼为本业。俗尚农桑，民知教化，他们以三纲五常、忠孝节义为荣，自责自重，忘恩负义为人不齿，失去贞节被视作奇耻大辱，不孝更被认为十恶之首。在这种尊理守礼的氛围下，广大民众无不受封建道德、纲常伦理的约束，他们的言行都严格地遵照这些约束，尊祖敬尊、恭长上、孝顺父母、和睦乡里、信义待友、严教子孙、各务本业、任劳任怨、安分守己、坐卧有序、谨小慎微、静心抑欲、忍忿制怒，一般很少有什么出轨行为。很多人极为自觉，严格以这些道德规范指导自己的言行，有的甚至达到了统治者也难以想象的地步。例如醴陵丁宗国的妻子刘氏，19 岁嫁丁家，生了一个儿子，在儿子三个月的时候丈夫就去世了，她的父亲劝其嫁，她哭着拒绝，在夫家守节 47 年。[①] 道州"何源挥未婚妻林氏守贞六二年"，"王世德未婚妻蒋氏守贞六十二年"，"苏泰成未婚妻白氏守贞至七一岁"，"廖氏廖朝宗次女，命闰凤，孝养不字，守贞七十四卒"，等等。[②] 澧州彭氏更为惨烈，她是傅恒言的妻子，丈夫死后，在她守寡的第五年，因病腹胀，她的小姑与婶子素来妒忌她，就造谣说她怀孕了，想让她再嫁。她知道后就去厨房拿刀，自剖其腹，并喊她的小姑子说"今而后不惟可见媳腹，并可见媳心矣"[③]。她忍受着剖腹之痛，等到第八天才死。这样一种受程朱理学影响甚深的保守民风与太平军对传统社会秩序和规则的颠覆截然对立，使得湖南民众对太平军极端排斥。同时太平军的盲目极端的宗教政策破坏了中国乡村社会长久以来的民间信仰，（太平军）"所过郡县，先毁庙宇。即忠臣义士，如关帝、岳王之凛凛，亦皆污其宫室，残其身首，以至佛寺、道院、城隍、社坛，无庙不焚，

① 徐淦，江浦光．醴陵县志：烈女［A］．刻本 .1870（清同治九年）．湖南省图书馆藏．

② 李镜蓉，盛赓．道州志：人物［A］．刻本 .1877（清光绪三年）．湖南省图书馆藏．

③ 何玉棻，魏式．直隶澧州志：烈女［A］．刻本 .1869（清同治八年）．湖南省图书馆藏．

无像不灭，斯又鬼神所共愤，欲一雪此憾于冥冥之中者也”[1]；而湖南民间风俗自古好信鬼神，好敬祖先，并企求以此保得人畜平安，五谷丰登，这种社会文化心理使得湖南民众对太平军的伪托基督教的宗教信仰十分排斥。所以太平天国农民革命始终无法在湖南获得广泛的社会基础与民众动员，不能不说是与此有密切的关系。

2. 经世致用学风对湘军兴起的影响

尊崇程朱理学的湖南士人在嘉道年间十分重视经世致用。本来，自宋至明，心学大倡，理学已流于空疏，士人好玄而不顾国事，重于气节而轻于实务，而湖南人士却不同，他们习惯将学理与社会现实相结合。如唐鉴是理学大师，但同时十分关注实务，并亲自编辑了有关北方五省水利的书籍。其他湖南学者莫不如是，在此影响下，其后的湖南士人都是以理学的信仰来经世致用，关注现实，“他们不是当权派，但比当权派更深刻地了解和熟悉社会；他们不是官僚，但比官僚更忠于自己的信仰；他们处在封建政权的底层，但因此而更直接地承受着农民战争的压力”[2]。具体来看，这种经世致用学风对湘军兴起、功成的影响表现在以下三方面。

一是湘军创建者大多关注社会现实，了解农民。湘军将领大多出身于中小地主家庭，在晚清湖南社会人地矛盾尖锐，土地兼并加剧，农村贫困化的环境下，这些士人都必须或多或少地直接参与家庭的生产经营，所以，他们都能对社会现实有比较深刻的认识，在一定程度上了解下层民众的需求。如左宗棠自号“湘上农人”，称“家世寒素，耕读相承，少小从率陇亩，于京农、南农诸书性喜研求，躬验而有得”，视农为“人生第一要务”[3]；胡林翼在湘军将领中算是家庭经济情况比较好的，但其祖上也是“家世

① 曾国藩．曾国藩全集：一四［M］．长沙：岳麓书社，2011：140.
② 杨国强．百年嬗蜕：中国近代的士与社会［M］．上海：上海三联书店，1997：190.
③ 左宗棠．左宗棠全集：第三册［M］．长沙：岳麓书社，1987：34.

力田，耕读相承”，祖父每天率家族成员务农，“子妇内外，下逮工作恒数十百人”[1]。曾国藩、罗泽南等人都大致如此。这种亲眼目睹务农艰辛的经历，使他们对广大农民的生活有切实的了解。刘蓉曾这样对比农商的苦乐差异：“夫农家者流，终岁勤苦，犯霜露，胼手足，未尝有一日之逸，而恒不得一饱；而商贾之家，安坐饱食，制其物产盈虚之权，而坐收数倍之利，此啬夫田夫之所辍耕而叹也。”[2] 曾国藩在任侍郎时所奏的《备陈民间疾苦疏》中，指出百姓有——银价太贵，银钱难纳；盗贼太众，良民难安；冤狱太多，民气难伸，三大疾苦，称其为“此天下最不平之事，鬼神所不许也”！他还谈到太平天国农民革命的原因，认为“推本寻源，何尝不以有司虐用其民，鱼肉日久，激而不复反顾”[3]，将动因归结于贪官污吏的残酷压迫。这种官不护官的特殊表现，是由于他们对理学精神的一种坚定信仰。晚清湖南士人对社会中农民的力量有较清醒的认识，基于这种认识，他们在组建湘军时着眼于战斗力的提高，力主招募“乡村朴拙之夫”，为保证军队的战斗力，湘军有严格的募勇裁勇制度。曾国藩规定招募湘军勇丁必须专程去偏僻地区挑选健壮、朴实的山民，油头滑面，有市井气、衙门气的一概不要。所招勇丁还须取具保结，并将其姓名、籍贯、手指印及亲属情况等登记造册，以便查验。如果勇丁征战日久，而力穷气惫，尽显疲态，就必须遣撤旧勇，另行招募，使壁垒一新。同样是基于对农村社会现实的认识，对农民心理的准确把握，湘军将领为了削弱太平天国农民革命的群众基础，争夺农民这一战争的主力军，他们指出了太平天国农民革命对普通民众的危害，曾国藩说：“农不能自耕以纳赋，而谓皆天王之田；商贾不能自贾以取息，而皆谓天王之赞。”[4] 事实上，在中国这一自给自足经济为主

① 梅英杰．胡文忠公年谱［M］// 熊治祁．湖南人物年谱：第 3 册．长沙：湖南人民出版社，2013：1.
② 陆宝千．刘蓉年谱［M］．台北：“中央研究院”近代史研究所，1979：39.
③ 曾国藩．曾国藩全集：二二［M］．长沙：岳麓书社，2011：70.
④ 曾国藩．曾国藩全集：一四［M］．长沙：岳麓书社，2011：140.

体的农业社会中，农民长期以来习惯于以家庭为单位的劳动方式，希望保持私人的土地和私人的财产，因此，他们对太平天国前期一切归天王所有的政策抱有一种本能的反感心理。曾国藩等湘军将领显然了解这种心理，企图充分利用这点引发起他们对太平天国的恐惧与反抗。

二是晚清湖南士人还把理学精神引入湘军之中，不管是平日的思想管理和练兵还是作战方法，都融入了深厚的理学精神。如王鑫在军中督责将士日课《四书》，亲自讲论经史义理，以至听者“潸然泪下”；每次接战前，他“摄衣登台，陈说忠孝大义，声情慷慨，闻者也渐为感奋”[①]。曾国藩平时每逢操练，都集诸勇，“训作人之道”，反复讲说至千百语，自称“虽不敢云说法点顽石之头，亦诚欲以苦口滴杜鹃之血”[②]，其内容就是向士兵灌输儒家伦理道德秩序。湘军将领就是企图通过这种精神束缚，使部众成为绝对服从的作战工具。因此，他们把军前讲演看得比教练技击更重要，自言“练者其名，训者其实”。此外，曾国藩还把理学中的“仁”“诚”“礼”等概念引入军中。“仁”是要官长用所谓的仁爱之心来调节与士兵的关系，使他们心甘情愿地出力卖命；“诚”是把忠君诚心的政治品质作为选将的要义，所选之将可以不懂军事，但必须具有“忠义血性”；“礼”是规定军队内部上下尊卑关系不可颠倒逾越，形成湘军内部浓厚的宗法关系。理学的道德规范又重“孝”，曾国藩、罗泽南、胡林翼、王鑫等在家乡都以“纯孝”“至孝”闻名。孝又可以移作“忠”，曾国藩在组建湘军后说过，“君子之孝，尤重于立身，内之刑家式乡，外之报国惠民”[③]。湘军内的宗法关系，实际上就是把家庭内的孝悌关系放大到整个军队，官长可以凭亲长的身份保证部众对他的忠诚，这也是湖南理学家们以书生领兵用理

① 江忠源，王鑫．江忠源集·王鑫集［M］．长沙：岳麓书社，2013：223.
② 曾国藩．曾国藩全集：二二［M］．长沙：岳麓书社，2011：200.
③ 同② 88.

治军的一个方面。

罗泽南等湘军将领甚至把理学的修养方法运用到作战中。罗泽南自己说他的治兵之法是“只实做程朱主敬存诚功夫，终日静默不妄言，不妄动。抱定孔子‘临事而惧，好谋而成’二语作主脑，其临阵则全是以静待动，谋定后发，虑胜后战”[①]。修养与打仗，两者似乎并不相干，但在湘军将领那里却得到了统一。这种奇特的战术理论，正是湖湘学风的产物。而且，由于理学讲求节操，并将此作为衡量人的主要标准，所以湘军将领较之其他人确实要少几分官气与贪气，内部的相互关系也较为团结，将领之间即使平时存在一些矛盾，到战场上也能互相救援。总之，湘军以理学精神作为共同的信念和指导原则，使全军上下达到了思想行动的绝对统一，从而提高了战斗力，这一点湘军人士自己也看得很清楚。王定安在《湘军记》中说：“原湘军创立之始，由二三儒生被服论道，以忠诚为天下倡。生徒子弟，日观月摩，渐而化之。于是耕氓市井，皆知重廉耻，急王事，以畏难苟活为羞，克敌战死为荣。是岂有所劫而为之耶？贤人君子倡率于上，风气之所趋，不责而自赴也。”[②]话虽有夸大之处，却也道出了湘军的若干特点，以及它之所以能最终战胜太平天国的主要原因。在当时的中国，大概也只有程朱学风极盛的湖南才能产生这样一支弥漫着理学气息的湘军来。晚清杨昌濬评价曾国藩说道：“蓄道德，能文章，是衡湘间气所钟。”[③]意思是说在湖湘的传统学术风尚中产生了曾国藩。其实，这个结论也完全适合整个湘军领导人物。换言之，是尊崇程朱理学的湖南学术传统造就了湘军，并赋予它击败太平天国的制胜之道。

三是晚清湖南士人大多精通实务。魏源辑成《皇朝经世文编》120卷，凡赋役、括例、水利、钱币、兵防、学校、农田、仓储……

① 朱汉民，丁平一．湘军：第8册［M］．刘泱泱，王兴国，点校．北京：社会科学文献出版社，2013：498.

② 王定安．湘军记［M］．长沙：岳麓书社，1983：56.

③ 刘志靖，王继平．曾国藩研究著作述要［M］、长沙：湖南大学出版社，2013：119.

等有关国计民生的项目都悉数收入。书刻印后，“三湘学士，诵习成风，士皆有用世之志”[1]。曾国藩一生凡天文、历法、农学、舆地、数学、兵法都一一涉猎，并曾说自己“不说大话，不骛空名，不行架空之事，不谈过高之理”；左宗棠批阅魏源的《皇朝经世文编》“丹黄殆遍”，人誉之“精通时务”；罗泽南“究心水利边防河患等书”，细考内地边外山道水势，兼及苗疆诸务。其他如胡林翼、刘长佑、邹代钧……都是同风所染，概莫能外。所以，他们的知识结构较为丰富博采，对现实也有较切实的了解，使他们在以后对太平天国的战争中往往能制定出行之有效的方针政策，成为取胜之道。经世学风也使他们对社会的变化十分敏感。19世纪前期的湖南社会已颇不安定，群众斗争和武装起义时有发生，因而湘军人物早在读书或家居时就特别注意对军事和地理的研究。他们或对《孙子兵法》极为嗜好（曾国藩），或“多论兵家形要”（罗泽南），或“胸罗古今地图兵法”（左宗棠），或与学友“谈练勇事，彻夜不倦”（江忠源）。

3. 晚清湖南士人的交游对湘军兴起的影响

在传统中国社会中，绅士阶层通过以血缘、地缘和学术为纽带形成的关系圈发展成为地方社会关系网络，这种关系网络的形成一般是因为具有某种共同的理念，有着某个核心，形成某种隐性的影响力。我们通过分析湘军兴起之前湖南社会士人的交游情况，可以看到在道咸之间，湖南士人就已经形成了一个稳定的交游群体和关系网络，而这种交游群体和关系网络的形成首先是以学术为核心纽带的，正是因为一部分士人在学术上有着共同的取向和信仰，所以通过书院讲学，学术交流等方式建立起了紧密的联系，然后由开始的小学术圈子向外辐射，通过血缘、地缘关系

① 黄濬．花随人圣庵摭忆［M］．上海：上海古籍出版社，1983：200.

影响了一大批的湖南士人，构成了一个以学术辐射血缘、地缘的关系网络。这种关系网络对地方社会运行的影响力平时隐而不显，但一旦他们所赖以生存和为之奋斗的社会秩序遭到破坏时，就会发挥出巨大的影响力，共同来抵御对社会秩序的破坏，重建社会秩序。所以，笔者认为，晚清湖南士人交游形成的以学术为核心的关系网络对湘军的兴起和功成有着重要的作用。正如有的学者指出："湖南士人先之以友朋，继之以婚姻，俨然成一集团。"[①]这一集团虽以学术为纽带，但同时也促进了学术与政治的紧密结合，使得晚清湖南士人应时而起，以书生领兵，镇压太平天国农民革命。

晚清湖南士人的交游群体最早体现为以罗泽南为核心形成的理学交游群体。罗泽南是晚清湖南有名的理学家，其理学著作丰富，思想深厚而渊博，被当时许多湖南学者视为一代儒宗，许多学者尊称为"罗山先生"。曾国藩评价罗泽南说："洛闽之术，近世所捐；姚江事业，或迈前贤。公慎其趋，既辨其诡；乃立丰功，一雪斯耻。大本内植，伟绩外充。兹谓豪杰，百世可宗。"[②]罗泽南在理学方面的成就使得当时湖南许多士人都纷纷师事之和与之交游。王鑫具体列出了与罗泽南交游的人，"先后从忠节公游者"，有罗信东、罗镇南、钟近衡、钟近濂等；"师事罗忠节公泽南"者，有罗信北、易良翰、李续宜、李续宾、蒋益澧等；"平时讲学过从之友"者，有谢邦翰、罗信南、刘蓉、左宗棠、郭嵩焘、刘典等。[③]一时之间在湘内形成了一个以罗泽南为中心的理学群体。这些与之交游者又纷纷影响了各自的宗族、友人、姻亲等。如罗泽南与唐鉴、左宗棠等的交游，"（唐）鉴与善化贺长龄相友善，罗泽南尝馆长龄家，亦与往来。而长龄纂《经世文编》，即魏源所代辑者也。源受知于安化陶澍。澍为道光间名臣，与贺均倡经世之学。胡林翼

① 陆宝千．刘蓉年谱［M］．台北："中央研究院"近代史研究所，1980：1.
② 曾国藩．曾国藩全集：一四［M］．长沙：岳麓书社，2011：345.
③ 王诗正．王壮武公（鑫）遗集［M］．台北：文海出版社，1966：47.

为其女婿，又缔姻左宗棠。善化孙鼎臣亦治经世学，著《畚塘刍论》，至以洪、杨之乱，归罪于乾、嘉之汉学。而郭嵩焘兄弟亦皆以礼学谈性道，谈经世。以故湖南学风，蔚成一派。”[①] 曾国藩虽然在外做官，但十分推崇罗泽南的学问，也影响了其家族，曾国荃、曾国华就一度欲拜罗泽南为师，后被其婉拒，不过仍以师礼事之。郭嵩焘的学术取向也是在这种学术交游中确立起来的，他曾经说过：“初游岳麓，与刘孟容中丞交莫逆，会曾文正公自京师就试归，道长沙，与刘孟容旧好，欣然联此。三人僦居公栈，尽数月之欢，怦怦然觉理解之渐见圆融，而神识之日增扬诩矣。其后与江忠烈公、罗忠节公游长沙，颇见启迪。此皆二十余年事也，已晓然知有名节之说。”[②] 这种交游全体虽然首先是以学术旨趣相同而形成的，但是他们也敏锐地感受到了社会危机的到来，因此对时政多有讨论，如江忠源写诗给曾国藩，批判了当时严重的官僚腐败现象，“达官如君千百辈，几人似君有狂疾”，“愚民饿死亦细事，众人不惧君何哀”。[③] 刘蓉劝导曾国藩身为大臣，要“行道于天下，以宏济天下为心”，不要效仿当时大部分官员，“托文采以庇身，而政纲不问，借诗酒以娱日，而吏事不修”。[④]

另外我们还可以看到，除了以罗泽南为核心的理学交游群体外，还存在一个以曾国藩为核心的桐城派文学群体。这两个群体在某种程度上是相互重叠的，不存在本质区别。桐城派是清康熙年间创立的文派，一宗程、朱，强调文以载道，左右了有清一代散文的发展走向，鸦片战争后，桐城派由纯粹的文学派别成为一种政治学术群体，“桐城派的活动贯穿晚清，与晚清社会思潮的流变相始终。在晚清纷呈迭现的社会思潮中，均可看到桐城派的踪

① 萧一山．清代通史 四［M］．北京：中华书局，1986：1961.
② 郭嵩焘．玉池老人自叙［M］．刻本．长沙：养知书屋，1893（光绪十九年）：34.
③ 江忠源．江忠烈公遗集：诗录［M］．台北：文海出版社，1968：151.
④ 钱基博．近百年湖南学风［M］．上海：上海古籍出版社，2012：42.

影，虽然桐城派在戊戌维新失败后逐渐消沉，最终在‘五四’新文化思潮中走向没落，但在晚清时期，桐城派却能顺应时代思潮，其在晚清各期的主要代表往往也是当时新思潮的代表或积极参与者”[①]。曾国藩在学理上倾向宋学之“明体达用”,同时也十分推崇桐城派，正是因为这样，他同湖南当时活跃的郭嵩焘、罗泽南、刘蓉等接触后即成为在政治学术上意气相投的朋友，成为湘军集团的一分子。这些人都是湘军集团中的重要人物，而湘军集团不单纯的只是一个军事政治集团，作为一个在晚清发挥重大历史作用的群体，它主要是由小地主知识分子组成，很多人都在学术上有着较高的造诣，这一集团在学术上有着共同的治学倾向，总体来说是治宋学，宗古文，经世致用。但由于时代潮流影响，汉宋调和已成为不可避免的趋势，因此他们的学术旨趣都没有摒弃汉学及其治学方法。曾国藩是以治理学闻名于世，他师从著名理学家唐鉴，李鸿章又是曾国藩的门生，他们的理学糅杂较多的经世务实色彩,对史学的作用很重视,自然延续了嘉道以来的湖南学风。唐鉴就曾说过：“为学只有三门，曰义理，曰考核，曰文章。考核之学即在义理之中。”又说：“经济不外看史，古人已然之迹，法戒昭然,历代典章制度不外乎此。”[②] 这一群体中的学术领军人物又多宗桐城派。郭嵩焘好友刘蓉就说：“文也者，载道之器，济治之方,非特记诵文章之谓也。”[③] 咸、同之间曾国藩举起桐城派这面大旗，有着浓厚的“中体西用”的色彩，不仅宣传“义理”，阐扬宋学，同时也宣传“经济”、学习西学，“此举极大调动起对传统伦理秩序及文化恋恋不舍又冀学西学以自强的传统知识分子的积极性。因此，当他举起桐城旗帜时，‘大人先生心之所向，一经腾为

① 曾光光．桐城派与晚清社会思潮［J］．江海学刊，2001（6）：127-131.
② 俞樟华，胡吉省．桐城派年编：下［M］．北京：人民文学出版社，2015：494.
③ 郭廷以．郭嵩焘先生年谱［M］．台北：“中央研究院”近代史研究所，1971：19.

口说，播为声气，足以转移风气，陶铸一世之人’。许多士子聚集到他的麾下，形成了一个以‘曾门四子’（黎庶昌、吴汝纶、张裕钊、薛福成），及郭嵩焘、方宗诚、王先谦等为代表的具有浓厚政治色彩的文学派别，由于其组成人员主要为湘乡人士，所以又被称为桐城——湘乡派”[①]。

正是这种通过学术交游建立起来的紧密关系进行辐射影响了宗族、友人、姻亲等，建立起了一个以学术为核心，辐射血缘、地缘的关系网络，形成了一个极具鲜明特色的稳固群体，有着共同的学术取向与价值理念，促进了学术与政治紧密结合。这一交游群体在当时湖南社会有着广泛的影响力，被当时一些对社会危机有着清醒认识的外省士人看作是“扶危定倾”的中流砥柱，湖北士人陈秋门曾对郭嵩焘说：“楚北人才不足与比方楚以南，有由然矣。南士游京师者，类能任事，务实行，以文章气节相高。人心习尚如此,欲无兴,得乎？”[②]江西士人陈广敷更是大胆预测:“东南行将大乱,而戡定之人皆在湖南。”[③]晚清湖南士人群体在后来的太平天国所带来的对社会秩序的冲击中应时而起，不仅镇压了太平天国的起义，还促成了清朝的“同治中兴”。

4. 湖湘文化对湘军集体性格形成的影响

性格是指人们在对事对人的态度和行为方式上所表现出来的心理特征。湘军作为一个源于湖南的军事团体，其将领和士兵绝大部分来自于湖南，湖南社会文化观念自然对湘军每个将领和士兵个人气质行为特征产生影响，从而使湘军这一集体表现出独特的精神面貌和性格气质。

一方面，湖湘文化对湘军建军产生了重要影响。湖南地处封

① 曾光光．桐城派与晚清社会思潮［J］．江海学刊，2001（6）：127-131.
② 郭嵩焘．郭嵩焘诗文集［M］．长沙：岳麓书社，1992：143.
③ 龙盛运．湘军史稿［M］．成都：四川人民出版社，1990：31.

闭环境的中国内陆，三面环山，一面临湖，近代之前，交通极不方便，这种长期与外地隔绝的自然地理环境使得湖南社会保守而安于传统社会秩序，也形成了湖南区域性的保守文化性格。在此种文化风俗影响之下的湖南民众只知农桑，不知商贾，因之湖南虽地处南北商路要冲，却很少有本省之人经商，对商贾之事或有一种社会心理上的排斥和蔑视。鸦片战争之后，特别是太平天国农民革命破坏了传统社会秩序，社会动荡对于农业冲击较大，轻贱商贾之业使得湖南社会剩余劳动力和破产农民无法寻找出路，为湘军兴起提供了大量兵员。在中国传统社会中素来有“好男不当兵”之说，在一般情况下，农民都视从军为畏途。但对于剩余劳动力和破产农民而言，没有太多农业生产之外的机会，因此在晚清社会动荡之时为了求得生存，大量的剩余劳动力和失去土地的农民只有去从军。所以湘军能在短时期内形成规模，除了曾国藩等湖南官绅施以礼教欺骗之外，主要还是经济利益的驱动，湘军《水师得胜歌》就明白地说：“仔细听我得胜歌，升官发财笑呵呵。”[①] 在兵饷上，湘军将领给出了比正规绿营远为优厚的待遇，有学者根据资料统计得出：“湘军陆军正勇每月口粮四两二钱，较绿营马兵口粮多一倍，战兵口粮几多三倍，守兵口粮多四倍，除个人生活外，还可补助家庭。”[②] 这种经济上的丰厚回报，可想而知会对当时贫困的民众产生多大的吸引力，更不用提在战争之中可以通过各种途径获得的其他收入。因此，湘军募勇往往一呼万人立就，自湘省勇夫出境从征者，“水陆不下十数万之多”[③]，由此不难想见当时湘人踊跃从军的情景。湘人乐于从军之风自此延续至清末民国时期，湖南人以从军为乐，且视为获得出身升官之唯一门

① 王定安. 湘军记［M］. 长沙：岳麓书社，1983：353.
② 罗尔纲. 湘军兵志［M］. 北京：中华书局，1984：115.
③ 骆秉章. 骆文忠公奏稿［M］// 沈云龙. 近代中国史料丛刊. 台北：文海出版社，1977：2714.

径。入伍当兵的农民希望借此以改变自己的命运。从军以后如果机会好的话，可以获得一定的功名和官职，再荣归乡里，这也是穷苦山乡农民唯一能光宗耀祖的好机会。同时，正是由于受到此种区域性文化风俗之影响，湖南尤其是边远地区如湘中南一带民众整体呈现出比较质朴的性格气质。曾国藩筹建湘军，喜欢吸纳来自偏远山村的农民，而不用水乡之民和市井之徒，因为心思简单，容易鼓动，他说："山僻之民多犷悍，水乡之民多浮猾，城市多游惰之习，乡村多朴拙之夫。故善用兵者，常好用山乡之卒，而不好用城市、近水之人。"① 这样，湘军创建之初，士兵主要来自于湖南经济不发达偏远山村。这些农民心地纯朴、憨直、性格上的可塑性很大，正如有学者指出，湘军为什么以这种原则招兵，主要是因为"山农有一种'可塑造的本质'。……纯真的性格最易塑造。'由此基本素质训练转化'，所以作战能奋不顾身"②。通过训练和鼓动，即可成为凶悍而有纪律的士兵，这也是湘军具有较强战斗力的重要因素。

另一方面，湖湘文化对湘军群体意识的形成具有重要影响。首先是湘军群体的保守、团结与排外。长期以来，湖湘文化的价值观和湖南社会风俗使得湖南士人和民众安于传统社会秩序，渐趋于保守。由于移民因素和民族杂处，湖南社会中主客矛盾和民族矛盾尖锐，暴力冲突时有发生，"动辄千百成群……毁坏屋产，斗殴杀伤，紊烦官府"③。为了生命和财产的保障，湖南民众又显得格外团结和排外。这种社会心理为湖南人群体意识的形成以及湘军的兴起奠定了文化基础。在遭受到太平天国对湖南社会秩序的严重冲击之后，其所带来的文化观念上的冲突使保守排外的湖南

① 曾国藩．曾国藩全集：一［M］．长沙：岳麓书社，2011：461.

② 张朋园．湖南现代化的早期进展（1860—1916）［M］．长沙：岳麓书社，2002：351.

③ 赵勤，万在衡，王元凯．攸县志：屯田［A］．刻本．1871（清同治十年）．湖南省图书馆藏．

士人和民众团结在一起来抵御太平天国对湖南社会所造成的冲击，从而使“湖南”这一概念成为湖南区域内士人和民众地域标识性特征，湘军也成为湖南人联合起来的群体，形成了稳固的群体认同感和凝聚力，成为湘军内部比较团结、一致对外的性格特征，同时也形成了湘军在战争中凝聚力强、齐心拼搏的精神面貌。曾国藩率湘军转战于江西、湖北、安徽，军饷粮食几乎全靠坐镇湖南的左宗棠筹集。左宗棠西征新疆，时任两江总督的曾国藩又积极予以人、钱、物的支援。又如李续宾兄弟出兵安徽时，胡林翼把李氏之母奉养于湖北抚署之内，视之如己母，使李氏兄弟为之感激涕零。湘军对内讲义气，对外则转化成一种强烈的仇外心理。他们认为，西方天主教和外国侵略者的入侵，是中国历史几千年来未有的大变局，他们不仅强烈地反对半基督教徒的太平军，而且更痛恨西方的侵略强盗，这也直接造成了湘军成功镇压太平天国农民革命后很长一段时间内湖南对西方传教士和洋务的极端抵制。

其次，湖湘文化也培塑了湘军群体讲气节有血性的性格特征。湖湘文化尊崇程朱理学，在民间也形成了讲气节的性格特征。所谓气节，就是“忠孝节义”这种儒家文化观念的要求。前文已经提到，湘军兴起的文化原因就是因为太平天国伪托西方基督教颠覆了湖南士人和民众对传统社会这种儒家文化观念的坚守，曾国藩等湖南绅士起湘军而拯危难，是为了捍卫“名教”，是一种卫道行为，同时，他们也把这种卫道的思想观念贯穿在对湘军的宣传和教育中。王定安就说：“湘军创立之始，由二三儒生被服讲道，以忠诚为天下倡，生徒子弟皆知重廉耻，急王事，以畏难苟活为羞，克敌战死为荣。”[1] 这就说明了湘军重节气的性格特征，正是这种性格特征导致他们敢于拼搏，有一种敢于任事，勇于承担，甚至牺

---

① 王定安. 湘军记［M］. 长沙：岳麓书社，1983：34.

牲生命也在所不惜的精神面貌。粟戡时说："湘人性素好动，尤饶侠气，平时毫无异人之处，一遇压抑，则图抵抗，每以生命为孤注。"[①] 所以血性、气节也是湘军兴盛的一大原因，王定安说："楚军水陆之好处，全在无官气而有血性。"[②]

最后，湘军群体所呈现出来的强悍、刚烈、倔强等精神气质也多由湖湘文化所塑造。湖南地处内陆，移民众多，民族杂处，种种社会矛盾尖锐，暴力冲突时有发生，因此，民众性格倔强，动辄用武。曾任湖南布政使的李榕就说湖南人"气太强"[③]；其后湖南巡抚陈宝箴也认为湖南人"好胜尚气"，"其民气之勇，士节之盛，实甲于天下"[④]；谭其骧就认为是苗汉混血导致了湖南人强悍刚烈、倔强的性格特征，"清季以来，湖南人才辈出，功业之盛，举世无出其左右，窃以为蛮族血统活力之加之，实有以致之"。[⑤] 如曾国藩本人就有着倔强、不屈不挠的个性，每于受挫之后，都是"吃一堑，长一智"，同样其他湘军将领和士兵，也多是坚忍卓绝、强毅不屈。曾国藩还在湘军战术上采取"扎硬寨，打死仗"[⑥] 的方法，充分发挥湘军强悍刚烈倔强的性格特征，如曾国荃围攻天京 40 余天，全军瘟疫流行，死伤无数，但都坚持到最后大功告成。这种鲜明的性格特征和精神面貌造就了湘军强悍的战斗力。

三、夹缝中的挣扎：转型中的近代湖湘文化精神

湘军兴起之后，近代湖湘文化呈现由边缘走向中央的趋向，

① 粟戡时，等．湖南反正追记［M］．长沙：湖南人民出版社，1981：21.
② 王定安．求阙斋弟子记［M］．台北：文海出版社，1967：9.
③ 郭廷以．郭嵩焘先生年谱［M］．台北："中央研究院"近代史研究所，1971：477.
④ 张朋园．湖南现代化的早期进展（1860—1916）［M］．长沙：岳麓书社，2002：347.
⑤ 谭其骧．长水粹编［M］．石家庄：河北教育出版社，2000：312.
⑥ 罗尔纲．湘军兵志［M］．北京：中华书局，1984：77.

其所因应的是整个中国社会所面对的挑战，因此“其人为天下士，为事亦天下事”[①]，而不同于之前现代中国与世风隔绝的那种区域文化。从戊戌变法到新中国成立之前的100多年间，社会急剧变革，中国传统文化与西方工业文明的冲突、融合逐渐突出，历史的阶段性特征十分明显。从自然地理位置来看，近代中国各区域在接受西方文化冲击时的反应呈现出不同的特点，东南沿海地区因为地接外部，最早遭受西方武力和经济侵略，中国最早开放的通商口岸也大多集中于此，所以是接受西方文化冲击最早与最深的区域。而湖南地处内陆，交通不便，商品经济发展缓慢，经济模式较为单一，因而直到19世纪80年代开放传教，90年代开放商埠。湖南直接接受西方文化冲击较晚，与东南沿海地区相较呈现出一种迟缓的状态，无论湖南士人和民众，对西方文化的态度只有在甲午之后才有了深刻而复杂的变化。甲午之后，面临直接的西方文化冲击与民族生死存亡的危机，湖湘文化开始了艰难而缓慢的转型，湖湘人士在这样的社会转型时期总是密切关注时代变革，也力图推动与实现文化的转型。郑大华指出，中国文化由传统向近代的变化转型，其内容主要包含构成要素、部门文化与价值观念三方面的变化。[②]

1. 湖湘文化在甲午之后构成要素与部门文化的变化

这种构成要素与部门文化的变化主要表现为湖湘士人越来越多地引入西方文化的内容。在维新运动前后，湖南士人逐步抛弃过去的守旧排外的文化传统，开始宣扬西学。早在甲午之前，郭

① 钱基博，李肖聃．近百年湖南学风·湘学略［M］．长沙：岳麓书社，1985：104.

② 郑大华．社会结构变迁与近代文化转型［M］．成都：四川人民出版社，2008：20.

嵩焘就已经认识到世界形势的变化要求中国人文化观念也必须发生变化，郭嵩焘认为西方文化是有本有末的，而学习西方，不仅仅要学习西方的物质文明，同时要学习西方的政教风俗。郭嵩焘比较中西文化发展的源流，通过亲身考察西方的各种文化和政治经济制度，与三代典制相比较，得出“俾知西学之渊源，皆三代之教之所有事”[①]的结论，指出“苟得其道，则固天心之所属也。茫茫四海，含识之人民，此心此理，所以上契于天者，岂有异哉？而猥曰：‘东方一隅为中国，余皆夷狄也。’吾所弗敢知矣”[②]。郭嵩焘在这里彻底地批判了传统的夷夏观，认为西方也同样具有文明。甲午之后，谭嗣同说湖南人“经此创巨痛深，乃始摒弃一切，专精致思……不敢专己而非人，不敢讳短而疾长，不敢徇一孔之见而封于旧说，不敢不舍己从人，取于人以为善”[③]。他们开始融合中西文化，提出新的世界观和天下观念，他们主张“开明智”“倡西学”，在认知模式和价值观念上发生了深刻的变化，针对传统人士主张的“唯我独尊”的封闭心态，进步的知识分子开始逐步认识到，在中国之外还有一个广阔的空间，中国“仅居其一”，这个“其一”，并非凌驾于“其他”之上，而是与“其他”相并列。甚至有人开始认识到，儒家文化并非“天理”的唯一代表，世界之公理才是真正的“天理”，因此，西方文化应该是与中国文化处于平等的地位。以谭嗣同为代表的湖南士人大力宣扬西方平等、民权思想，提出了更为超越的“仁学”理论体系，他创造性地将“仁”和“以太”这两个分属于东西文化的哲学概念进行融合，建立了解释宇宙现象和人类现象的宇宙观；又将西方进化论和传统的公羊三世说结合起来，形成两“三世”（“逆三世”和“顺三世”）的历史哲学；再加上其“冲决网罗”的现实主义批判哲学，构成了一个独

① 郭嵩焘．郭嵩焘诗文集［M］．长沙：岳麓书社，1984：68.
② 郭嵩焘．郭嵩焘日记：第三卷［M］．长沙：岳麓书社，1984：815.
③ 蔡尚思，方行．谭嗣同全集［M］．北京：中华书局，1981：168.

具特色的哲学体系和文化体系，极大地丰富了近代中国文化。以此为契机，在近代文化发展历程之中，现代民族国家观念产生，民族复兴思潮发轫，受此影响，湖湘文化再次趋新，而成为当时维新变法运动之中领全国风气之先的省份。新文化运动之后，湖湘文化也随着近代中国文化变迁而表现出强烈的文化自觉自为意识，湖湘学人自从接受了马克思主义，便义无反顾地沿着马克思主义的方向探索中国社会的发展道路和文化发展道路。

与此同时，文化的载体也发生了变化，包括开设新式学堂，例如湖南第一所近代化学校——湖南时务学堂；教学课程也发生了重大变化，由过去的主要设置经史之外，还开设了公法等西学的课程。湖南近代化专门学堂——武备学堂，也采用西法培养新式军官。此外，湖南各地都在不同程度上进行了教育体制改革，推动湖南近代教育的发展。同时甲午之后中国教育制度变革，新式学堂兴起，留学之风盛行，湖南有识之士成批走出湖南，走向中国，走向世界，他们或则公费，或则自费，或则勤工俭学，大量涌入日本和欧美资本主义国家，如饥似渴地学习。学习西方文化制度，在中国社会变革中发挥了重要作用。湖南自 1898 年戊戌新政时期决定选派学生 50 名赴日留学，但新政旋即取消，留学就此搁置。留学生的大规模增加是在 20 世纪最初几年，据资料统计，1901 年至 1905 年间留日学生从 200 人激增为 8000 人，人数增加近 30 倍。[①] 最初实行官费留学，所以人数较少，后来官费、自费并举，自费留学生大量增加，到 1904 年，全国留日学生 2395 人，湖南留学生就有 373 人，占全国 11% 左右。1905 年，湖南有女留学生 20 余人。[②] 湖南知识分子开始更为广泛和深刻地了解和学习西方文化，在更高级的层次，更广泛的范围和更复杂途径上开启了向西方学习的大门。 此外，还有兴办学会。南学会的设立成为

① 刘泱泱．湖南通史：近代卷［M］．长沙：湖南出版社，1994：527.
② 同① 529.

了湖南传播新学的领导中心，其他各种学会的设立使得湖南移风易俗蔚然成风，其中最为突出的是湖南不缠足会和长沙延年会的设立，分别在破除妇女缠足陋习和树新风、除旧习方面起到了龙头作用，还有湖南最早的近代杂志和日报《湘学报》和《湘报》，是传递信息和思想交流的重要媒介，也是传播西方文化和批判封建文化的重要阵地，这些都在一定程度上推动着湖湘文化向近代化转型。

2. 湖湘文化在甲午之后价值观念的变化

“与传统文化冲突最多、其变化的过程最为曲折、反复和艰难的是价值观念的变化。价值观念的变化，既是近代文化不同于古代或中古文化的一个根本点，也是衡量文化的近代转型是否发生和完成的一个重要指标。”[①] 这种价值观念的变化首先表现为甲午之后湖南人责任感与使命感的加强。湘军兴起改变了湖南在全国的地位，使湖南人的社会心理结构发生转变，湖南人变得自信、敢为人先和具有社会责任感。古代湖南，由于经济文化落后，在全国各省中的地位是很低的,影响也微不足道。据《汉晋春秋》载：“吴楚之民脆弱寡能，英才大贤不出其土”，说明古代吴楚之地包括湖南在内的地区地位低下，人才缺乏，几乎成了被遗忘的角落；到清初这一地位也没有改变,著名学者刘献廷认为湖南是一个“荒陋之区”，讥讽湖南“无半人堪对语”[②]。皮锡瑞也说:“湖南人物，罕见史传，三国时如蒋琬者只一二人。唐开科三百年，长沙刘蜕始举进士，时谓之‘破天荒’。至元欧阳原功，明刘三吾、李东阳、杨嗣宗诸人，骎骎始盛。”[③] 一直延续到1840年鸦片战争前，湖南

① 郑大华，彭平一．社会结构变迁与近代文化转型［M］．成都：四川人民出版社，2008：21.

② 龙盛运．湘军史稿［M］．成都：四川人民出版社，1990：415.

③ 皮锡瑞．师伏堂未刊日记［J］．湖南历史资料，1959（1）：105.

没有出现过几桩足以影响全国局势的大事，湖南人物见于史传者，也是寥若晨星，湖南在当时中国的地位由此可见一斑，这些使湖南历代有识之士深感憋屈。太平天国农民革命爆发后，湖南出现了以曾国藩、左宗棠、胡林翼等为核心的挽救封建统治秩序的湘军集团。湘军经过十多年的奋战取得的最后胜利，终于使湖南人走上中国历史舞台。湘军与太平军的战争，在湖南士人看来，不仅仅是维护清政府统治的战争，而是为名教而战，为文化绝续之战，因为湘军的胜利，儒家文化传统得以保存，社会秩序得以维持。所以在此之后，为中国保存文化传统的湖南成为全国的重心，遂有“天下一日不可无湖南”之说。这对湖南以至整个中国往后历史的发展产生了深远的影响，逐渐形成了以天下为己任、敢为天下先的社会心理。著名的辛亥革命家杨毓麟就说：“咸同以前，我湖南人碌碌无所轻重于天下，亦几不知有所谓对于天下之责任。知有所谓对于天下之责任者，当自洪杨之难始。”[①] 杨氏所说的“知有所谓对于天下之责任”，实际上就是一种觉醒了的群体意识及行动。以湘军为自豪，以湖南为骄傲的情绪形成，湖南在全国的地位也为之一变。唐才常说“振支那者惟湖南，士民勃勃有生气，而可侠可仁者惟湖南”[②]，梁启超甚至也说:“其可以强天下而保中国者，莫湘人若也”[③]，湘军的成就刺激了大批湘人奋发努力，以匡世济民为大志，力图承担社会大任的强烈愿望。“语战绩则曰湘军，语忠义则曰湘士，语以民权而参官权，则亦曰湘人。”[④] “无湖南人不成衙门”之说，几乎流遍全国。这种指画天下的风气，到后来更加突出，影响了后来的湖南人，20 世纪 20 年代的青年毛泽东也曾说过，于近人独服曾文正公。

① 杨毓麟．新湖南［J］．湖南历史资料，1959（3）：105.
② 湖南省哲学社会科学研究所．唐才常集［M］．北京：中华书局，1980：178.
③ 梁启超．饮冰室合集：文集第二册［M］．北京：中华书局，1989：66.
④ 同②．

其次是湖南士人保守与激进意识的增强。晚清时期湖南的崛起强化了湖南士人和绅士阶层的卫道观念和骄傲、自豪感，这也就导致了湖南绅士阶层和学子在19世纪下半叶的保守心理。尤其19世纪70年代以后，湖南士人和绅士阶层在心理上更加保守、顽固，处于沾沾自喜、故步自封的状态。湖南以保守闭关闻名于天下，其明显的标志就是拒绝接纳西方文化。学者郑焱说“甲午战争前，湖南没有产生一位早期维新思想家，没有创办一所新式学堂，一份新式报纸，一个真正的近代企业”[①]，在19世纪90年代以前，湖南既没有通商口岸，也没有外资工厂，还没有出现民族资本的新式企业，也没有像模像样的新式工矿企业和学堂。郭嵩焘、曾纪泽都“精解洋务”，为中外称道，然而在湖南却遭到顽固守旧派的痛诋。曾纪泽因坐小汽轮回湘，引起湘中舆论大哗。郭嵩焘倡议自营轮船，被乡人讥为二毛子。曾国藩在当时可以说是湖南的精神领袖，但是他在1872年逝世后灵柩以轮船运抵长沙，湖南官绅竟抵制入境，足可证明湖南人的顽固保守，所以当时有人记载“湖南之阻矿务，阻电线，以天子之尊，不能举一事。官湖南者动色相戒，噤口不敢谈洋务”[②]。郭嵩焘出使英国，“家乡士子，直诘臣以不修高洁之行，蒙耻受辱，周旋洋人，至欲毁其家室”，归国后乘轮船回乡省亲，却受到湖南士绅的阻止，“以为非洋人通商地方即不得用轮船”。曾纪泽因撰文论西洋文化之利，湖南人以其媚外，毁其住宅。总之，湖南在维新运动前“独以疾恶洋务名于地球”，湖南成为维护传统、抵制新式洋务的坚强堡垒。

湘军镇压太平军后湖南人自负心态的滋长以及卫道保守心理的滋长，同时也造成了湖南人对西方基督教势力进入湖南极力地排斥。此外，湘军是以镇压太平天国起义而起家，由此才带来湖南以及湖南人在全国地位的提高，而太平天国又是假托基督教来

① 郑焱．近代湖湘文化概论［M］．长沙：湖南师范大学出版社，1996：61.
② 蔡尚思，方行．谭嗣同全集［M］．北京：中华书局，1981：205.

作为革命的宣传手段，因此，以湘军为荣耀的湖南绅士阶层和学子极度排斥基督教势力，甚至认为湖南人既然能够打败太平军，必然也能抗拒传教士进入湖南。这就造成了晚清湖南成为反教的先锋，教案频发，多次引起国际性的交涉。教会势力于17世纪中叶传入湖南，直到19世纪中叶，仍处于被禁止、取缔的状态。鸦片战争后，清政府在外国侵略者的压力下，已逐步改禁教为护教，改禁止内地传教为允许在内地建堂传教。在这种形势下，基督教于19世纪60年代至90年代，在中国取得了前所未有的发展，但在湖南遭到了十分激烈的抵制。1863年，英籍循道会传教士郭修礼牧师来湘，先后到岳阳、长沙、湘潭等地游历布道，但遭反对，无功而返。1875年，内地会的吉德到岳阳赁屋传教，但没过几天同样遭逐退出。此后，内地会的都沃德以及循道会的张一知、李光迪等都来湘售书布道，但因民众排拒甚力，收效很小。1894年，张一知在长沙出售福音书，结果只卖掉1本，然而在当时已是“最佳之成绩”[①]。1898年,美国宣道会牧师雅学诗几次乘船往返长沙城外，皆因河彼岸民众高呼“打洋人”之声并捣毁其船只而受阻，不得进城。后雅学诗改穿长袍马褂，乔扮中国人，还是多次挨打被逐。当时民众反基督教的激烈程度可见一斑。王文韶也指出，除衡阳、清泉、湘潭等县外，“其余各属民间禁约甚严，是以二十年来并无推广之处”[②]。当局迫于压力于1880年开放常德、辰州、沅州、永顺、澧州等四府一州所属20县及乾州、永绥、凤凰、晃州四厅为传教游历的区域，实际上这是一种更隐蔽的抵抗，因为所开放的地区全部是边远落后的地区，省会以及附近地区对传教士完全禁行。“就个人的力量来说，至少就取得一个居留地而论，现在，湖南比以往任何时候都更加保守固拒了。”[③]全国各处皆

① 逸休．中华基督教湖南循道公会概况［A］．手抄件.1947．湖南省图书馆藏．
② 王先谦．东华续录：光绪朝第138卷［M］．上海：上海古籍出版社，1996：18.
③ 周锡瑞．改良与革命——辛亥革命在两湖［M］．杨慎之，译．北京：中华书局，1982：40.

有教堂，唯湖南以勇敢排斥著称。随着传教士进入内地活动，洋教士及教民与当地绅民群众之间时常发生冲突。从19世纪50年代到20世纪初，全省发生了长沙、衡阳、湘潭、辰州、宁乡、岳州、临湘等多起教案，大大小小发生了30余次。周汉等一大批激烈的反教绅士和学子都成为全国知名的人物。

最后，湘军兴起使得湖南人文化心理更趋于极端和彷徨。湘军兴起改变了湖南在全国籍籍无名的地位，使湖南一跃而成为“系天下之重望”的区域省份。这也造成了湖南士人的自豪心理。湖南士人的这种对湘军的自豪感和对国家社会的使命感和责任感一旦遭到严重挫折，就会向另外一个方向发展，也即更加激进的变革心理。19世纪末，帝国主义对中国的侵略加深，使中国濒临被瓜分的边缘。尤其是甲午中日战争后期，清政府和全国民众将打败日军的希望寄托于湘军，但湘军也没能挽救中国军队惨败的命运，湖南士人的骄傲自豪感也因此遭受到重大挫折，但甲午湘军的战败并未使湖南人一蹶不振，反而更强化了他们的责任心和自信心，湖南的新政运动为全国之首也正是这种自豪感、使命感的产物。皮锡瑞就说:“近日湖南风气（指新政运动）又为各省之最，是由地气变得益盛，亦由乡贤之善变也。”[①] 所以，湖南新政运动为全国之最不是一个偶然的现象，而是有着深层次的社会文化原因。湖南士人在太平天国农民革命强烈冲击破坏了中国社会秩序和规范时应时而起，以书生领兵率一省之力而挽救了名教危机，这种荣誉和自豪感已经深刻地刻印在了湖南几代士人的心中。既然前辈士人可以湘军代清政府的经制之军镇压太平天国起义，那么现在面对着新的社会危机，外国对中国文化的冲击，湖南士人必然可以再一次应时而起，湖湘固有的经世致用的传统学风也使得湖南士人能更敏锐地感受到社会变革对他们的冲击，所以正是这种

① 皮锡瑞.师伏堂未刊日记［J］.湖南历史资料，1959（1）：105.

心理因素，使得在国家民族危机严重的时刻，湖南士人都比中国其他地区的人对变革要求得更为急切与激进，且他们认为：“欲新中国，必新湖南”[①]，“古有燕赵，今有湖南；日本有摩萨二省，中国有湖南一省。救中国从湖南始”，“振支那惟湖南，士民勃勃有生气，而可侠可仁者惟湖南”[②]。这种心理发展到后来已成一种极致，杨度在《湖南少年歌》里写道：“中国于今是希腊，湖南当作斯巴达；中国将为德意志，湖南当作普鲁士；……若道中华国果亡，除是湖南人尽死。”[③]由甲午湘军战败而来的强烈的自责心理和湘军历史的骄傲自豪更激发了湖南人的救亡心态，以一种激烈的方式投身于社会变革与革命的大浪潮中。湖南维新运动时期“风气之开，几为各行省冠”，连梁启超也叹道：“近岁以来，官与绅一气，士与民一心，百废具举，异于他日。其可以强天下而保中国者，莫湘人若也！”[④]其后谭嗣同更以一种壮烈的心态以身血祭戊戌变法。近代中国每次社会变革和政治革命都可以看到诸多湖南人杀身成仁、九死不悔的身影。从清末会党反清起义、同盟会的反清斗争、辛亥革命，到第一、二次国内革命战争再到抗日战争，湖南知识分子及民众的血性、气节以及受湘军影响的自豪感都在中国近代历史的长河中展现得淋漓尽致。所以杨毓麟就说：“且我湖南人，对于同种之责任，其重大有远过于诸省者。诸君亦尝闻之乎？咸同以前，我湖南人碌碌无所轻重于天下，亦几不知有所谓对于天下之责任。知有所谓对于天下之责任者，当自洪杨之难始。”[⑤]

同时，由于其心理上的极端性，在社会大变革的浪潮中，湖南士人也多表现出一种彷徨心态。戊戌维新时期湖南新旧之争何以在当时中国表现得尤为激烈，也就是这种彷徨心态的表现，变

① 饶怀民．杨毓麟集［M］．长沙：岳麓书社，2001：63.
② 湖南省哲学社会科学研究所．唐才常集［M］．北京：中华书局，1980：112.
③ 刘晴波．杨度集：第2册［M］．长沙：湖南人民出版社，1986：67.
④ 梁启超．饮冰室合集：文集第二册［M］．北京：中华书局，1989：66.
⑤ 同①．

与不变，如何变，变的程度，都是湖南士人犹豫和彷徨的原因，这也造成了他们面对社会变革多变的态度。如初期维新而后期保守的王先谦就在他领衔的《湖南绅士请办内河小火轮船禀稿》中说："从前湘人恐因轮船致引外人入于内地，又恐民船尽失生涯"，近来已"风气日开"，对轮船见惯不惊；且新条约已准西人货物通行各省，"与其本地利权全付他人，孰若本地之人自立根基，或可免异日喧宾夺主之患。是以从前不愿举办轮船者，兹皆极称轮船有利无害，宜速无迟"。他还强调："目击时艰，冀维桑梓；怵他人之我先，懔利权之宜挽。"[①] 这是当时许多主张变法维新的湖南绅士的共识，"湘省地接长江，英人尤为觊觎，岳州开埠，朝命许以利益均沾，内河行轮订约于西历五月，时势所迫，殆难固拒；彼（指外资）既居中制驶轮船之利，必将专之，我今默运全筹，预争先着；防太阿之倒授，挽固有之利权"[②]。这些人都是湖南初期新政的积极参与者，包括时务学堂在内的许多新政机构，是以王先谦等领衔禀请开办的。这些人正是因为湘军在甲午中日战争中的惨败才痛定思痛，开始由极端的保守转向急切的变法。就连最保守的叶德辉，其本意也不是认为今日中国不应该变法，"今日之时局，法诚弊矣：士不知学，民不知兵；百里之外，风俗不通；九州以内，地利未尽。制造兴则仕途多无数冗员，报馆成则士林多一番浮议。学堂如林，仍蹈书院之积习；武备虽改，犹袭洋操之旧文。凡泰西之善政，一入中国，则无不百病丛生。故鄙人素不言变法，而只言去弊。弊之既去，则法不变而自变矣"[③]。他只是认为首先要认识清楚中国自己的弊端和问题的究竟，才能有选择地学习西方，而不是像康、梁那样盲目变法。所以维新时期的新旧之争，更多的是在变法手

① 江标．湘学新报：第1册［M］．台北：华文书局，1966：190-192.
② 刘泱泱．湖南通史：近代卷［M］．长沙：湖南出版社，1994：451.
③ 罗志田．思想观念与社会角色的错位：戊戌前后湖南新旧之争再思——侧重王先谦与叶德辉［J］．历史研究，1998（5）：56-79.

段上的分别，不是是否学习西方的分别。其后随着变法新政的深入，康、梁等人所主张的维新变法思想逐渐打破了湘军兴起所倡导并为湖南绅士和学子所尊崇的名教礼法，这触碰到了湖南大多数绅士的底线和情感，所以遭到不管是前期维新后期守旧的王先谦还是一贯守旧的叶德辉等人激烈的反对。所以近代湖南新与旧、进步与落后的政治斗争尤为激烈，这种斗争，从全国来看，湖南堪数首屈一指。当然，我们今天重新认识湖南新政时期的新旧之争，更有学术和地域上的分歧。就当时新政大本营时务学堂而言，其所教授大多是承袭康有为的今文经学一派，传授“公羊、孟子之教”，但湖南自宋代以来一直尊崇程朱理学，湘军的兴起更强化了宋学在湖南的统治地位，所以所谓的新旧之争也可以看作是一种宋学与今文经学之争。这段时期湖湘人士走在了时代的前沿，他们提出了具有时代特色的文化观念，在当时成为全国最具活力、最具影响力的地域文化，使湖湘文化在近代史上发出耀眼光芒。从甲午以后到五四运动期间，是近代湖湘文化兴起的过渡阶段，湖湘文化在近现代备受瞩目，取决于中国文化变革时期的与时俱进。

甲午以后，严重的民族危机使得湖湘文化精神内核中忧患意识和爱国主义的特征得以发扬光大。在民族面临生死存亡之关头，湖湘子弟由忧患意识而产生的爱国热情和经世精神更加强烈，而且在危亡关头献身独立与主权的热情更加高涨。杨度径直把“屈贾之乡”所历史传承的湖湘精神“作为湖南人文精神的渊薮来感召天下湘人”。[1]而且，在民族危亡的清末民初，湖湘志士的“屈贾情结”迅即升华为“反对殖民主义和资本帝国主义的侵略，捍卫国家的独立和主权”的爱国精神，支撑着为晚清力挽狂澜的“国家不可一日无湖南”和“若要中华国果亡，除非湖南人尽死”的现代神话。至此，以天下为己任，为强国保种不惜牺牲生命的使

① 湖南师范大学文学院．湖湘文化论集：上册［M］．长沙：湖南师范大学出版社，2000：65.

命感和责任感，“逐步成为湖南士人的普遍心态”。在近代湖湘文化精神的感召之下，一代又一代湖南热血青年慷慨赴死，为国捐躯。“戊戌六君子”之一的谭嗣同宁赴国难，也不愿潜逃国外苟且偷生，这种“为变法而流血”的大无畏精神正是湖湘文化精神的传承。到 20 世纪初，湖南革命者带着救国无门的愤慨蹈海自溺的壮举更是层出不穷：1905 年 12 月日本政府限制留日学生，陈天华在东京投海身亡；1909 年广州起义失败时，杨毓麟赴利物浦蹈海自杀；1921 年屈原的忌日，易白沙带着对军阀统治的愤恨在航海途中跳海自溺。无论忧国忧民的高尚情操还是“宁赴清流”的赴死方式，这些湖湘志士都和屈原一脉相承，可见“屈贾情结”确已融入湖湘子弟的血脉，而湖湘热土也不愧是历史悠久的“屈贾之乡”。

四、影响湖湘文化精神近代转型的诸因素

1. 晚清湖南社会人口过剩问题

湖南在古代属蛮夷之地，为少数民族聚居地，加之古洞庭风大浪险，交通不便，历来是地广人稀。直到东汉末年中原战乱，北方汉族人民开始迁徙至洞庭沅湘之间，湖南人口才有所增加。明清时期，由于大量移民的涌入，湖南人口才有了大规模的增长。据资料记载，明万历六年（1578）湖南人口为 1917052 人。[①] 但明末清初清兵入关和三藩之乱，对湖南社会造成了极大的创伤，“残毁瓦砾荆榛，千里如一、青磷白骨，所在皆然”[②]。经过历次战乱，湖南人口又大为减少。经过清朝两百余年的休养生息，湖南人口

① 李瀚章，卞宝第，曾国荃，等 . 湖南通志：赋役志［A］. 刻本 .1885（清光绪十一年）. 湖南省图书馆藏 .

② 王勋，王余英 . 善化县志：户口［A］. 刻本 .1818（清嘉庆二十三年）. 湖南省图书馆藏 .

出现了快速增长，到乾隆十一年（1746），人口为8672433人。较明万历年间人口增加了4倍半。到嘉庆二十四年，湖南人口约为18892000人。[①] 此间人口年增长率约为1.17%，如此人口增长的速度是极快的，在18世纪初，湖南平均每平方千米人口为62人。其人口分布受经济环境影响，洞庭湖周围和湘江沿岸为农业经济发达地区，耕地较为集中，因此人口也较多；西部及南部耕地较少，故人口也较为稀少，如嘉庆十七年，人口最为稠密的是岳州府，人口密度为120人/平方千米，人口最稀疏的是湘西、湘南的乾州、凤凰等四厅，人口密度为13人/平方千米。[②] 但受整个社会经济水平影响，农业社会人口分布平均化是一种普遍现象，如在较为富庶的衡州府，“衡民自城市而外，聚处者少，一区不过数家，一家一苑，不成村落”，“按衡农居平原沃壤者十之四、居水涯者十之三、居山间者亦十之三”[③]。

这种自清中叶以后人口的快速增长带来了湖南社会中人口过剩问题。人口是社会中重要的结构性因素，人口的数量与结构必须同当时社会生产力发展水平相一致，否则就会给社会经济发展带来巨大灾难。所谓人口过剩，简单来讲就是指人口数量过多。但在社会经济的实际发展过程中，社会所能承受人口数量是同社会具体生产方式和经济发展水平联系在一起的。所以历史上的尤其是在落后社会经济形态中的人口过剩，并不仅仅指这一时期社会人口数量的绝对多少，而是指相对于当时社会生产条件和经济水平而言，超出了社会生产力与经济水平所能承受能力的人口数量。具体来说，相对过剩人口是相对于当时的社会生产条件而言

① 李瀚章，卞宝第，曾国荃，等．湖南通志：赋役志［A］．刻本．1885（清光绪十一年）．湖南省图书馆藏．

② 张朋园．湖南现代化的早期进展（1860—1916）［M］．长沙：岳麓书社，2002：22.

③ 李惟丙，郭庆飏．衡山县志：赋役［A］．刻本．1876（清光绪二年）．湖南省图书馆藏．

的“过剩”，或者是整个社会生产所不能容纳的多余人口，这些过剩的或多余的人口一方面无法为社会生产做出贡献，另一方面无法为自己的生存提供条件，从而成为社会不安定的因素，它应该是一种社会的历史的现象。就中国小农经济社会而言，这里的“过剩”实际上指由于社会经济发展水平较低，农业生产率低下，可耕土地面积已经开垦殆尽，无法给社会快速增长的人口提供必要的生存生活条件。而“过剩”的人口主要是指那些在农业生产中，由于土地兼并，人口快速增长，失去土地等生产资料，生活条件极端低下，处于失业或半失业状态的潜在过剩人口。此外，从整个社会体系而言，过剩人口应该还包括一部分生活于社会最底层的人民，例如城市中失去工作的贫民及其子女，城市中的流氓无产者、盗匪、娼妓、乞丐以及丧失劳动力的吸毒者和残疾人等。由于晚清政府的腐败，社会混乱，经济衰败，这些人在晚清湖南社会比比皆是。总之，晚清湖南社会过剩人口的范围很广，数量极大。如此庞大的过剩人口的出现，表明晚清湖南的人口是严重过剩了。

那么晚清湖南人口相对过剩的原因是什么呢？笔者认为其原因主要是清前期以来中国人口的快速增长。纵观中国古代社会的发展历程，清代是我国历史上人口增长最多的时期，从明末战乱到咸丰时期，中国人口从不到一亿增长到了四亿，总量增加了四倍有余。而湖南的人口增长幅度则更大。具体分析湖南人口的发展历程，其总数增长是比较快的。张国雄根据万历《湖广总志》和嘉庆《重修大清一统志》的资料统计发现，在明朝万历年间湖广人口总数为 4398114 人，人口密度约为 12 人 / 平方千米；到清朝嘉庆时人口总数增加到 47620959 人，人口密度增长为 131 人 / 平方千米，大致增加了十倍有余[①]，从此可以看出湖南人口增长速

① 张国雄，梅莉．明清时期江汉—洞庭平原的人口变化与农业经济的发展［J］．中国历史地理论丛，1989，4（4）：97-113.

度远远超过全国总体水平。从康熙年间开始的湖南人口增长，虽然在某个时期某种程度上促进过湖南社会经济的发展，但也对社会经济产生了一系列负面影响，其中最为严重的就是人口增长数量与社会经济发展程度之间不相适应的问题，即人口过剩问题，这成为了晚清湖南社会经济向前发展的阻力。

晚清湖南人口相对过剩给晚清湖南社会经济带来的主要影响便是人地矛盾的尖锐化。在清朝初期，由于战乱的影响，湖南抛荒土地较多，地广人稀，人人易获土地，因此人地之间的矛盾还不明显与尖锐，时人谢肇淛就说："江右荆楚五岭之间，米贱田多，无人可耕，人亦不以田为贵。"① 康熙时的三藩之乱中，湖南是清军与吴三桂战争的主战场，人口损失较大，在康熙平定三藩之乱后，清代的政治统治基本上趋于稳定。之后，为安定社会秩序恢复社会生产，清政府又推行了奖励垦殖、轻徭薄赋、整肃吏治等措施，使湖南的耕地面积有较大的增长，此时尚不存在人地之间的尖锐矛盾，即人均耕地面积不足的问题。但其后雍正至嘉庆的百余年内，湖南人口增长的速度明显高于耕地增长的速度，故人均耕地面积日趋缩小。嘉庆以后，人均耕地面积显著下降，以致到了近代最终出现了人与地的严重冲突——人均耕地面积不足的矛盾。人口的大量增加，使得人均耕地占有量下降，据龚胜生先生统计，顺治十八年两湖（湖南、湖北）人均耕地为 182 亩，而至嘉庆二十五年则降至 2 亩。② 清中叶以来湖南人均耕地面积是持续较快下降的。人口的超快速增长与已开垦殆尽的土地之间，就形成了尖锐的矛盾。乾隆时期的湖南巡抚就在奏折中指出："荒地已垦，耕地已无增加。"③ 郭嵩焘在《湘阴县图志》中也说该县"垦

① 谢肇淛．五杂俎［M］．上海：上海古籍出版社，1985：36.
② 龚胜生．清代两湖地区人口压力下的生态环境恶化及其对策［J］．中国历史地理论丛，1993，8（1）：69-95.
③ 贺长龄，魏源．皇朝经世文编［M］．台北：文海出版社，1973：7.

土无虚”[①]。在湖南不仅沿湖相对富庶的地区存在这种问题，就是在原来偏僻少人的南部、西部山区也是如此，这些地方的人民耕种也在宅前屋后见缝插针，务使地尽其利。如《道州县志》就记载：“凡山头地角，开垦无遗。”[②]《桂东县志》记载：“远生齿日繁，谋生者众，深谷高陵，种植杂粮，几无隙地。”[③]在道咸之际就有许多士人清醒地认识到了这一问题的严重性，如汪士铎指出：“人多之害，山顶已植黍稷，江中已有洲田，川中已辟老林，苗洞已开深箐，犹不足养，天地之力穷矣。”[④]

这种人地矛盾还表现在土地价格的持续上涨上。据史料记载，顺治初年，“良田不过银二三两。康熙年间，涨至四五两不等”，“至乾隆初年，田价渐长，然余五六岁时，亦不过七八两，上者十余两。今阅五十年，竟也涨至五六十余两矣”。[⑤]当时人说：“承平日久，人余于地，则地价日贵，向日每亩一二两者，今则七八两，向日七八两，今则二十余两。”[⑥]这种所谓的“人余于地”，其实指的就是社会人口的快速增长与实际可耕土地之间的比例失调。在中国传统社会中，土地是主要生活资料，土地与人口的比例关系也是衡量社会是否达到维持基本生活水准的重要标准，明清之际的洪亮吉、张履祥以及其后的罗尔纲等人都以这一比例关系作为自己估计当时中国农村贫富的重要标准，基本上他们都把这一标准定为一比四左右，即每人平均约四亩土地方可维持基本的生活。以此来衡量，晚清湖南社会是没有达到这一标准的，甚至是远远低于这一标准的，这也就说明了晚清湖南社会由于人口过剩而引发的人与土地的矛盾是非常严重。

① 郭嵩焘.湘阴县图志：赋役［A］.刻本.1880（清光绪六年）.湖南省图书馆藏.
② 李镜蓉，盛赓.道州志：赋役［A］.刻本.1877（清光绪三年）.湖南省图书馆藏.
③ 刘华邦，郭岐勋.桂东县志：田亩［A］.刻本.1866（清同治五年）.湖南省图书馆藏.
④ 汪士铎.乙丙日记［M］.上海：上海古籍出版社，1993：19.
⑤ 钱泳.履园丛话［M］.上海：上海古籍出版社，1993：54.
⑥ 贺长龄，魏源.皇朝经世文编［M］.台北：文海出版社，1973：63.

清中叶以来的人口快速增长造成的人口过剩、频繁的自然灾害，导致了湖南农村的贫困化，尤其是对于生活在社会最底层的农民而言，小农经济的脆弱使得他们极易受到各种因素的影响导致破产。那么对于过剩的人口和破产的农民如何在失去土地之后寻找生存的出路呢？由于中国传统观念的影响以及嘉道时期湖南社会城市化、工业化尚未开始，农村中剩余劳动力无法离开家乡而进入城市从事别的行业，这种由于人口过剩和频繁自然灾害导致的剩余劳动力不可能像西方资本主义发展历史上的成为资本主义生产的预备劳动力，有学者指出："中国近代农村中大量的剩余劳动力的出现只是自耕农在小农经济遭受双重压力下分化变异的产物,与资本主义生产关系在农业中的兴起并没有直接的关系。"[1]所以湖南社会中的这种剩余劳动力只能是在传统经济范围内寻找出路和生存的机会，即从事农业生产之外的商业、手工业等行业。对于湖南而言，从明中叶开始，商品经济虽然在一定程度上有所发展，但由于自然地理环境的封闭性，以及长期以来民风的影响，湖南商品经济不甚发达，而是由米谷输出为主导形成了比较单一的商品经济模式，其他手工业等商品经济力量弱小。湖南单一的商品经济模式使得湖南社会广大的下层民众基本上是依赖于农业生产而生存。同江浙、广东沿海地区相比较，早在明中叶，江浙等沿海地区经济结构开始转型，江浙人口稠密，工商业发达，城市居民多，大量的土地又用来种植桑树、棉花、烟草等经济作物。同时在江浙的苏州、杭州和江宁（南京）丝织业较发达的城市，就出现了"机户出资,机工出力"的雇佣劳动关系,到清嘉道年间，江浙的丝织业有了更进一步的发展。据估计，当时苏州和杭州各有丝织机 20000 台以上，江宁有丝织机 40000 台以上，苏浙两省

① 郑大华，彭平一 . 社会结构变迁与近代文化转型［M］. 成都：四川人民出版社，2008：506.

共有丝织机在 80000 台左右。[①] 在这三个城市的丝织业中已广泛地采用雇佣劳动的形式，形成了比较稳定的雇佣关系，即所谓“计日受值，各有常主”，同时也存在着大量的临时工——闲时解雇，忙时雇佣。在广东道光年间先后开有炼铁炉 85 座，大多招商承办，其“佣工者不下数万人”[②]，最多时，广东冶铁业雇佣的劳动者达到二三万人。就在湖南相邻的汉口，在嘉庆年间有铁行 13 家，雇佣劳动者 5000 多人，其规模很大。[③] 这些地区商品经济的发达，可以从农村中吸纳剩余劳动力和破产农民。而湖南则不同。全省“向无富商大贾，民间较论贫富，率以租谷多少为等差”[④]。连曾任湖南巡抚的骆秉章也不得不承认：“湖南通省钱粮仅抵江浙一二富郡，通省漕米十五万石有奇，及江西五分之一，非有盐算之利，关税之饶也。土产玉米、油煤、竹木而外，无珍异之货，民间务农小贸生计俭啬，非有巨商大贾之富，频年兵燹，民困未苏，以邻较之，非若广东之富强，四川之完善也。”[⑤] 如宁乡是靠近长沙郡的一大县，水陆都处于交通要冲地位，但该县“男子力耕，妇人蚕桑，不知商贾之业”[⑥]。湖南社会的农业作物以水稻种植为主，“湖南常德府属之武陵、龙阳（今汉寿），长沙府属之益阳、宁乡县，种杂粮者不及十分之一，全系种水稻”，“永（州）、衡（州）等郡，稻田十居其九”。[⑦] 很少种植其他的经济作物，农民除了种田之外，便没有了其他的经济来源，一旦遇上水旱灾害，常常是颗粒不收，

① 许涤新，吴承明．中国资本主义发展史：第 1 卷［M］．北京：人民出版社，1985：370.

② 贺长龄，魏源．皇朝经世文编［M］．台北：文海出版社，1973：756.

③ 许涤新，吴承明．中国资本主义发展史：第 1 卷［M］．北京：人民出版社，1985：470.

④ 杨奕青．湖南地方志中的太平天国史料［M］．长沙：岳麓书社，1983：3.

⑤ 中国第一历史档案馆．清政府镇压太平天国档案史料：第 19 册［M］．北京：社会科学文献出版社，1995：16.

⑥ 李杰超，王文清．宁乡县志：风俗［A］．刻本．1748（清乾隆十三年）．湖南图书馆藏．

⑦ 台北“故宫博物院”．宫中档乾隆奏折［M］．台北：故宫博物院，1982：983.

无粮可食。这种湖南社会剩余劳动力和破产农民无法寻找出路的情况对湖湘文化近代发展产生了重要影响。

2. 晚清湖南社会民族与主客矛盾

湖南是个多民族的省份，全省除了占百分之九十几的汉族人口外，还居住有土家、苗、侗、瑶、白、回、维吾尔、壮等少数民族。这些少数民族虽然人数较少，但所居地区相当广阔，其中湘西、湘南人数较多，聚集为少数民族州、县，他们和汉族杂居在一起，形成复杂的社会状况。刘泱泱根据 1908 年（光绪三十四年）湖南调查局对湖南境内各少数民族进行的一次调查统计得出：清末湖南全省 76 厅州县（包括古丈坪厅）中，少数民族聚居的有 30 厅州县，聚居地区面积为 9613 平方千米。1909 年（宣统元年）全省共计 24，075，615 人，其中少数民族人口占全省人口总数的 1.44%。[①] 湖南少数民族和汉族自古杂居，进入近代以后，由于民众流动相对较多，民族杂居的情况大有发展，社会状况更加复杂。少数民族和汉族由于语言、风俗习惯、信仰等方面的不同，在集聚地时常发生矛盾和冲突。少数民族群众和汉族统治者或者汉族统治者支配下少数民族统治者又有民族矛盾，所以少数民族民众较之汉族民众所受的控制更为严重。少数民族民众为反抗残酷的统治进行了断断续续的反抗。

湖南历史上地广人稀，现存居民多为外省迁入。迁入湖南的移民，来源很广泛也很集中。江西是湖南移民最主要的迁入地。湖南与江西两省地理位置相邻，湘东与赣西之间的幕阜山、连云山、九岭山、武功山、万洋山、诸广山等山脉呈北东向雁行错列，山地之间的长廊断陷谷地或向斜谷地构成了江西等地移民迁入湖南的天然通道。据同治《攸县志》卷七《户口》记载：“迩来闽、粤

① 刘泱泱．近代湖南社会变迁［M］．长沙：湖南人民出版社，1998：53.

之民，侨居吴、楚，自吉、袁至楚南，各郡县所在皆是。”[①]民国《醴陵县志》氏族志也有一段重要的记载：“醴陵各姓率多聚居，在数百年前皆客民也……元明之际，土著存者仅十八户。湘赣接壤，故是时迁入者，以赣西、赣南一带之人为多。明末清初，重罹浩劫，土旷人稀，播迁远来者，则什九为闽、粤两省汀江、东江流域之人。”[②]

湖南本地人“立本务农，鲜事商贾”，给外来人从事工商、贸易制造了良好条件，客户中从事工商业者多有发财致富，这成为日后湖南社会主穷客富的一个原因。当然，大多数的移民还只是凭借体力，依靠农业自然资源从事农业生产。移民进入一个新地区之后客户众多，特别是主客赋役不均，甚或客户致富后盘剥、倾夺土著田产，造成了土著的大量逃亡，所谓“以流寓而累土著，久之，而土著转为流寓”[③]。这也造成了湖南社会主客之间矛盾的尖锐，如在长沙，“他方游民徒手张颐就食其间，居停之家一喜其强力足以任南亩，往往僮仆畜之，久而游民多智辩过其居停主人。其主人亦逊谢以为不及，因请诸赋役，愿与共治。或就硗确荒芜田予之垦，而代缮租赋，不以实于官。及其久也，游民或起家能自稼穑，异时居停者，或稍凌替，致相倾夺。间有田归游民业也，而赋役皆主者任之。故主户强则役客，客户强则累主，于狱兴而不可已者，其来渐也”[④]。这则史料很详尽地介绍了主客之间的相互关系，主户先则借客户以助己耕，当为明初土地资源较丰富的时期。此时大多是主强客弱，所以主户对客户“僮仆畜之”，但在明中后期至清代，随着移民的大量涌入，闲田旷土大部分已被开

① 赵勷，万在衡，王元凯．攸县志：户口［A］．刻本．1871（清同治十年）．湖南省图书馆藏．

② 杨国安．明清两湖地区基层组织与乡村社会研究［M］．武汉：武汉大学出版社，2004：112.

③ 同① 116.

④ 顾炎武．天下郡国利病书：第3册［M］．上海：上海古籍出版社，2012：314.

垦，土地资源紧张的问题开始出现后，客户依靠自己的能力发家以后，与主户分庭抗礼，脱离了主户的控制。甚至有的反客为主，将主户田地侵夺，其所谓“主户强则役客，客户强则累主”，是对主客关系的最好说明。在湖南攸县亦有类似的抱怨：“迩来闽、粤之民、侨居吴、楚，自吉、袁至楚南，各郡县所在皆是，以为主户则本非土著，以为客户则已无他徙。而其人又皆居山而不居泽，凿冈伐岭，水心叶氏所云锄耨无穷，地力竭而不应，盖不免焉！然动损地气所关尚浅，惟是其性桀骜，其俗犷悍，若置之户口之外，视同狉獉，恐不免为土著之累。”[①] 这段史料说明了当时主客之间矛盾日趋激烈的原因，是主户认为客户的生产造成土地地气耗损，而且认为客户桀骜不驯的性格会连累主户。

丘濬在其《江右民迁荆湖议》中曾说：“江右之人郡于荆湖，既不供江右公家之役，而荆湖之官府亦不得以役之焉，是并失也。”[②] 在常德府，“土民日弊，而客户日盛。客户江右为多，膏腴之田，湖泽之利皆为彼所据。捆载以归，去住靡常。固有强壮盈室而不入版图，阡陌遍野而不出租粮者矣！”[③] 这都说明了湖南外来移民增多带来的主客矛盾的加剧。客民在定居的过程中，不断地和土著居民为争夺垦地或江边湖畔的低湿地彼此竞争。由于客户往往是资财丰厚，或人丁强壮，其所修堤坝比主堤坚实，所以每到洪水期，主堤往往先受其害。难怪时人惊呼，“客非惟侵利，且贻之害也”。在清代初期的顺治康熙年间，两湖人稀地广，存在着大量抛荒田地，以致将田地白送也无人收纳，如湘潭县，“康熙初土旷人稀……弱者己田契送豪家，犹惧其不纳”[④]。到乾隆初期

① 赵勷，万在衡，王元凯．攸县志：户口［A］．刻本．1871（清同治十年）．湖南省图书馆藏．

② 刘泱泱．近代湖南社会变迁［M］．长沙：湖南人民出版社，1998：59.

③ 杨国安．主客之间：明代两湖地区土著与流寓的矛盾与冲突［J］．中国农史，2004，23（1）：81-87.

④ 陈嘉榆，王闿运．湘潭县志：货殖［A］．刻本．1889（清光绪十五年）．湖南省图书馆藏．

这种情形就迥异了，统计资料表现在雍正、乾隆、嘉庆三朝的刑部案件中，有关两湖农业雇工和雇主之间斗争的案例呈逐渐增加之势。如在攸县“东乡多山，重岩复岭，延袤百里，闽粤之民利其土美，结庐山上，垦种几遍，南昌裘行恕令攸县，有十害十利，剀切详明”[①]。同时，移民的增多导致主客之间的矛盾也经常演化为公开的冲突，普通老百姓每每“横遭业主额外需索规礼，种种苛求……此种恶习，楚南为最”[②]。而普通百姓的反抗也比较激烈，“动辄千百成群……毁坏屋产，斗殴杀伤，紊烦官府”。即民众要求赶走闽、越种山人，因为“种山人大半闽越气类迥分，一有争讼，交构难解”[③]。随着土客矛盾的渐趋激烈，特别是土著对于客户占据膏腴之田、湖泽之利，却借口客民，不承担任何赋税的行为深恶痛绝，客处之民由此被视为湖南地区的“三蠹”之一。嘉庆年间，湘潭处于历史上最繁荣的时期，货物“云屯雾集”，“富商巨贾，竞争奢靡，酒馆娼寮，充滥里巷，笙歌达旦，车马塞途”[④]。但主客之间矛盾尖锐，“商贾至者有吉安、临江、抚州三大帮，余相牵引者不少胜数，牙侩担夫率多于土人，争利者颇仇之”。[⑤]由此当长期的矛盾难以调和时，就会发生流血冲突。如嘉庆二十四年夏五月：“江西优人演戏火神祠，操土音，土人哗笑之，江西人以为大辱……江西商复设剧诱观者，闭门举械杀数十人，县人大愤……日夜寻斗江西客，滥死者亦无数，四境汹汹。”[⑥]

封闭的自然环境使得湖南社会的民众相对于他省来说比较保守和排外。如史料记载，“俗尚愿朴，民以佃猎渔罟为生，而无外

① 赵勷，万在衡，王元凯．攸县志：杂识［A］．刻本．1871（清同治十年）．湖南省图书馆藏．
② 同①．
③ 同①．
④ 彭先国．社会史视角下的近代湖湘文化［M］．长沙：岳麓书社，2006：121.
⑤ 陈嘉榆，王闿运．湘潭县志：货殖［A］．刻本．1889（清光绪十五年）．湖南省图书馆藏．
⑥ 同⑤．

慕，衣服俭素，无丝纻文绮。至大家子弟，亦不敢服华衣以见人，赋性悍直，有小忿，则悻悻难忍，然类多为身家计，不至轻讼以荡产。士亦知谈理道，习攻文辞，耻奔竞，彬彬可观，而科目寥然无闻，岂非其风气之未亨与！”婚娶不计资送，“虽饥寒，讫不敢萌盗心。女已出醮，犹服三年丧，于父母，非有宾祭大事，不特杀鸡鹅，有三代愿厚之风焉”。[①] 这种传统的生活方式造成了湖南传统的社会秩序的十分稳定。不管是乡村社会的实际控制者宗族和绅士阶层还是基层民众，都十分安于传统社会秩序下的生产和生活，而且宗族和绅士对乡村能够实行有效的控制。左宗棠就曾说："吾湘之人厌声华，而耐艰苦，数千年古风未改。惟其厌声华，故朴；惟其耐艰苦，故强。惟其朴也，故傻而鲜通；惟其强也，故执而不达。”[②] 在这种情况下，当外来势力对传统社会秩序造成强烈冲击时，湖南社会的各个阶层首先是团结在一起来抵制这种冲击和破坏。所以，太平军进入湖南之后，他们认为太平军与以往农民革命不同，不是简单的改朝换代，而是对他们所习惯的传统社会秩序的一种颠覆，这样对于坚守传统社会秩序，保守排外的湖南宗族、绅士阶层以及基层民众来说都是难以接受的，因此遭到了湖南社会各种权力实体的一致极力抵制。湖南社会的绅士和宗族在民族冲突和主客冲突中的武装化为其后抵制太平天国农民革命对湖南社会秩序的冲击提供了现实的手段，由此而产生湘军这一对抗太平军的非国家经制之军的军事组织。

而湖南民族矛盾和主客矛盾的尖锐也造成了湖南社会从清中叶后的动荡，如湖南苗、瑶等各族的起义斗争，一部分是反抗官府对少数民族的压迫剥削，一部分就是民族之间矛盾的恶化，乾嘉年间的湖南苗民起义，本质上是汉族侵占少数民族土著土地所

① 陈梧桐．中国文化通史：明代卷［M］．北京：中共中央党校出版社，2000：644.
② 左宗棠．左宗棠全集：第六册［M］．长沙：岳麓书社，1987：214.

引起的。当天地会从两广进入湖南后，这种对抗变得有组织性，旷日持久，难以调和。这种对抗往往不仅仅是普通民众与官府之间的对抗，很多情况下是由于宗族矛盾、民族矛盾引起的，是非经济因素引发的。如尹尚英，就是衡山的客家地主，为了对抗土著而加入了天地会，尔后策动天地会起事，“阻米抢盐，强牵耕牛，挟仇抄毁，种种积习已数十年。动则十百成群，明火执仗，视为泛常”①。这些情况在湖南省各地普遍存在，只是在表现的形式，双方矛盾激化的程度各不相同而已。这些因素的存在，使得湖南宗族和绅士阶层在地方社会秩序的维护中发挥了重要作用，宗族和绅士往往为了应对这种矛盾和武装冲突，平时就注意组织乡里的民众操练习武，如在泸溪，“处处与苗寨毗连，民间于耕种之外，尤以防苗为重”，“人多习险健斗”②。在麻阳，“地连滇黔，毗连苗寨，缙绅之家，亦知用武”③。湖南社会基层民众为了生命和财产的保障通常也积极参与到有宗族和绅士组织的乡兵练习之中。嘉道时期，这种社会矛盾愈发尖锐，国家对地方社会控制日益削弱，地方社会在社会矛盾冲突之中唯有加紧团结，强化乡兵的组织，因为官兵腐败，维护宗族财产和人身安全唯有靠自己，如嘉道时期瑶民赵金龙起义，“官兵见瑶辄奔溃，惟乡兵能自固”，“瑶见乡民所在团结，乏食走常宁”④。宗族的团结凝聚作用以及绅士的领导作用在其中也得到了很大的体现，如酃县的朱光贤，当“土匪响应，城乡惶惧”之时，即“率子弟往擒匪魁置诸法，乱乃止”⑤。绅士通过宗族来团结民众保障财产和生命，民众也需要加入绅士领导的所

① 彭先国．湖南近代秘密社会研究［M］．长沙：岳麓书社，2001：33.

② 刘泱泱．近代湖南社会变迁［M］．长沙：湖南人民出版社，1998：59.

③ 姜钟琇，刘士先，王振玉．麻阳县志：兵防［A］．刻本．1874（清同治十三年）．湖南省图书馆藏．

④ 汪学灏，王闿运．桂阳直隶州志：武备［A］．刻本．1868（清同治七年）．湖南省图书馆藏．

⑤ 李瀚章，卞宝第，曾国荃，等．湖南通志：武备志［A］．刻本．1885（清光绪十一年）．湖南省图书馆藏．

属宗族的乡兵来保障自身的安全。在王宗献起义时，东安绅士唐玉成就参与镇压，“唐氏大族，玉成率子弟，化驯犷暴……每朔月会讲家祠，族人皆敬惮之”，听闻王宗献起义，令族中“少壮子弟出击”,“诸族闻唐氏起,皆相响应”[①]。这就使得在嘉道时期就强化了宗族和绅士对地方社会实行有效的军事化控制，在太平军进入湖南之时能有效地控制基层民众，为团练以及湘军的兴起奠定了坚实的社会基础。在新宁雷再浩起义攻占县城之时，江忠源兄弟、邓树堃和刘长佑等地方绅士率领宗族“回乡自起民团，父子兄弟更番相代，裹粮围困两旬之久，而官兵始到”，攻城之时，“乡兵居前,官兵居后”,“官兵无一人前进,惟乡勇前进”[②]。这就说明在涉及自身地方实际利益时，乡勇比官兵更具有战斗力。这种社会基础使得湘军创建之初能迅速地成军和形成战斗力。

3. 经济因素

我们必须看到湖南社会经济结构决定湖南绅士阶层大多出身于中小地主家庭，经济状况决定了他们不能完全脱离生产，必须对家庭生产经营有一定程度的关注，才能维持自己和家庭的生活，这种经济基础使得湖南士人对社会现实有较清醒的认识，对社会下层民众的疾苦与社会弊端多有了解。经过清朝百余年的承平发展,湖南由清初的地广人稀发展到晚清的人余于地,土地兼并加剧,通过做官或者经商来大量兼并土地发展到后来形成了大地主，“豪族强室，或以仕宦兴，或以力田富”[③]。这些大地主，基本上都有田数百顷。富雄一方，达到了“乘马不牧，游食田野数十里，不

① 黄心菊，胡元士．东安县志：兵防［A］．刻本．1876（清光绪二年）．湖南省图书馆藏．

② 张葆连，刘长佑，刘坤一．新宁县志：兵防［A］．刻本．1893（清光绪十九年）．湖南省图书馆藏．

③ 陈嘉榆，王闿运．湘潭县志：货殖［A］．刻本．1889（清光绪十五年）．湖南省图书馆藏．

犯人禾”[①] 的规模。但我们考察晚清湖南社会具体情况时就会发现，这种大地主在湖南社会中属于少数。笔者认为，同其他省份相比较，尤其是同江浙、广东沿海省份比较，湖南经济结构的特点决定了湖南社会处在两极之中的还有着庞大的中小地主群体。

中小地主在经济力量上的弱小，表现在直接参与农业生产或别的经济活动来维持家庭的生计。如曾国藩自称“家世寒素”，“少年故交多非殷实之家”[②]，说明他家尚不是富豪之家，但也并非真正的贫困。他也曾经说过家里“有薄田顷余”，雇有长工，其家庭应该是中小地主。据曾国藩自己讲，他与曾国荃小时候都曾参加过劳动，他曾到十余里外的蒋街提篮卖菜，曾国荃推过小车，很少读书的曾国潢还曾从事过推车运石之类的繁重劳动，而他祖父曾玉屏与曾祖父曾儒胜，“皆未明即起，竟日无片刻暇逸”；但及至他的小弟曾国葆与子侄一辈，就没有听说过参加劳动的事，只是他一生勤俭，生怕子女懒惰败家，一定要他儿媳和成年未嫁之女做针线，并年年寄送鞋袜，以考评她们的女红。曾国藩还把他们发家致富的经验总结为“书、蔬、鱼、猪、早、扫、考、宝”八字诀，作为治家的信条，用以教育其诸弟子侄。在他之前，家中无人考取过功名，其经济收入亦不甚丰厚，有时仍“不足于用”。道光十六年曾国藩会试落第南归，还曾因买书发生过借贷之事。若同外省其他官绅富豪之家相比，曾家的确不太富裕，所以曾国藩富贵之后，与人谈起自己的家庭出身，总是满口的“素贫”“微寒”等，但同湖南社会广大的普通农民比较起来，则不仅是曾氏家族中的首富，而且在地方上颇有地位。

如左宗棠出生在一个知识分子家庭，“积代寒素”，家境更差。左宗棠的父祖两代都是县学生员，以教书为生，依靠学生缴纳的

① 汪学灏，王闿运．桂阳直隶州志：风土［A］．刻本．1868（清同治七年）．湖南省图书馆藏．

② 曾国藩．曾国藩全集：二二［M］．长沙：岳麓书社，2011：90.

束脩度日，仅能维持一般的生活。遇有荒年，例如嘉庆十二年湘阴大旱，家中乏粮，不得不靠糠饼活命。左宗棠出生后不久，母亲缺奶，家中又无钱雇乳母喂奶，只好以米汁喂养。后来左宗棠就回忆说："先世耕读为业，以弟子员附郡县学籍者凡七辈。"又在家书中说："吾家积代寒素，先世苦况，百纸不能详。尔母归我时，我已举于乡，境遇较前稍异。然吾与尔母言及先世艰窘之状，未尝不泣下沾襟也。父授徒长沙先后廿余年，非脩脯无从得食。嘉庆十二年吾乡大旱，母屑糠为饼，食之仅乃得活。后长姊为余言也。伤哉。"[①] 左宗棠成年后，家境略有好转，但仍不富裕，与周氏夫人成婚后，入赘于湘潭岳丈家。其父去世时家中有田"数十亩，岁收租谷只四十八石"，不足家用。故在兄弟析产时，他与"终岁旅食"的次兄左宗植都没有分取，全部家产都给了长兄（左宗棫，25岁时去世）的儿子左世延。直到10年之后，左宗棠才靠历年课徒授馆的余资，在湘阴柳庄购田70亩，营造出自己的小巢，结束了寄人篱下的生活。刘蓉的女儿嫁到曾国藩家，居安庆督署还与婆婆夜夜纺线，其家境大约与曾家差不多。郭嵩焘则自称："自曾祖父母以来本为巨富，吾父与伯母分析时已日趋虚乏，各得岁租数百石，每岁衣食足资取给。道光辛卯以后连年大潦，所受皆围业也，坐是益困于水。吾年十八入邑庠，则已岁为奔走衣食之计，总是十余年以馆为生。"[②] 可以看出郭氏家境在父辈的衰落。

在湘军将领比较集中的湘乡县，由于土地兼并的恶性发展，其土地买卖的方式也发生了变化，即采取"田不分售"的方式，据记载，这种方法就是"原额买入若干田，售出必如其额，有分买其十之五四者，少间必责全卖，否则坐拼滋讼，甚成命狱。富户既少，原额价多，河清无期，作茧自缚，往往千金之户，负债

① 罗正钧．左宗棠年谱［M］．长沙：岳麓书社，1983：2.
② 郭嵩焘．玉池老人自叙［M］．刻本．长沙：养知书屋，1893（光绪十九年）：34.

一二百金，其始不忍以少价出多产，其继债息孳长，减价出田，应者无人。不十年，尽售之，不足偿债”[①]。这种办法，不仅对湖南农村中的广大的自耕农，而且对中小地主也是十分不利的，往往因之而破产，继而陷入无以温饱的凄惨境地。据当时人记载，嘉道时期湘乡由于土地兼并，往往“环湘三百里，比户如列眉，庶矣复何加，嗷嗷病饥寒，引复际歉荒，十室九仳傹，鸠开纪主骨，犹或吮其指，坐见蝺蝺民，遍体皆疮痍”[②]。我们分析其他湘军将领的家庭出身与经济情况，也基本如此。所以湘军将领家庭的贫困化，正是他们拥有共同的思想和政治倾向的原因，也是他们能够勇于承担、寻找出路的原因。正是这种共同点，成了湘军兴起的重要因素。因为中小地主的贫困化，使得他们对嘉道时期封建社会的危机有着比较清醒的认识，能够承担起挽大厦将倾的重担，并寻找一条挽救社会危机的道路。正如刘蓉所说：“君子所自勉者，方大臣际衰乱之世，处浑浊之期，与庸竖佥壬相侪伍，既不忍纲常沦胥，生民涂炭，而思竭吾力以救之，抑不得不贬损丰采，委蛇隐以共济。”[③]正是这两方面的原因使得湖南士人对社会现实十分敏感，其在学术上又有着经世致用的传统，所以才能在嘉道时期涌现出一大批在全国有较高思想文化地位的士人。

4. 湖南社会民风

在社会运行有序，社会秩序尚可维系时，大传统或主流文化观念仍然占据社会的统治地位，小传统或非主流文化观念仍然是在大传统或主流文化观念的支配之下，受其控制。太平天国农民革命虽然对社会秩序造成了一定冲击，造成了社会的动荡不安，

① 齐德五，黄楷盛．湘乡县志：赋役［A］．刻本．1874（清同治十三年）．湖南省图书馆藏．

② 刘蓉．养晦堂文·诗集［M］．台北：文海出版社，1969：8.

③ 同① 554.

但还没有深刻地破坏大传统赖以存在的社会基础，大传统仍然有着广泛的存在空间，所以小传统还不足以成为一种强有力的文化武器。只有当大传统的社会基础弱化，大传统的文化观念和社会支撑无法再保证社会的稳定运行时，也即“社会失范”时，小传统才可能在下层社会滋长。虽然嘉道时期湖南社会的“大传统”仍然占据主导地位，但小传统以一种隐性的方式影响着社会下层民众的日常生活，作为区域化的文化因素，小传统或非主流文化观念也对湖湘文化转型有着一定的作用。

民风是社会文化的一部分，反映出下层民众的集体性格、气质和民众精神等，它是受一定社会基础决定，在长期历史发展过程中形成的，但又影响着社会历史的发展。中国地域广大，区域之间由长期历史发展形成了不同的民众心理和精神气质，在一定程度上影响着区域的社会历史发展。湖湘文化的转型在某种程度上即受到了湖南民众心理和精神气质也即民风的影响。湖南士人的价值选择。据地方志记载，明代湖南贡生任职比率在40%至60%之间，主要在长江以南任职，鲜有跨江北进者，最高职位为尚书、御史，绝大部分为知县以下的七至九品官。由此可见明官府对湖南士人的基本态度是重在开发与启蒙。而到了清代，贡生的任职比率就急速地下降，据光绪《湖南通志·选举志》统计，清代长沙府学有贡生187人，22人任职，比率为18%。衡州府学贡生114人,6人任职,比率为5%。郴州府学贡生92人,1人任职，比率为1%。[①]在经济与文教相对发达的情况下，知识分子的仕途反而不畅。对当时的士人来讲，这种不畅带给湖南士人的就是加倍勤奋与研读，“士崇礼义而专嗜经籍，民力耕桑而少商贸，风气渐开而人文亦著”[②]。这种人文士风培育了一批又一批的饱学志远、节高才俊之人。他们摒世闭户潜修，穷研经书，根求理要；或敦

① 李瀚章，卞宝第，曾国荃，等.湖南通志：选举志［A］.刻本.1885（清光绪十一年）.湖南省图书馆藏

② 梁栋修，杨振铎.新化县志：风俗［A］.刻本.1757（清乾隆二十二年）.湖南省图书馆藏.

崇实学，不尚纷华，以教授生徒，成就后世为己任。在封建社会，士人的导向力是非常巨大的，士为四民之首，行为文教之先，以品行文章教化乡人。在相当长的一段时间内，湖南士人基本上处于被文化中心淡忘的处境，但他们并没有因此而不求进取，而以苦志穷经，敦崇实学，淹贯六艺磨砺鞭策，潜心致学，至老不倦。例如当时史料记载，乾隆时的泸溪县，庠序之士多居城中，他们苦读食淡，相闻诵读，好义重礼，不失儒素，并没有因为泸溪在“前明时科第相望，卓有多人，近则发闻于朝者绝希”[①]，而改变士习士风。湖南士人认为：“士子者，百姓所观瞻，士习不端，则民风何由得厚”；“士子读书明理，为庶民坊表”；“士气一骄，士品日流于下，关系匪浅”。[②]所以，他们特别重视士人在社会道德培育方面所起到的榜样模范作用。

湖南社会民风的表现，第一是纯朴、憨直。由于地理环境的封闭，交通不便，因此湖南人民自古以农耕为主业，少有从事商贾之事者，故民众精神不善欺诈，表现出一种纯朴、憨直的气质。如史料记载，“其人尚气而贵信，喜直而恶欺，节俭而不奢，朴厚而不佻”[③]。第二是强悍、刚烈。民风强悍、刚烈是湖南民众精神、心理的一大特色。湖南在古代苗汉杂处，主客矛盾尖锐，所以造就了湖南民众强悍刚烈、百折不挠的性格特色。光绪《湖南通志》称：“民悍劲而不能为欺诈。”[④]第三是讲气节、血性，讲气节自然是受到湖南历来尊崇程朱理学的影响，所谓血性，就是敢于任事，勇于承担，甚至牺牲生命也在所不惜。粟戡时说：“湘人性素好动，尤饶侠气，平时毫无异人之处，一遇压抑，则图抵抗，每以生命为孤注。”[⑤]第四是保守、团结、排外，湖南封闭的自然地理环境造

① 顾奎光，李勇．泸溪县志：风俗［A］．刻本．1755（清乾隆二十年）．湖南省图书馆藏．

② 李杰超，王文清．宁乡县志：风俗［A］．刻本．1748（清乾隆十三年）．湖南省图书馆藏．

③ 胡朴安．中华全国风俗志：上册［M］．上海：上海科学技术文献出版社，2008：160.

④ 李瀚章，卞宝第，曾国荃，等．湖南通志：地理志：风俗［A］．刻本．1885（清光绪十一年）．湖南省图书馆藏．

⑤ 粟戡时．湖南反正追记［M］．长沙：湖南人民出版社，1981：32.

就了湖南人保守的性格特征，而民族矛盾和主客矛盾的尖锐使得湖南人极端排外和团结。

湖南人习惯于农桑，而轻视商贾之业。正是在这种士风民风影响之下，清代湖南的商贸虽然比明代有了较大的发展，但本省之人很少从事商贾之业。如岳阳在明代时还是汉苗杂处，商业经济并不发达，士民仍以务农为本业。湖南士人并没有像江浙、广东沿海省份士人一样走由儒而商之路，一般百姓又没有财力进行跨省跨区贸易。因此，清代湖南商贸的发展多是借胎怀子，大商大贾基本上都是外省人，而湖南本省之人，多是从事小商贩的经营活动。例如在新化，"商外来者少，故百货不能尽萃，其贩杉贩菜者出外贸易，本地通末惟小盐铺店、绸缎杂货店，至乡村去城地远则多列小肆以备日用"[①]。泸溪的贩货之人较多，但也普遍存在一个资本不足的问题，虽然廛肆比列，但每家每户少居积，只有行商往来穿梭，"上武汉下黔蜀，多盐铁油腊鱼之利，舟楫相衔不绝"[②]。宁乡是靠近长沙郡的一大县，水陆都处于交通要冲地位，但该县"男子力耕，妇人蚕桑，不知商贾之业"[③]。按常理，这是无法想象的。武冈州的商业从量上看已经具有了相当的规模，"数处列肆，多者八九百家，少者数十家"。但"所集之货多盐米布帛、取便日用，无甚居奇罔利"[④]。因此，在湖南商品经济发展过程中，甚少有湖南本省人的参与，纵观湖南商品经济的发展，江西商人在其中起到了重要作用。史料记载："豫章之为商者，言其适楚，犹门庭也。"[⑤]今湖南洪江的万寿宫始于明代，这是江西商人为保护自己，发展商业，组成的一个商帮组织，这说明江西商人在湖南

---

① 梁栋修，杨振铎．新化县志：风俗［A］．刻本．1757（清乾隆二十二年）．湖南省图书馆藏．

② 顾奎光，李勇．泸溪县志：风俗［A］．刻本．1755（清乾隆二十年）．湖南省图书馆藏．

③ 李杰超，王文清．宁乡县志：风俗［A］．刻本．1748（清乾隆十三年）．湖南省图书馆藏．

④ 席芬修，周思仁．武冈州志：风俗［A］．刻本．1757（清乾隆二十二年）．湖南省图书馆藏．

⑤ 武占坤．中华风土谚志［M］．北京：中国经济出版社，1997：939.

的经济发展中已有一股不小的势力。到清朝时，湖南竟有“无江西人不成商场”之谚，在湖南人眼里，江西人到处都是，水旱码头尤多，于是又有了“无江西人不成码头”[①]的谚语。这些江西商人的到来，加快了工商业的发展步伐，一些城镇因之而兴起、繁荣。再次，江西工商人口的迁移，加强了江西湖广间的商品交流，特别是江西丰富的农产品和手工业品流入湖南市场，既利于生产又便于人民生活。据史料记载，江西商人“其货之大者摘叶为茗，伐楮为纸，坯土为器，自行就荆湖吴越间，为国家利”[②]，此外，糖、烟草、夏布等都是江西的名产，是在湖南市场走俏的商品。

在民间宗教和信仰方面，湖南古为楚地，有“南楚江湘”之称。春秋战国时期，湖南大部分地区受楚文化的影响，尤其是湘北洞庭湖区各地、湘西北澧水流域一带受其影响更为深刻。因此，楚文化中所特有的那种古老而神秘、荒诞而不失浪漫的巫风色彩，较多地表现在湖南居民原始的自然崇拜与祖先崇拜等信仰观念和行为之中，致使带有浓厚巫风楚俗的巫歌巫舞在当时相当盛行，同时也造成了好鬼的传统特色，汉代王逸在《楚辞章句》中亦云：“昔楚南郑之邑，沅、湘之间，其俗信鬼而好祀必使巫作乐，歌舞以娱神。”“沅、湘之间，其俗信鬼而好祀。”[③]可以说，湖南是一个信拜众神，崇拜偶像的地方。精灵鬼怪，巫魂神仙等都是楚人深信不疑的东西，以至于人的生、老、病、死都依托于神。故随之而来的巫师、巫道与咒语、歌唱、鬼符、神画、谶纬，与之相关的文学艺术，供器用品等都能在湖南大行其道。上古的巫舞巫歌甚至流传到近代，史料记载同治年间：“至捏木像或旗与剑，以鼓乐迎供，日接案。其乡村市集神祠，岁必醵金演剧，费金或至数

① 武占坤．中华风土谚志［M］．北京：中国经济出版社，1997：939.

② 黄志繁，杨福林，李爱兵．赣文化通典：宋明经济卷［M］．南昌：江西人民出版社，2013：252.

③ 丁世良，赵放．中国地方志民俗资料汇编：中南卷上［G］．北京：书目文献出版社，1991：487.

百。甚有无祠之所，架棚为优场者。”[①] 可以看到晚清湖南社会还保持着浓厚的巫风敬鬼的色彩。人们崇拜各种变幻莫测的鬼神，在浑浊、苦难的世界，信神几乎成为人们精神生活的全部。这种巫风和好鬼的传统造成了湖南民间较为迷信的社会风气。如醴陵人“醴俗信鬼，而子、神、老、佛杂糅，不可究诘。其甚者，为树立庙，仰摊游乡，然皆率愚民奉之”，“信鬼而事神，迷信牢不可破”。[②] 安化人“信佛老，尚鬼巫”[③]。在长沙，人们“不信医药，争赴神庙，祈茶勒水，摇卜卦，纯托生命于鬼神，虽死不惜”[④]。有记载：“楚俗尚鬼，重祖先，故家族之念甚深。”[⑤] 民众不论生活、生产都离不开各种民间宗教信仰。江华县，民众“疾病，延巫作法，不服药饵。愈者，归功于神，死者，委之于命”[⑥]。大部分土家族也迷信鬼神，土家人信奉“土老司”，认为他们可以为自己排忧解难，帮助求子、解冤、消灾、除病，因此凡是这些方面有需求，就请土老司来边跳边唱，闹上两天两晚。[⑦] 在这种较为迷信的风气影响下，湖南祭祀之风盛行，各地遍布各种祭祀场所，仅长沙府就有社稷坛、神祇坛、先农坛、厉坛、关帝庙、文昌庙、风神庙、吕祖庙、贤良祠、城隍庙、昭忠祠等几十处。[⑧] 祭祀礼仪中贯穿着宗教迷信，比如在祭祀城隆神的典礼上就有这样的祭文：“城隆之神曰：‘普天

① 王汝惺，邹焌杰．浏阳县志：风俗纪略［A］．刻本．1873（清同治十二年）．湖南省图书馆藏．
② 曾继梧．湖南各县调查笔记［M］．长沙：民国湖南全省地方自治筹备处，1931：124.
③ 同② 126.
④ 同② 120.
⑤ 湖南调查局．湖南民情风俗报告书：上册［M］．长沙：湖南调查局，1912：13.
⑥ 刘华邦，唐为煌．江华县志：风土［A］．刻本．1870（清同治九年）．湖南省图书馆藏．
⑦ 中国人民政治协商会议湖南省委员会文史资料研究委员会．湖南文史资料：第30辑［M］．长沙：湖南人民出版社，1988：205.
⑧ 李瀚章，卞宝第，曾国荃，等．湖南通志：祠庙［A］．刻本．1885（清光绪十一年）．湖南省图书馆藏．

之下，后土之上，无不有鬼神。’人鬼之道幽明，虽殊其理，则一故制，有治人之法即有事神之道。”[①] 邵阳旧时的丧礼，贯穿着迷信思想，“大家相信鬼神，认为人死之后有灵魂，有的说灵魂依附于尸体，所以在丧礼中注意含殓，千方百计把尸体保护好”[②]。

在浓烈的信神、信鬼的宗教氛围中，各种宗教与宗教事业也渐渐在湖南滋育。“宗教不但可以在变化无常的生活环境中给人以心理的支撑和精神的慰藉，使人归附到现行社会的目标上，为之提供认同因素，而且还可以通过维护社会控制，强化现行社会价值和目标，提供克服罪恶感和异化的手段，来加强社会的团结与稳定”。[③] 托马斯在这里说的起控制作用的宗教是狭义的宗教，它不包括迷信和巫术，而传统中国的宗教信仰则包括非常广泛。古代早就有“天地君亲师”的说法，中国民众对上至君王，下至黎民百姓都有崇拜；对儒教道德、佛祖天尊、妖魔鬼怪、风雨雷电等都有信仰。在封建社会里人们无法掌握自己的命运，无论是巫术仪式还是宗教仪式都既可以预防又可以唤起他们所减缓的那些忧虑，所以在传统的中国社会宗教信仰很普及，在湖南也同样如此。魏晋时，佛教传入湖南。岳麓寺成为湖南的第一座佛教寺庙。正如该寺大门石柱对联所说，它是“汉魏最初名胜，湖湘第一道场”。此后，湖南各地都出现了数量可观的寺观。到了清代，湖南寺观数量更是激增，仅在长沙县一处，就有书堂寺、渝潭寺、智度寺等 21 处，超过明代湖南寺观的半数[④]。

迷信气氛的浓厚使得湖南社会民间秘密宗教盛行。如北方影

① 于学琴，周至德，宋世煦．耒阳县志：典礼［A］．刻本．1886（清光绪十二年）．湖南省图书馆藏．

② 伍东白．邵阳旧丧礼［J］．邵阳文史资料，1987（8）：25.

③ 托马斯·F·奥戴，珍妮特·奥戴·阿维德．宗教社会学［M］．刘润忠，译．北京：中国社会科学出版社，1990：1.

④ 伍新福．湖南通史：古代卷［M］．长沙：湖南出版社，1994：592.

响甚广的白莲教就在湖南西部和南部流行，雷再浩“以白莲教吃斋教诵经为名，多集党羽，有青家、红家、黑家诸名目……谓吃斋者升天堂，受诸快乐”[1]。在宁远，斋教“分两家，红家为兵，听淫掠自恣，佛家为文官，青巾帕头，焚香诵经，筹军粮”[2]。在衡阳县，有“土寇立大乘教煽结徒党”[3]。因为在这一地区，习教传徒成风，“衡郡乡民习教传徒者尤众，亦曰教匪，有洪教、黄教、大乘、金丹诸名目”[4]。此种“教匪种凡三……以黄教羁愚民，饰浩劫说相震，而红、白乃聚亡命为乱计，黄教初如斋，后悉厌酒肉，传者言江西倡之”[5]。

① 汪学灏，王闿运．桂阳直隶州志：武备［A］．刻本．1868（清同治七年）．湖南省图书馆藏
② 张大煦，欧阳泽．宁远县志：事纪［A］．刻本．1875（清光绪元年）．湖南省 图书馆藏．
③ 同①．
④ 徐淦．江浦光．醴陵县志：事纪［A］．刻本．1870（清同治九年）．湖南省图书馆藏．
⑤ 同②．

第三章

近代湖湘文化精神与近代湖南社会

近代之后，湖湘文化在全国的地位发生重大改变，逐渐由边缘走向中心，湖湘文化在近代也经历着艰难转型与重构。文化是人对于外在对象物的认知模式和价值观念的集中反映，也是对于社会生活方式的内化与观念的集合，一旦发生重大转变，必然影响人的社会实践方式以及社会之中人与人关系的变迁。

一、近代湖湘文化精神与近代湖南社会结构的变迁

湖湘文化在长期历史发展过程之中就已形成以忧患意识和事功化人生价值取向为核心的精神特质。近代湖湘文化的转型与在全国地位的改变正是与这种精神特质有着密切的联系。湖南士人在湖湘文化精神的熏染之下，面对近代中华民族的生存危机以及中国文化的主体危机，结合时代主题，创造性地继承和转换湖湘文化，在近代中国文化发展中发挥了不可取代的作用。也正是在这种创造性的转换之中，不可避免地对原有文化系统所调适和规范的社会关系产生了影响，使得人们在认知模式和价值观念的变动中重新寻找自我存在的认同与价值，重新寻求人与人、人与社会、人与自然关系的和谐。但由于诸多原因的影响，近代中国文化的转型是没有成功的，包括近代湖湘文化也是如此。

1. 湖湘文化的近代变迁与湖南绅权扩张

湖湘文化精神中的忧患意识和事功化人生价值取向，随着近代民族危机的不断加深与民族复兴观念的形成进一步强化，湖南士人对于民族国家的使命感和责任感加强，同时也形成了所谓“骄矜之气”，相较于传统湖南社会，湖南绅士通过文化掌控所拥有的权力不断扩大，造成了社会关系网络在一定程度上的不稳定。

晚清以至民国，中国政治权力格局中有一个重要的变动趋势，

即中央对地方控制的减弱，导致权力的下移。对于近代湖南社会而言，乡村社会的实际权力掌握者绅士数量相较于之前不断增加。中国传统地方社会权力运行体系中，拥有特殊政治、经济和社会地位的绅士主要来源于功名绅士，刘泱泱曾对此有专门分析，他指出："绅专指原官僚中离职退休的人员；士则特指读书人中已取得科举功名（秀才、举人等）而尚未做官的部分。一下一上，二者的地位逐渐接近，共同构成了地方上有一定势力和影响的社会集团,统称'绅士'或称'士绅''绅衿'。"[①] 这说明了通过科举制获得功名，是普通人成为绅士的主要途径，传统社会以儒家文化观念为主导，绅士通过学习、掌握这种官方的文化话语权力而成为国家和王朝意志的体现者、维护者，并且获得在地方权力运行体系中的特殊权力，出于自身利益考虑，他们必须强化儒家话语体系在地方社会中的控制力，并以此来教化基层民众，使民众能够同化在国家主导的社会控制体系中，这种权力得到王朝中央政府的合法性承认，如清朝，"凡地方之公事，大都由绅士处理。地方官有所兴举，必与绅士协议。绅士之可否，即为地方事业的兴废"[②]。

晚清以后湖南社会绅士数量的增加，主要与湘军集团的兴起和湖湘文化的兴盛有着直接的关系。大量绅士的出现，在近代中国权力格局下移的背景之下，以强烈的忧患意识和事功化价值取向在地方社会事务中日益扩大自己的权力，形成了社会关系网络的不正常变动。这种变动主要表现为：第一，绅士所主导的地方基层政权日益武装化，由晚清时期的团练组织发展到民国时期的民团组织，事实上取代了农村基层政权的功能。由于"嘉庆以还，

① 刘泱泱．湘军与近代湖南绅权势力的发展［J］．益阳师专学报，1995（1）：30–34.

② 吴兆熙，冒沅修，张先抡．善化县志：学校［A］．刻本．1877（清光绪三年）．湖南省图书馆藏．

内乱外患，相继而至，百务废弛，保甲组织，仅具虚文，无关实政”[①]，所以团练的作用趁机突出。此后，各地团练大都由绅士掌握，成为地方治安的主要维护者。团练作为地方防御组织绝不是简单地阻止武装叛乱者侵入，而是能够用这种方法组织和控制乡村社会的民众，防止他们本身变为叛乱者。它的存在，是为了外部防御，同时也是为了内部控制，所以，团练在湖南社会里是不能仅依靠一二地方精英来发展的，它的“组织规模与官僚政治的区划如保甲、里甲的组织规模相对应，在某些情况下导致行政和自然的协助单位的混淆和逐渐融合”[②]，有的学者甚至认为“团练为保甲行政中积极性质事业之一”[③]。虽然团练兴盛于清朝的危难关头，但是太平天国农民革命的失败并没有导致团练的根本消亡。整个近代尤其是农村社会，始终被兵连祸结或盗扰匪乱的阴影笼罩着，作为地方防御力量的团练不仅未能萎缩，反而在太平天国以后的年代里，“作为县以下官方的行政机关行使职能，承担着保甲的……职能”[④]。绅士便通过自己所在的宗族来影响地方社会的运行，或是维持地方社会秩序稳定，或是控制地方财政经济权力，俨然成为了地方社会的统治者，国家对地方社会的控制力逐渐减弱，在地方社会权力空间中丧失了事实上的主导权。

第二，这种变动反映为地方社会经济关系的变化，特别是国家对于地方财政的控制弱化使得绅士逐步把持了地方的财政经济权力。如晚清时期湖南巡抚骆秉章幕府有郭崑焘、黄冕、丁善庆、陈本钦、唐际盛等一大批绅士。郭崑焘是郭嵩焘的弟弟，举人，后保至内阁中书、四品京堂。他与左宗棠同时入湖南抚幕，主要

① 闻钧天，江士杰．中国保甲制度 里甲制度考略［M］．上海：上海书店，1992：223.

② 孔飞力．中华帝国晚期的叛乱及其敌人：1796—1864年的军事化与社会结构［M］．谢亮生，杨品泉，谢思纬，译．北京：中国社会科学出版社，1990：107.

③ 同①．

④ 同① 225.

负责筹措军饷，在湖南设立厘金、盐茶二局。左宗棠离湘后，他仍留湖南幕府，而且受到骆秉章以后历任巡抚毛鸿宾、恽世临、刘昆的倚重，相率延留，历时达20余年之久，成为在幕时间最长、在湖南政治舞台上颇具影响的一位幕府人物，以致王先谦说他“大吏屡易”，而受委专任不变，“晏处闾里，其勋泽常在天下”[①]。正是由于绅士所参与的财政经济事务越来越成为地方财政收入的主要来源，如东征局后来就改为善后局，为通省总入出纳机构，所以绅士的权力也就越来越大，成为一省行政不可或缺的支持，因此在一省政治中拥有了重要的话语权。

第三，绅士把持地方社会教育权力，进而影响地方士人，控制地方社会舆论。他们均在培养人才、维护教化方面起着重要作用，同时，他们也通过主持教育，影响士人，进而控制社会舆论，当时人就记载：“自咸同军兴以后，绅权大张，虽举贡诸生皆得奋起口舌与地方官长为难。”[②]地方绅士还通过控制社会舆论和士人来影响地方社会事务，如光绪二年湖南秋闱之时，因寓居长沙多年的郭嵩焘被朝廷起用作为处理“马嘉里案”善后问题的公使出使英国，引起了长沙绅士的普遍不满，长沙守旧绅士即煽动秋闱考生和长沙三书院学生攻击郭嵩焘勾结洋人，使湖南几将开埠，并齐集省巡抚衙门请愿，他们“情词迫切，大都为愤激之辞，甚至有痛哭流涕者”[③]。最后意欲摧毁湖南机器局，受到官方阻止，焚毁了由郭嵩焘创修的长沙四大丛林之一的上林寺。这次上林寺事件从表面上看来是学子自发组织的反对洋务和郭嵩焘的事件，但实际上是由长沙绅士暗中操纵和主导的，湖南当政者不敢强力镇压也与绅士的支持有关。从此我们可以看出晚清湖南绅士通过这种

① 王先谦．葵园四种［M］．长沙：岳麓书社，1986：177.
② 王先明．中国近代社会文化史论［M］．北京：人民出版社，2000：11.
③ “中央研究院”近代史研究所．教务教案档：第三辑（二）［M］．台北：“中央研究院”近代史研究所，1975：893.

教育和文化观念的主导控制，实际上把持了地方舆论，并以之来影响地方社会事务。

第四，绅权的扩张造成了晚清以至民初湖南社会“绅权大于官权”的反常局面，官绅矛盾加剧。绅士对地方社会事务话语权增加，绅权大张导致官绅在地方社会中就会产生权力控制的矛盾和冲突，而湖南尤其严重，甚至造成了“绅权大于官权”的反常局面。当时湖南地方官就急于摆脱绅士对地方社会政治的制约，因而“官湖南者,皆以屈抑绅士为先务”①。但在实际中,这种屈抑往往是以地方官的退让为结果，官权自身受到“屈抑”。如湘抚卞宝第对湘绅便不得不“颇相款接”②。湘抚毛鸿宾曾“恶绅与官事，谋之去之”，后遭到湘绅联合反击，毛鸿宾“乃大窘”，遂不得不“诣诸绅谢，任以事，又礼加焉”③。王文韶出任湖南巡抚后，虽心存“屈抑士绅”之意，且“旧有孜孜”，但终究不敢采取强硬对策，在湘绅面前，王文韶“遇有强狠负固者则惮之，人众则惮之，挟端求逞者则惮之”。④ 他最后也不得不感叹：“文韶惟有随机化导，固不敢任其嚣张，至启衅端，亦不敢操切从事，转滋沸腾也。”⑤ 到后来，湖南地方官办理地方各项大事，都必须有绅士的参与和赞同，否则必遭攻击，难以推行。当 1905 年科举制度废除后，国家对绅士控制最主要的传统途径就被社会变革所切断，科举体制对社会的整合和维系功能也开始消失，国家对地方社会的控制再也无法维系，绅士阶层开始逐步摆脱国家权力的制约。由于科举制度的废除，新式教育的兴起，使得传统社会的文化观念开始日益

① 郭嵩焘．郭嵩焘日记：第三卷［M］．长沙：岳麓书社，1983：903.

② 郭廷以．郭嵩焘先生年谱［M］．台北：“中央研究院”近代史研究所，1971：947.

③ 陈嘉榆，王闿运．湘潭县志：名宦［A］．刻本．1889（清光绪十五年）．湖南省图书馆藏．

④ 朱克敬．儒林琐记 雨窗消意录［M］．长沙：岳麓书社，1983：903.

⑤ “中央研究院”近代史研究所．教务教案档：第三辑（二）［M］．台北：“中央研究院”近代史研究所，1975：893.

淡漠，这也销蚀了绅士对政府的忠诚信念。与此同时，处在19世纪末20世纪初各种社会危机之中的国家政府，需要依赖各地方官员及绅士阶层来提供财政和军事上的支持，所以就不得不给以地方社会较大的自主权力，政府所面临难题的增加，政府和地方之间的不平衡变得更加明显了，自上而下的控制影响被削弱了，国家权力的衰落、退化或分裂使得地方社会必须能够自主灵活地面对种种社会变革浪潮的冲击来指导本地社会，所以造成了这样一种局面：湖南的“官员们凭借其强大的地方优势，把自己封闭在某一个固定的状态之中”，“控制方式从中央制约下的官僚和半官僚结构，变的如同是没有这种制约的地方独裁”，“省政府的权力得到了扩大”，这也为民初湖南自治运动的勃兴奠定了基础。[①]

2. 晚清湖南社会文化观念和风俗的转变与农民阶级的变动

湖湘文化的近代变迁，湖南社会中的农民阶层也发生了分化。近代湖南开埠之后，之前晚清湖南以米谷输出为主导相对单一的商品经济模式发生了改变，促进了湖南商品经济的发展，这使得一部分经济条件优越、生产技术相对较好的农民在湘军兴起带来的晚清湖南商品经济的发展中逐渐富裕起来，尤其是湖南在太平天国农民革命中成为江南重要的粮食输出地，使得一部分农民收入逐步增多，因而经济力量增强，这部分农民集中在湘中、湘北湖南传统的产粮中心，他们可能开始购入少量土地，或是租种一部分土地，逐步扩大自己的经济实力。他们除了经营农业外，由于湘军兴起带来的湖南观念的逐步转变和对民间手工业的管束放开，一般还从事一些商业活动或者是开办一些手工作坊。在某种意义上，我们可以把这部分农民称之为从农民阶层中分化出来的富农阶层。另外还有一部分富农，是湘军退伍士兵，他们在湘军

① 吉尔伯特·罗兹曼. 中国的现代化［M］. 陶骅，译. 上海：上海人民出版社，1989：661.

征战过程中劫掠了一些财富，回乡能够购买一些土地。根据当时记载，这部分农民的生活已较为改善，“出产丰富，谋生既易，游荡自多，踵事增华，大非昔比”，“出则长衣洋伞，草帽白扇，俨然士绅”[①]。这部分农民生活虽然有所改善，经济实力有所加强，但在晚清湖南农村仍属少数。他们的经济地位极不稳定，由于晚清中国社会的普遍政治黑暗，社会动荡，西方列强的经济侵略，他们的经济力量仍然相对弱小，也容易受到市场的影响，同时由于社会发展的滞后，他们也难以采用新的生产方式和经营方式，他们的经济实力的增长仍然是在传统经济模式范围之内，没有突破传统社会的桎梏。

晚清太平天国农民革命之后，国家动荡不安，军功开始成为民众上进的主要途径，特别是在湖南，湖湘文化的近代转型和湘军集团的崛起，使得民众习武从军的风气大涨，有一部分农民因战功而获得保举取得职衔而上升为绅士。据光绪十一年《湖南通志》所列名单，全省因军功保举武职游击以上的人员，全省多达6319人，例如湘阴县，“湘阴一县，积功至提、镇至百余人”，“起都司以上得四百三十人”。[②]其中提督478人，总兵1077人，副将1534人，参将1464人，游击1766人。这在全国各省是绝无仅有的。如此众多的武职人员退役还乡，凭着他们拥有的军衔和威势、阅历，成为地方上令人望而生畏的势力。以地域论，这些人多半集中在湘军将领籍贯所在的县份，其中首先是湘乡。湘乡一县，迄光绪初年，历保游击以上武职人员达2490人（提督181人，总兵411人，副将579人，参将569人，游击750人），湘乡而外，军功保举人员较多的县份依次为：宁乡468人，湘阴352人，长沙333人，湘潭302人，平江257人，善化224人，凤凰厅191人，衡阳151人，

① 刘云波，李斌．湖南经济通史：近代卷［M］．长沙：湖南人民出版社，2013：102.

② 郭嵩焘．湘阴县图志：杂识［A］．刻本．1880（清光绪六年）．湖南省图书馆藏．

新宁140人，邵阳109人，衡山105人，以上12县，合计保举游击以上武职人员5122人，占全省总数6319人的83%。[①]这些县份，是湘军将领集散之地，也正是全省绅权势力最为发达的地方。

但是对于大多数近代湖南农民来说，他们的生活困境从根本上没有改变。近代湖南社会，农民生活日益贫困化是一个客观事实。曾任湖南巡抚的骆秉章就说湖南“四民之中，惟农最苦”[②]。湘军裁撤使得大量湘军士兵回乡。虽然在湘军征战前期，湘军饷费待遇优厚，士兵也多乐意从军，但到了湘军后期，由于湖南财政经济匮乏，湘军军费难以为继，湘军将领的克扣等原因，湘军欠饷情况非常严重，如彭玉麟的水师十营，就只领到同治十三年的欠饷，其余11个月，合计十万两欠饷，都被强令作为捐输以增加衡阳、清泉两县及衡州府的学额。[③]这些被裁退的士兵回乡后无以为生计，而且许多士兵再也不愿回到农村再做佃农、雇农，他们成为晚清社会中为数巨多的流民，如在城步县，“出外谋生并担柴之人与游手好闲者，占全县人口的半数，其有不饥馑者几希矣”[④]。这种状况对近代湖南社会的发展造成了深远的影响。

3. 近代湖湘文化变迁与近代湖南社会的失范

所谓社会失范，是指“当社会变迁剧烈时，旧的规范不适用了，新的规范又未建立起来，或者是某种规范功能发挥受到阻碍，或者是几种规范体系相互冲突，从而使人们失去了行为的规范和准则，不知所措”[⑤]。中国传统社会结构是一个具有高弹性的社会结

① 李瀚章，卞宝第，曾国荃，等．湖南通志：职官志［A］．刻本．1885（清光绪十一年）．湖南省图书馆藏．

② 李瀚章，卞宝第，曾国荃，等．湖南通志：食货志［A］．刻本．1885（清光绪十一年）．湖南省图书馆藏．

③ 龙阎运．湘军史稿［M］．成都：四川人民出版社，1990：501.

④ 盛镒源，戴联璧，陈志升．城步县志:兴除［A］．刻本．1867（清同治六年）．湖南省图书馆．

⑤ 戴桂斌．涂尔干：社会的失范与重建［J］．襄樊学院学报，2006，27（6）：5-9.

构，长期以来农耕文明的发展，形成了国家与地方的二元控制格局。由于农业社会生产力高度的局限，即使在明清两代中国传统社会的巅峰时期，国家也无法承担庞大帝国行政成本，中央政府的统治都是只到县一级，所以有“皇权不下县”之说，在这种传统社会结构之下，国家对地方社会的控制都只能是间接地控制。近代中国社会没有实现彻底的城市化之前，绝大部分人口都属于农业人口，居住在广大的乡村。国家、绅士、宗族，在地方社会权力运行之中都发挥着关键而不可取代的作用。一方面，国家，通常是王朝的中央政府通过建立一整套属于上层建筑范畴内的政治制度、法律制度、思想观念来实现对地方社会的控制和引导；另一方面，绅士和宗族通过国家、王朝的授权获得对地方社会实际事务的管理权，体现了地方社会权力体系之中的国家意志，但又在一定程度上表现出某种自主性。在这种地方社会权力体系之中，宗族的权力是由国家通过各种形式所赋予的，具有合法性，而绅士的特殊地位则是由把持地方文化教育权力来获得的，关键是要通过科举制度获得一定的功名，那么自然会由国家赋予其特殊政治、经济权力以及在宗族中影响力的扩大。在中国传统社会结构之中，地方社会就形成了国家、宗族、绅士三者所构成的权力运行体系，而广大的普通民众则是在这样一种地方权力运行体系之下受到三个方向的权力控制，形成了传统社会正常的社会规范和准则。这种权力运行体系并不是恒定不变的，而是存在着彼此之间的复杂的博弈。简单来看，当国家社会秩序稳定，王朝中央政府鼎盛之时，地方权力运行体系之中，国家控制占据主导，族权和绅权都要受到国家权力的制约，他们在国家权力所不能触及到的空间发挥影响，如地方社会的救济、赈灾等，起到了稳定地方社会秩序的作用。当社会发生急剧变化，国家动荡不安，王朝中央政府逐步失去对地方社会的控制之时，地方社会权力运行体系中的宗族和绅士就会不断地通过各种形式来扩张自己的权力，填补国家控制削弱所遗留的空白，以维护自身的利益，并希望重建旧的社会秩序，但有时这种努力会随着时代、社会的急剧变化而无法实现，地方社会就会失去原有的规范和准则，进入无序化的混乱状态。近代湖湘文化转型过程中，湖南社会传统的权力运行体系遭到冲击，并开始逐步地瓦解，社会秩序日益遭到破坏。尽管湘军建立的初衷是为了对抗太平天国农民革命所带来的对中国传统社会秩序的破坏，但湘军的产生本身就破坏了地方社会权力体系运行机制。随着中国社会由传统向近代缓慢而复杂地变迁，湖南地方社会各种功能也因为湘军兴起而发生变动，旧的社会规范和准则逐渐地开始失去其控制力，传统的社会秩序以及控制体系对个人束缚开始逐步地松懈，晚清湖南社会进入了一个漫长的社会失范与秩序重建的过程之中。

这种逐步失范主要表现以下两个方面：一方面是导致晚清湖南社会秘密社会的发展。太平天国农民革命虽然对当时湖南社会秩序造成了一定冲击，造成了社会的动荡不安，但还没有深刻地破坏传统社会规范和准则赖以存在的社会基础，但湘军的兴起带来社会秩序在一定程度上的混乱，特别是绅士阶层素质的下降造成了社会矛盾的尖锐和基层民众保障的缺失，以及大量流民脱离原有社会秩序。传统社会中的异端规范和准则开始在地方社会滋长，给这些民众提供一种社会保护。在中国传统社会中，秘密社会作为异端规范和准则衍生出来的社会变异组织一直在几千年中国历史中发挥着重要作用，一般在社会秩序不稳定，社会动乱时期能够给下层民众提供一种暂时性的保护作用。但是因为这种秘密社会的功能，实际上是非正常取代了绅士阶层和宗族等地方势力在地方社会中的调和稳定功能，又在下层民众中有着巨大的影响力，直接危害社会正常秩序以及国家、绅士、宗族各种力量对地方社会的控制，所以遭到了历朝历代的严厉打击。简单来讲，秘密社会分为会党和秘密宗教两类，而以地域来分，一般北方流行秘密宗教，南方流行秘密会党。湖南为南北会通之地，所以从清朝中叶开始，因社会持续动荡，会党和秘密宗教在湖南都有一定的社会基础。湘军兴起之后，造成了地方社会绅士阶层素质的下降和流民数量的增加，导致晚清湖南社会逐步失范，既然旧有社会秩序的规范体系中的调和稳定保障功能已被削弱，下层民众必然要寻求新的社会保障，这就为秘密会社的兴起提供了社会基础。

由于湖南自然地理环境多山多水的特点，所以历来有“湖南地方，风俗强悍，伏莽素多”①之说。天地会这一明末清初兴起在沿海省份流行的秘密会党组织即已由两广传入湖南，主要是在地势险峻的湘南活动频繁，“地方被惑者众，各乡均有头目，称大哥”，“时有放台之举，一调码则顷刻云集”②。而嘉道时期的北方流传的白莲教也在湘南盛行，川人王又民传教，“愚民翕然信之，其党遍布武冈、新宁境”③。在太平天国起义爆发之后，这些秘密社会组织纷纷响应，有力地推动了农民起义在湖南的发展。湖湘文化发生近代转型之后，秘密社会开始逐渐兴盛。在会党方面主要是哥老会在湖南的兴盛，而秘密宗教方面，则显得势力相对薄弱，主要是由白莲教发展而来的斋教在湖南比较流行。

哥老会本是四川省一个地方性秘密会党组织，中国会党史研究专家蔡少卿认为“哥老会发源于乾隆初年四川的啯噜会。到嘉庆、道光年间，由于南方天地会势力的北移，与川、楚一带的白莲教啯噜党势力相会合，它们之间经过相互渗透，相互融合，才形成了哥老会的组织名目”④。而湖南哥老会则是由于“四川、贵州的军队调防各省，而逐渐传入各省，向各地军营渗透的”⑤。因此，

① 俞廉三．湖南巡抚俞廉三奏上年拿办各属会党并现筹缉捕情形折［M］// 高占祥．辛亥革命前十年民变档案史料．北京：中华书局，1985：392.

② 黄宅中，张镇南，邓显鹤．宝庆府志：风俗［A］．刻本．1849（清道光二十九年）．湖南省图书馆藏．

③ 同②．

④ 蔡少卿．关于哥老会的源流问题［J］．南京大学学报（哲学·社会科学版），1982.19（1）：50－58.

⑤ 刘泱泱．关于湖南哥老会起源问题的探讨［J］．湖南师范大学社会科学学报，1992.21（2）：75－78.

湘军规模与出省征战范围的扩大是湖南哥老会兴盛的一个重要因素。湘军的裁散，则为哥老会在湖南乃至两湖地区社会的传播提供了前提。蔡少卿就指出："同治、光绪年间，随着湘军等军伍的遣散，和破产劳动者无业游民队伍的急增，哥老会即勃然而兴。"[①]湘军不是国家正规经制之军，而是曾国藩等人为镇压太平天国农民革命而临时组建的地方团练武装，到后期湘军总兵力达到40多万。清廷出于各种考虑，除了保留少部分外，其余大部均被裁撤。湘军的裁撤虽然大都发了遣散费和欠饷，但被各级军官克扣严重，拿到手的非常之少，有些士兵和下级军官虽然获得了欠饷以及在战争中掠夺了一些财物，但是回到原籍之后不愿再从事农活，他们"一旦奉撤回籍，无管带则放纵之心生，无口粮则饥寒之念迫。疲弱者不免沟壑，强犷者必至跳梁"[②]，所以加入民间结社团体，沦为会党分子。加之湖南由于历年为湘军提供军需，财政匮乏，经济凋敝，无法为这些流民提供保障，湘军虽然裁撤，湖南社会却缺乏必要的社会经济条件予以接纳，因此，"这些不为社会所接受的群体不得不在制度以外，在各种非法途径中寻求活路，在异端形式——地方团伙、秘密会社团体、流动匪帮中寻求社会依附"[③]。其中影响湖南社会深远的是哥老会在湖南的盛行，哥老会本来是团结被裁撤湘军士兵和社会流民来反抗政府，但发展到后来，其反抗政府已经仅仅只是一种态度和口号，为了维持庞大的游民无产者群体成员的生存，没有一定的经济保障是无法进行的，但秘密社会的性质使它无法通过正当合法途径获得物质资源，于是便求诸抢劫，劫财乃至绑架勒索钱财，这样便对整个社会生活产生

① 蔡少卿．关于哥老会的源流问题［J］．南京大学学报（哲学·社会科学版），1982.19（1）：50–58.

② 杨恩寿．坦园文录：卷五［M］．上海：上海古籍出版社，1994：114.

③ 孔飞力．中华帝国晚期的叛乱及其敌人：1796—1864年的军事化与社会结构［M］．谢亮生，杨品泉，谢思纬，译．北京：中国社会科学出版社，1990：53.

了巨大的破坏性影响。由哥老会发展而来的名目众多的各种会党组织，也是处于半匪半民之中。这样对清末民初湖南社会造成了两方面影响：一是造成对社会生产的严重破坏，导致社会动荡不安；二是为资产阶级发动会党进行反清革命准备了条件。20 世纪初，会党与资产阶级开始合作反清，唐才常领导的自立军就是会党与知识分子的联合体。会党在资产阶级的联合与组织下，参加了多次反清起义，在辛亥革命中发挥了重要作用，但这丝毫不能掩饰这一以游兵散勇为主的游民团体固有的劣根性。会党作为游民无产者的群体，其破坏性在民初表现得格外突出。湖南光复不久，会同县会党即勾结黔匪，“大肆抢劫，猖獗异常，市面大动，居民迁徙殆尽”[①]。

晚清时期湖南社会主要的秘密宗教是斋教，斋教起源于白莲教，左宗棠就曾分析说：“斋教一种，即宋时吃菜祀魔邪教。其始以戒杀放生，消灾避劫为名，愚民动于祸福之说易为所惑。人数即多，竟敢谋反叛逆，杀官炬城，蔓延四起。其党竖交秘，执迷不悟，实有出寻常意料之外。”[②] 湘军兴起之后，由于太平天国农民革命被镇压，地方社会的军事化加强，绅士、宗族对地方社会的控制严密，秘密宗教的声势减弱，但仍然在湖南一些地方秘密流传。

另一方面是导致地方社会的动荡和武化。在社会逐步失范的情况下，如果没有有效的措施和手段恢复或者是重建社会规范秩序体系，那么社会将持续地处于动荡之中，也会导致中国广大乡村地方社会的武化，各种势力以此在社会动荡中保护自身的利益，这种情况对近代湖南社会造成了巨大影响。这种社会动荡和武化的情况可以从晚清湖南社会频繁发生的各种民众起事中得以体现。据当时地方志记载，仅在 1866 这一年，湖南就发生了湘乡哥老会谢太和起事（6 月 26 日），湘潭哥老会向萌和、彭四铁匠起事（7

① 佚名．湖南革命之风云［N］．民立报，1912-11-28（1）．
② 左宗棠．左宗棠全集：第三册［M］．长沙：岳麓书社，1987：314.

月 9 日），湘乡王青云起事（11 月 17 日），嘉禾县民变（12 月）以及苗民起义军攻占镇远、天柱城等多次起事。[①]此外，在 1870 年，湘乡由于上年稻谷歉收，米价上涨，民众苦不堪言，哥老会的头目赖荣甫就利用人心浮动吸收一些被裁撤和逃跑的军士加入会党起事。[②]除了会党起事之外，还有利用宗教信仰来反抗社会压迫的起事，同治四年末在耒阳，“教匪王德保，严开猛等啸聚长冲奄，谋乱行劫”。[③]虽然这些民众起事是因为社会矛盾的尖锐而进行的反抗，但往往带有盲目性和破坏性，不可避免地在起事过程中出现大量的抢掠劫夺、杀人越货等行为，甚至杀伤平民、欺压无辜百姓更是习以为常，对社会生产生活造成的破坏性也是比较巨大的。如之前所提的湘潭哥老会起事，当时地方志记载：“向荫和彭四铁匠等纠众千人，焚掠锦湾”[④]；赖荣甫起事，自“宁家山起事，遂至田心殿，沿途裹挟贫农，放火烧屋，十三日连烧湖州、洪山殿、高家段、金鸡、大塘、春桥岭、花松、杉木松等处”[⑤]。还有“光绪九年，安乡陈象渡地方有匪徒聚众打着劫富济贫旗帜，于二十三日夜烧吴家偏院房屋数间，红屋一栋，抢去店布数十匹……匪首谈敬臣系桃源县人。为哥老会第十头目，名金梓山……共有一百八十多人”[⑥]。这种社会的动荡以及土匪的盛行造成晚清以至民国湖南地方社会的武化。一方面是社会动荡，无业游民、脱离军队的士兵等为获得非法利益而聚众成匪，以武力抢掠乡村来维持生存；另一方面则是地方社会的各种势力为了保障自身利益而

① 刘泱泱．湖南通史：近代卷［M］．长沙：湖南出版社，1994：255.

② 湖南省地方志编纂委员会．湖南省志：湖南近百年大事纪述［M］．长沙：湖南人民出版社，1979：105.

③ 于学琴，周至德，宋世煦．耒阳县志：兵防［A］．刻本．1886（清光绪十二年）．湖南省图书馆藏．

④ 陈嘉榆，王闿运．湘潭县志：事纪［A］．刻本．1889（清光绪十五年）．湖南省图书馆藏．

⑤ 齐德五，黄楷盛．湘乡县志：兵防［A］．刻本．1874（清同治十三年）．湖南省图书馆．

⑥ 彭先国．湖南近代秘密社会研究［M］．长沙：岳麓书社，2001：118.

大办团练等各种形式的地方军事武装，其首要目的防止匪患，但发展到后来已经成为对抗国家和政府的手段，成为 19 世纪末 20 世纪初湖南社会的主要问题。

二、近代湖湘文化及其精神与近代湖南经济关系的变动

甲午之后，湖湘文化的精神内核进一步得到了扩展，开始向近代化转向，主要表现为原本重义轻利、崇尚道德的湖南士人开始大规模地投身近代工商业，并将强烈的忧患意识和事功价值取向融入自己的近代工商业活动之中。

1. 大地主的出现

近代之前，湖南士人普遍重义轻利、崇尚道德、敦崇实学、不尚纷华，但在咸、同之后，特别是甲午之后，湖南社会风气大变，经世致用观念内在的转换使得湖南士人开始追求聚敛财富，兼并土地，从事商业活动。前文已经谈及，由于湖南自然地理环境和士风民风的影响，湖南社会中少有大地主的出现，而存在着为数众多的中小地主，这种中小地主经济地位上的不稳定性造成了湖南社会中绅士阶层的特性，即关注实务，直接或间接参与到家庭生产经营活动中。但湖湘文化和湘军的兴盛改变了这一局面，使得晚清湖南社会出现了为数诸多的大地主，史料记载："昔时长沙的常百力家有田数万亩，武陵的刘勉音家有田一万余亩，李宇田家有田二万余亩。"[①] 这在嘉、道时期的湖南社会是比较少见的。这种情况的出现一方面是由于咸、同之后湖南在外征战的将领积累了大量财富，这些财富流回湖南，由于传统观念的影响，这些财

① 刘云波，李斌．湖南经济通史：近代卷［M］．湖南人民出版社，2013：406.

富一般是用来购买大量土地作为财产；另外军功绅士的大量出现和回乡，使得这些新兴军功绅士通过权势兼并了大量的土地，这就使得晚清湖南社会出现了许多大地主。在近代之前，湖南是比较缺少身家豪奢的大地主的。像湘军集团比较具有代表性的人物，其家庭经济状况在成名之前并不殷富，曾国藩自称“家世寒素”，“少年故交多非殷实之家”[①]。左宗棠在其父去世时家中有田“数十亩，岁收租谷只四十八石”[②]，不足家用，甚至要入赘他家。但是在咸、同之后，这些人都拥有了大量土地，如曾国藩有田两千亩，曾国荃有田万亩（亦言六千亩），陈世杰有田约三千亩，欧阳利见有田千亩，郭嵩焘有租六千石，都是为富一方的大地主。[③]

另一个原因则是甲午之后湖南社会风气逐步发生变化，改变了过去湖南人很少经商的状况。近代之前，湖南并非富庶之地，由于自然地理环境和湖南民风士气的影响，湖南商品经济的主导米谷贸易也很少有湖南人的参与，基本上都是外省商人。湖湘文化近代转型，促使了湖南社会“重农轻商”文化心理的转变。原来商为四民之末的观念逐步在士人观念中淡化，商人的社会地位逐步提高，也正是在这种观念的影响下，近代工商业的发展可以看到更多湖南绅士的身影，当时就有人认为“士大夫而怀商贾之心，于古有之，士大夫而竞习商贾之业，则晚近数十百年争趋于是，无以为非者”[④]。早在湘军兴起之后，湘军将领回乡之后也是“田宅而外，如票号、如当店，以及各项之豪买豪卖，无不设法垄断”[⑤]，开始了由地主、高利贷者向近代工商业者的演化。咸、同之后，依附对内战争经商而致富的人不在少数，如曾国藩为了筹饷，将淮盐改为商运商销，“掣得引票者亦饶于资”，衡阳魏某“掣票最多，

① 曾国藩．曾国藩全集：二二［M］．长沙：岳麓书社，2011：90.
② 罗正钧．左宗棠年谱［M］．长沙：岳麓书社，1983：2.
③ 龙盛运．湘军史稿［M］．成都：四川人民出版社，1990：499.
④ 郭嵩焘．郭嵩焘日记：第三册［M］．长沙：岳麓书社，1983：74.
⑤ 李桓．宝韦斋类稿［M］．长沙：岳麓书社，1993：93.

设局大通，居中运转，遂致奇赢”[①]。朱昌琳本人凭着与湘军将领的良好关系，在东南承接盐引，在西北经营“南柜”，充当总领；此外他还在省城开设银号，资本雄厚，获利极丰；发行庄票，流行市面，势力之大，甚至“湘中兴作，巡抚皆倚畀以举”[②]。这些大商人一般都买卖土地，大量购置土地作为家庭财富，因而形成了晚清社会大地主的大量出现。这些晚清时期出现的大地主，并没有全部投资在土地上，正是由于湖南商品经济的发展，不管是米谷贸易、盐业还是手工业、票号等，他们都纷纷参与；而另外依附国内战争经商而致富的大地主，更不会放弃其本业。由此，湖南社会经济结构中出现了一个新的阶层——绅商阶层。军功绅士中一部分从事商业活动，其特殊的身份也给晚清湖南商品经济的发展带来了极大的动力。

晚清之后，湖南社会大地主不断出现，通过家族传承和积累，到清末民国，湖南社会土地占有状况进一步两极化。随着大地主增多，湖南农村中佃农比例也越来越高。民国以来湖南农村经济调查数据，都显示湖南佃农比例非常之高。在湘军将领比较集中的湘潭长沙一带，“佃农占十分之六、雇农占十分之三；至于自耕农，在湘中要算最少的了，大约说起来，只能占十分之二”[③]，可见土地集中程度是非常之高。在湖南其他地区，浏阳佃农为50%，加上半佃农则为80%；临武县佃农约占60%。据民国六年北洋政府农商部对全国佃农情况的调查统计，湖南佃农比例为69.9%，自耕农兼佃农为10.1%，合计为80%；而当时全国的佃农和半佃农比例平均不过50%[④]，湖南佃农比例之高，可见一斑，这说明湘军的

① 杨恩寿．坦园文录［M］．上海：上海古籍出版社，1994.181.
② 郭焯莹．早期湖南民族资本家朱昌琳的“家传”［J］．湖南历史资料，1958（3）：112.
③ 陈仲明．湘中农民状况调查［J］．东方杂志，1927，24（16）：77.
④ 张朋园．湖南现代化的早期进展（1860—1916）［M］．长沙：岳麓书社，2002：82–83.

兴起，造成了近代湖南土地兼并的不断加剧。由于军功绅士形成的大地主的素质不如功名绅士，因此其对佃农的剥削也较为严重，农民的生活日益贫困化。据民国时期的调查，当时农民“衣服仅能蔽体，料子都是极粗的老棉布，常常看见许多的农民，身上穿的衣裤，没有一件不是补了又补，缝了又缝的”，“脚是终年赤着，穿鞋袜的，大概只有到人家拜年的时候才看见”；吃的方面，“每天只有两顿粗糙饭，还有一点自家种的蔬菜”，至于鱼肉，“除掉大节气如过年的时候，是不容易发现的”。[①] 农民所养家畜，大半被地主以各种名目夺走，剩下的必须卖了贴补家用，还舍不得吃。除此之外，农民为了应付天灾以及各种苛捐杂税，还要承担利息高昂的高利贷。这些都说明民国时期湖南农村农民的贫困和受剥削情况的严重。农民处于极端的被压迫下，终年劳碌而无一饱，衣不能蔽体，所以他们对现实的极度不满，使得他们对社会变革极度渴望，这就为其后大革命以及农民运动在湖南的兴盛奠定了社会基础。

2. 商品经济的发展与经济新因素的产生

湖南社会经济发展中产生了一些新经济因素，而这些新的经济因素又是近代湖南现代化的一种主导力量。随着湘军兴起和湖湘文化近代转型对湖南手工业和商业的刺激，湖南商品经济得到了迅速发展，湖南经济结构由此发生了崭新的蜕变，尽管这种蜕变还只是一种初步微弱的蜕变，并且很大程度上是同旧的社会力量纠缠在一起，也未能完全脱离旧的生产关系的羁縻与束缚。但重要的是旧的经济体系已经开始出现进步的取向，使湖南封闭、单一的小农经济结构为之解体，多元的、开放的工商业日益占主导地位的近代经济在湖南开始了艰难的运行，而其始点正是在湖

① 陈仲明．湘中农民状况调查［J］．东方杂志，1927，24（16）：77.

湘文化发生近代转型之后。

湖南自古就有“鱼米之乡”的美誉，由于独特的自然地理条件，广阔的洞庭湖和湘资沅澧四水为湖南的农业经济发展奠定良好的基础。湖南的粮食生产地主要集中于洞庭湖平原地区，湘江沿岸地带以及围湖造田区，这些地区早在清朝中叶时期就是全国重要的粮食生产基地。同时也是因为自然地理环境的影响，三面多是崇山峻岭，一面是风大浪高的洞庭湖，所以湖南同外界的经济联系非常少，但还是形成了以湘潭为中心的全国知名的米谷输出市场。但由于湖南商品经济的特点，湖南本省人很少参与到商品经济的活动中去，从事米谷贸易的富商巨贾基本上都是外省人，尤以江西商帮为著。而对于广大的湖南米农而言，其所产大米几乎只有缴纳中央政府税收和自食两种途径，或被外省商人收购运往外地销售，所得利润很少，所以湖南的粮食价格十分便宜，有时甚至谷贱如泥。

湘军兴起与湖湘文化的近代转型促使了湖南社会心理和风气的改变，也改变了湖南米谷贸易局面。首先就是湖南为供给军饷和军粮开始在湖南推行赋税货币化，“左宗棠向朝廷建议将本该缴纳给中央的粮食赋税折合成银两缴纳，获得朝廷批准，这不仅使原来湖南社会主体的实物地租开始转化为货币地租，而且更为重要的是打开了湖南稻米进入全国市场的大门”[①]。同时，前后总数达数十万人、征战十余年的湘军军粮和军费的巨额需求，也更加拓宽了湖南大米商品化的通道，刺激了米谷商品市场的发展。

湘军建立之初，所需要的军粮全部由湖南供给，如在湘潭，“咸丰中，军兴，解湖北军谷三万石，解省城军谷二万石”[②]。湘军主要是在湖南大量招募士兵，按当时的规定，凡被招募者，在湖

① 梁海琼，高钟．湘军兴起与近代湖南经济之蜕变［J］．求索，1989（4）：21-22.

② 杨奕青．湖南地方志中的太平天国史料［M］．长沙：岳麓书社，1983：42.

南训练时其粮饷由湖南军需局供给，训练结束后再由军需局发放一定数量的粮饷，后来随着湘军出省征战，而且作战区域不断扩大，出省作战后的粮饷均由湘军粮台供给。虽然作战区域包括浙江、江苏、江西、安徽这些传统产粮区，但这些地区因是湘军与太平天国的主要作战区，农业生产遭受到了破坏，粮食无法自给，而湖南少经兵灾，所以湘军的军粮仍然主要靠湖南运来供给，曾国藩曾经说："下游民穷异常，谷米艰贵，吾意欲于湖南买谷一二万石来皖。"① 同时临近各省由于军队的需求纷纷到湖南购买军粮，这也就刺激了湖南的粮食生产与米谷贸易的发展。正是为了供应数十万湘军的军粮，以及临近各省的军粮需求，湖南所产米谷除自给外，其余基本上是投入了市场，以供买卖。原来单一农业经济造成的米谷生产相对过剩，谷贱如泥的局面顿然改观。"近因邻近各省各路军营纷纷贩运，米价涨落无常。"② 米谷完全成为了受市场供求支配的商品了。湘军裁撤之后，这种谷米贸易的发展趋势并未衰落。且因湖南米价确实低廉，所以左宗棠后来西征新疆之时，还认为即使是千里迢迢地到湖南购米，也比在新疆本地买米便宜。③ 外省商人往来湖南运米者络绎不绝，湖南的米谷除流通于长江流域之外，还远销到日本，进入了国际市场。

同时，茶叶贸易也开始兴盛起来 。湖南多山地、丘陵，适宜于种茶，各地皆有茶叶出产，而湖南茶叶以安化、岳阳、平江、桃源、衡山等地最为著名，鸦片战争之前主要生产绿茶和黑茶，绿茶销售于省内及邻近各省，黑茶则远销于陕甘、新疆及内蒙古一带。咸丰八年（1858），有粤商取道湘潭抵达安化，传授制作红茶技术，促使安化茶改制红茶，开始远销欧美，这也使得湖南茶叶外销获得另外的销路。湖南茶叶买卖原是实行专卖制度，即由政府出售

① 曾国藩．曾国藩全集：二一［M］．长沙：岳麓书社，2011：17.
② 杨奕青．湖南地方志中的太平天国史料［M］．长沙：岳麓书社，1983：152.
③ 刘泱泱．湖南通史：近代卷［M］．长沙：湖南出版社，1994：165.

"茶引"，由晋陕商人组成的"东柜"和回族商人的"西柜"负责具体销售湘茶。西北各省及中亚是鸦片战争之前湖南茶叶的主要消费之地。当时湖南当政者和湘军为了筹集巨额军费开支，除了上述政策之外，也看到了茶叶销售的巨大利润和税收。如咸丰年间，楚浙盐茶互运，曾国藩写信给家人，"如种茶获利极大，吾乡无人试行,吾家若有山地,可试种之"①。湖南还设立盐茶局和东征局一起对湖南境内茶商往来之地设卡抽税，当时有"湘省利源以茶市为大宗"②之说。这是为了抽取更多的税收，更是为茶商寻找更广的销路。同治年间，西北发生回民起义，战乱使得原有茶路受阻，茶引不行，清政府的官商"东柜"和"西柜"都无法再承担课税，使得湖南茶引不行，私商泛滥，对当时湖南税收和湘军西征军费筹集是一大损失。左宗棠率领湘军西出天山，镇压回民起义，为湖南茶叶贸易自由化和兴盛提供了历史的契机，左宗棠鉴于西北"茶引"制度早已破坏，私茶泛滥的局面提出："奉定章程，以票代引。……同时添设'南柜'，不论何省商人均可以领票运销。"③自此打破原来东柜和西柜垄断湖南茶叶贸易的历史，湖南商人可以参与到茶叶贸易中来。如湖南早期民族资本家朱昌琳因为与湘军关系紧密，获得早期负责湘军筹饷和茶叶买卖的机会，专门从事湘茶的外销生意，他在湖南境内连年大量采办黑、红茶，转卖汉口、江浙、西北各地，"任使客舟载车运，分曹四出"④。后来大批的湖南商人也开始从事茶叶贸易，这使得湖南的茶叶生产也因此得到了空前的发展。当时有人统计，"湖广两省茶的种植近来有了扩张,几乎较十年前增加了百分之五十"⑤。咸同年间,湖南

① 曾国藩.曾国藩全集：二〇［M］.长沙：岳麓书社，2011：668.
② 湖南省志编纂委员会.湖南省志：湖南近百年大事纪述［M］.长沙：湖南人民出版社，1980：117.
③ 梁海琼，高钟.湘军兴起与湖南近代经济之蜕变［J］.求索，1989（4）：127.
④ 郭焯莹.棠城朱氏家谱［J］.湖南历史资料，1958（3）：112.
⑤ 同③.

年输出茶叶量达100余万石[1]，其中湘潭因水路交通发达，"自海禁开后，率五六十日贸买千万"[2]。湘军进军新疆后，打通了中亚的商路，湖南茶叶外销的发展势头更猛，"以光绪六年到光绪十五年间为最盛。湘鄂两省每年外销茶叶共值银一千余万两，其中湘茶占十分之六以上"[3]。湖南茶叶贸易的兴盛又进一步促使湖南单一经济结构转变，许多原来不种茶的地方，也逐渐开始种茶，永兴"冈陵岩谷之处，过去多种桐、小麦，现大量改种茶，茶山普遍占全县之八，为农民秋谷登场之后一大收入"[4]。"随着出口的增多，境内安化、新化、临湘、平江、浏阳、长沙、益阳、湘乡等地种茶事业日益发展"[5]，出现了前所未有的盛况。

晚清以后湖南商品经济的发展和商业的繁荣，一个明显的标志就是湖南各种娱乐餐饮场所如餐馆、酒馆、茶馆等逐次兴起。"今在国在野，皆肆筵召客矣。"[6]随着宴席规模的扩大及其频繁度的提高，为其提供相应服务的场所就必然出现。据地方志载：由于湘军兴盛，还在清咸丰年间，长沙就有了大型的专营酒席的餐馆，"咸丰元年，长沙开始有专业酒席和饭菜馆"[7]。同治、光绪年间，湘军陆续裁撤后，湘军将领和士兵携带在征战中获得的大量财富返回湖南，他们的消费促进了餐馆业的大发展，当时长沙先后出现了式宴堂、菜香圃、菜根香、必香居等10家，被称为行业"十柱"[8]。由于湘军攻陷天京，抢掠了无数的财物，他们中大多数是湘

① 彭泽益．中国近代手工业史料：第2卷［M］．北京：中华书局，1984：707.
② 陈嘉榆，王闿运．湘潭县志：货殖［A］．刻本.1889（清光绪十五年）．湖南省图书馆藏．
③ 湖南省志编纂委员会．湖南省志：综合经济志［M］．长沙：湖南人民出版社，1996：163.
④ 民国湖南全省地方自治筹备处．各县调查笔记［M］．长沙：民国湖南全省地方自治筹备处，1938：171.
⑤ 梁海琼，高钟．湘军兴起与湖南近代经济之蜕变［J］．求索，1989（4）：127.
⑥ 丁世良，赵放．中国地方志民俗资料汇编：中南卷上［G］．北京：北京图书馆出版社，1991：7.
⑦ 袁汉坤．长沙市志：第2卷［M］．长沙：湖南人民出版社，1995：70.
⑧ 石荫祥．湘菜集锦：前言［M］．长沙：湖南科学技术出版社，1983：2.

潭、湘乡人，把大批财物运回湘潭，使湘潭骤然兴旺起来。除城南沿江的半边街外，从城西瞻岳门外的九总王爷殿，南岳行宫起，直至上十九金风庙，沿江5000多米，都建有连绵不断的楼台亭阁，供发了财的湘军将士尽情地享乐和挥霍。湘军的财富还刺激了传统的交通工具一度兴盛。如轿业，据记载，近代前夕，长沙、湘潭已有经县衙批准营业的轿行，不过规模不大，人数也少。到道光年间，有所发展，“湘军兴起后，发展更为兴旺。1884年长沙城乡有轿行7家，轿夫200余人”①。

3. 商人作为新兴的社会力量迅速崛起、壮大

原来湖南“经商服贾以至外省者亦不数见”，而今则是商旅遍布中国，不仅出现了“以屯积谷米、经营运销淮盐和茶叶起家”的巨商朱昌琳，还有湖南另外一位大茶商魏鹤林，专门收购粗茶叶运往陕西泾阳加工成砖茶，运销西北各省及蒙藏、俄国各地，“并沿途于汉口、兰州、乌鲁木齐等处均设有分庄，雇工总计不下千人，其茶叶贸易额与朱昌琳的朱乾升号并驾齐驱”②。而且，随着湘军远征西北，湖南商人“从征功最多，势亦称盛”，“乱后夺取晋茶大利，擅商务大宗”。③并涌现出一大批设立庄号，收购、制作、贩卖于一体的茶商，他们被称作本帮，成为西北八大商帮中仅次于“津帮”的第二大帮。同时清末湖南社会绅商也大量涌现，据统计，甲午之后，从1895年到1911年间，湖南陆续创办了183家近代企业，清末湖南实业界的几大著名家族如长沙的朱昌琳、黄冕、魏鹤林、陈文纬等家族，湘潭的梁焕奎家族，宁乡的廖树衡家族等，基本上都是绅商双重身份。这就为湖南经济结构由传统向现代的转型

① 湖南省地方志编纂委员会．湖南省志：交通志［M］．长沙：湖南人民出版社，1991：519-520.
② 熊英．湘军与近代湖南社会［M］．重庆：重庆出版社，2007：77.
③ 梁海琼，高钟．湘军兴起与湖南近代经济之蜕变［J］．求索，1989（4）：127.

奠定了基础。

这种经济结构的缓慢转型，促使了商人自身力量的增长，同时商人自身力量的增长和发展的需要，使得他们在湖南社会上发挥的影响也日益扩大，促使着湖南社会结构的蜕变。如茶叶商人在与外商的贸易中发现："如果缺乏外语知识和商业实践，要想在市场上竞争是很困难的"，于是上书张之洞要求"在两湖书院加进泰西方言和商务，作为发展湖南、湖北茶叶贸易的一个措施"。[①] 最后张之洞以每年招收40名茶商子弟为条件，由茶商出资办起了对中国近代发展影响甚大的自强学堂。同样，1890年筹建以培养"博达古今，养成有体用之才"为目的，并"在客观上为后期改良主义的维新运动，创造了一定的条件"的湖南校经学堂，也是有赖于湖南盐商的捐款方得以开办。这种湖南经济结构的根本性变迁，是一种由传统向现代的变迁，可以说是与湖湘文化的近代转型相互促进，使得湖南封闭、单一的小农经济结构为之解体，多元的、开放的工商业日益占主导地位的近代经济模式在湖南开始了艰难地运行，而其始点正是在湖湘文化近代转型之后。

三、近代湖湘文化的转型与近代湖南社会文化载体和社会风俗的演变

前文已提及，嘉道之前的湖南社会在全国地位不彰，地理环境的限制和历史文化因素的影响造成了湖南在全国的籍籍无名，但湖南自宋之后教育文化事业逐步发达，同时湖南民众对教育文化的追求也颇为热切，故史料记载湖南"士有善于乡，有善于天下，

① 梁海琼，高钟.湘军兴起与湖南近代经济之蜕变［J］.求索，1989（4）：127.

气相取，量相摄”[①]。在这种重教氛围的影响之下，湖南百姓基本遵循数千年来的力农传统，以务农力穑耕稼为本业。俗尚农桑，民知教化，“比户弦诵，咸知科名为重矣”[②]，“人多纯朴，有舜遗风”[③]。而且据资料统计，湖南在乾隆时期有学田73万余亩，居全国之冠，[④]这足以证明湖南社会对教育文化的重视。随着近代湖湘文化的转型，近代湖南社会文化载体和社会风俗也发生了缓慢而深刻的变化。

1. 近代湖南教育文化事业的兴盛

晚清之前，湖南虽然自理学兴盛之后文风颇盛，但远离中原文化中心，文化地位不高，加之独立为省时间不长，经济落后，全省教育文化分布极不平衡。全省人文重镇集中在长沙、宝庆等地，其他地域教育文化则相对落后。咸同军兴，太平军与湘军及湖南地方团练在省境内交战，对地方破坏极大，各地书院学校多有被毁坏者。同时，由于省财政窘迫，政府投入全省教育文化的资金也严重缺乏，导致各地学校、书院日渐衰败，这对本来并不算太发达的湖南文化教育事业的发展造成了极大的损害。如在长沙，“府学自道光十八年巡抚钱公修后渐圮。咸丰二年，粤寇犯楚，长沙戒严，举为屯兵地，井灶之所发掘，牛马之所蹄啮，遂大坏”；在湘阴，“湘阴县学……咸丰四年兵燹”；茶陵州“州学在州城南……咸丰二年，粤寇毁坏”，其他如江华、邵阳、永兴等地也多有学校毁于兵灾的记载。[⑤]同时，战乱带来的社会动荡、经济穷困，也使

① 齐德五，黄楷盛．湘乡县志：风俗［A］．刻本．1874（清同治十三年）．湖南省图书馆藏．

② 高大成，张英举．嘉禾县志：风土［A］．刻本．1817（清嘉庆二十二年）．湖南省图书馆藏．

③ 张应星，徐德泰．耒阳县志：风俗［A］．刻本．1725（清雍正三年）．湖南省图书馆藏．

④ 张朋园．湖南现代化的早期进展（1860—1916）［M］．长沙：岳麓书社，2002：78.

⑤ 李瀚章，卞宝第，曾国荃，等．湖南通志：学校［A］．刻本．1885（清光绪十一年）．湖南省图书馆藏．

得湖南士子在湘军与太平军交战时期和战后无力科举，所以湖南士人“三年大比，赴省城者里以千计，就试礼部数千里而遥，出门惘惘，行色不壮，世无庄驿，困乏缺供，其谁不退然中阻哉”①，这也严重阻碍了湖南士人科举会试获得功名的进取之途。有鉴于此，以书生领乡农而功成的湘军将领十分重视家乡的文化教育，以自己的地位来倡议重修学校书院或创办新的书院，如湘乡曾氏兄弟倡建的湘乡宾兴堂、东皋书院，胡林翼倡建的益阳箴言书院，湘军各路将领捐建的长沙求忠书院、攸县东山书院、宁乡玉潭书院、常德朗江书院等。还有湖南原本文化教育不发达地区也在湘军兴起之后有湘军将领重修新建了许多书院，如湘军水师名将杨载福在原籍乾州厅捐修文庙书院，并增建了乾凤永宝乡试号舍，倡建节孝祠；李元度在平江创办的天岳山馆书院等。这些书院的重修新建都极大地促进了湖南文化教育的发展，为湖南士人的科举功名之途提供了一个有利的环境。

由于近代湖湘文化所促成的湖南在全国影响的提高，功成名就的湖南人开始回报乡梓，使得湖南地方文武学额得以增加，这就为湖南士人参加科举和获得功名增加了机会，推动了湖南文化教育的发展。清政府财政窘迫，为筹集军费，实行《捐输广额章程》，即各级府县如果捐款达到或者超过一定指标，即可以增加该府县的学额。这种学额的奖励又分暂增学额和永广学额两种，即捐银 1 万两，即可增加府县永广中额学额 1 名，但最高上限不能超过 10 名，超过 10 名，续捐每 1 万两，可增加府县暂增中额学额 1 名，这对于传统社会科举为主要进身之阶的人来说是一种极大的鼓励。鉴于湘军在前线的战绩和湘军将领以及湘籍官僚捐献军饷，乃至后期将欠发军饷作为捐献，清政府给予捐献者原籍相应的学额奖励。如李元度在咸丰三年以平江团练作战有功，由曾

① 杨奕青．湖南地方志中的太平天国史料［M］．长沙：岳麓书社，1983：758.

国藩奏请增加平江县文武学额各3名；咸丰八年，又因平江军中欠饷达20余万两，一时难以支付补发，于是李元度又倡议部下将士将欠饷中10万两捐献，请求朝廷增加平江文武学额各10名，又捐5万两请增岳州府文武学额各5名，曾国藩也称赞此举为“俎豆泮宫，流芳无既”[①]。对以科举制为晋身之阶的传统社会而言，这种为家乡增加文武学额的行为无疑是一种可以光宗耀祖流传青史的荣耀，所以其后湘军将领纷纷效仿，曾国荃、李续宾、李续宜、张凯章、赵玉班等湘乡籍将领也号召将士捐银10万两，为湘乡增加学额10名，其他州县籍湘军将领也纷纷自己捐银或是号召部下捐银。其他湘籍在外任官的官员也捐银为家乡增加学额，如宝庆籍浙江巡抚胡兴仁就捐饷5万余两，为原籍增加文武学额各4名。据《湖南通志》记载，湖南自军兴之后，因军功捐输而增加学额总计800余名，这样增加了湖南士子科举考试中式人数，获得功名的人也增多，促进了湖南文化教育的兴盛。

湖湘文化在全国地位发生改变后，湖湘士人或是主讲书院，传播自己的学术主张，或是创办书局，以及各种编史机构，这些举措无疑对提高湖南文化地位，促进湖南文化事业发展起到了积极作用。如著名思想家、中国第一任驻外公使郭嵩焘就曾主讲过长沙校经堂、城南书院和思贤讲舍，利用自己的政治地位在长沙传播自己的学术主张，利用自己的社会地位和影响开办禁烟公社，正人心风俗之气，目的是“期使贤士大夫及后进聪明之士共相讲习，以窥知圣人立学之旨，因以系属人心，使笃于学”[②]。他还依靠自己的财力四处搜罗名书，并在长沙又一村附近设立书局刊印各种书籍，这无疑对促进湖南文化，培养湖南士人有着积极作用。曾国藩等湘军将领为宣传湘军战功，专门设立采访忠义局等机构编撰宣扬湘军将领士兵的褒忠录、忠义录等。又在战中和战后设馆

① 曾国藩．曾国藩全集：二〇［M］．长沙：岳麓书社，2011：370.
② 郭嵩焘．郭嵩焘日记：第四卷［M］．长沙：岳麓书社，1983：366.

组织幕僚或延请名士校刊湖南前贤著作，编写一些经世著作，如王夫之作品的刊印。王夫之为明末清初大思想家，参加抗清斗争失败后隐居衡阳，著述其思想学术。因身份的特殊，其思想学术在湖南流传不广。湘军兴起之后，由于清政府统治的削弱，湘军将领开始传播船山思想学术。同治元年，曾国荃在安徽同太平军作战期间，友人赵惠甫告知其王夫之的遗著因战火遭毁版，希望他能重刊船山遗著，此事得到了曾国藩的大力支持，曾国荃出资8000余两，聘请著名学者欧阳兆熊主持刊印，经过几年对原稿的搜集校对，1865年刊印成《船山遗书》，共分56种，经史子集四部。从此王船山的思想学术在湘军集团成员的大力宣传倡导下在湖南得到了迅速传播，成为晚清及民国湖南士人和知识分子革命思想上的渊源之一。正如郭嵩焘所说："将使吾楚之士知有先生之学，求其书读之，以推知诸儒得失，而于斯道盛衰之由、国家乱政之故，皆能默契于心。又将有人焉，广大先生之业，以上溯五子之传，确然有以知先生之学非元明以后诸儒所能及也。"[①] 其他如曾国藩主持刊印的《算学二十一种》《几何原本》等，胡林翼主持刊印的《读史兵略》《大清中外一统舆图》等，都极大地推进了湖南文化的发展。

受湖湘文化精神影响，近代文化转型中湖南地区新式教育得到振兴，除书院教育外，以长沙时务学堂为代表的各类新式学堂大量涌现。在近代湖湘文化变迁中占有举足轻重的地位。光绪二十二年（1896）秋，岳麓书院山长王先谦等呈请在长沙设湖南时务学堂，获巡抚陈宝箴批准，委派按察使黄遵宪和士绅谭嗣同、熊希龄负责筹备。光绪二十三年（1897）八月面向全省招生。时务学堂是湖南近代最早的一所新式学堂，其宗旨是培养"学通中外，体用兼赅"的新人才。担任时务学堂总教习的梁启超更是以学约

① 郭嵩焘．郭嵩焘诗文集［M］．长沙：岳麓书社，1984：513.

十章——“立志、养心、治身、读书、穷理、学文、乐群、摄生、经世、传教”作为施教的方案。除此以外，学堂将教学目标由“入仕”改为培养人才，并以“政学为主义，艺学为附庸”的教学内容取代旧时的“四书”“五经”，学堂的功课分为中学和西学，强调“中西并重，冶于一炉”。在中西学中又进一步分为“博通学”和“专门学”，规定专精之书，需认真深刻地探索，占每天学习时间的十分之六；而博览涉猎之书只需浏览即可，占每天学习时间的十分之四。教育形式由单纯教师讲授改为多种形式，并且要求学生每日将自己的学习心得记在各自的札记之上，在梁启超、谭嗣同等人的影响下，时务学堂的学生大多成为维新运动、自立军起义甚至辛亥革命中的骨干力量及中坚人物，以天下为己任。辛亥革命期间湖南成为“开风气之先”的一省，涌现出一批如陈润霖、胡元倓等近代湖南教育名流，培养出如陈天华、黄兴、杨毓麟等著名革命干将，这都与湖南新式教育的振兴与发展密不可分。1897年2月，湖南省学政规定，各书院除讲授经义外，也兼学习近代自然科学。随后，大批新式学堂在湖南陆续开办，如宁乡译算学堂、浏阳算学馆、岳阳通商艺学馆、湖南武备学堂等。1906年科举制废除之后，各省纷纷变更学制、倡导新学，各类式学堂如雨后春笋般涌现，到1907年止，湘省共有6所专门学堂，11所实业学堂，26所师范学堂，39所中学堂，500余所小学堂。①

除上述新式学堂之外，随着时代与风俗的变迁，湖南还出现了女学的创兴。辛亥前夕女学的创兴是湖南教育领域的又一大成就，成为湖南教育近代化的一道亮丽风景线。1903年，湖南民立第一女学首创于省城长沙，开湖南女子教育之先河，此后，影珠女学、淑慎女学等相继创设，湖南女子教育有了较快的发展。1905年，革命教育家朱剑凡创立周氏女塾，“先后将祖传的泰安

① 湖南省志编纂委员会.湖南省志：湖南近百年大事纪述［M］.长沙：湖南人民出版社，1979：213.

里园林宅第捐赠为周南校舍，然后又变卖私人田产和珠宝首饰来支付办学经费，总计达 11.7 万元（银元）”[①]。到 1910 年周氏女塾已发展为周南女子师范学堂，其后周南因多次面临经费问题，朱剑凡又典卖自己的田产、金银，最后捐出了全部家产，其毁家兴学的做法震动了整个长沙。直至辛亥革命前夕，除长沙外，湘潭、岳阳、衡阳等地也陆续开办女子教育学堂，培养出众多巾帼英雄，如蔡畅、唐群英、杨开慧等，为我国的革命事业做出了突出的贡献。在此值得一提的是，在这些教育家群体中，不乏献身教育的伟大女性，如创办影珠女学的唐黄琼、创办隐储女师的黄萱佑等。黄国厚是影珠女学堂的学生，1905 年参加了湖南第一批女子留学生，留学日本，回国后在周南女校、省立第一女师任教，终身从事教育事业。曾宝荪在英国求学归国后，创办了艺芳女中，并且苦心经营了 32 年，终身不嫁，全身心奉献教育事业。在教学中，学校注重培养女子独立的人格，更多的女性觉醒，并开始对封建礼教进行揭露和控诉。同时，在湖湘文化经世致用思想的影响下，更加强调女子教育应为国家的发展培养人才，把女性的个性自由和个人价值放在突出地位，注重培养与社会及经济相适应人才的新教育观念，改变了传统教育仅使女子教育服务于家庭的观念。谭嗣同主张“兴女学以课妇职”，“男女内外通”，要求取消男尊女卑，争取男女平等，他甚至认为“夫为妻纲”更是“至暴乱无理之法”。他与唐才常、熊希龄等人成立湖南不缠足会，并利用《湘报》，提倡变法，鼓吹女学，开时代之风气。周南女校校长朱剑凡确立了“启迪民智，救亡图存，解放妇女”的办学宗旨，并提倡女子自识，鼓励学生参加社会活动，我国妇女运动的领袖人物向警予、蔡畅等都曾就读于周南女校。在其影响下，一批又一批的优秀女学生走出家门，走向社会。

① 周秋光，莫志斌．湖南教育史［M］．长沙：岳麓书社，2002：350.

2. 近代湖湘文化精神与近代湖南人才群体

中国文化在漫长的历史发展过程中由于地域之间的发展不同特点而形成了具有各自鲜明特色的地域文化，湖湘文化在近代的兴盛，促进了近代湖南人才的兴盛，地域文化的变革也是通过在特定空间和时间中活动的人来实现。

近代湖南人才的兴盛还有两个重要原因，一是湖湘文化重视人才培养的风气。历代湖南杰出人物都十分重视对人才的培养。众所周知，曾国藩十分重视网罗各方面人才进入他的幕府，同时也对幕府中的人才多有培育。曾国藩幕府人才之盛，为一时之翘楚，据曾氏门生薛福成记载，曾国藩幕府人才在当时有名气者不下百余人。这些人大致可分为四类："一是跟从曾国藩赞画军事；一类是以他事从曾氏，邂逅入幕，或骤致大用或甫入旋出，散往四方的；三是以宿学客戎幕，从容讽议往来不常；四类是有钱谷、刑名、盐法、通商一技之长者。"[①] 曾国藩不仅对这些幕府人才知人善用，还在实践中培养陶铸，这样就造就了晚清湖南以至中国一大批优秀的人才。不仅曾国藩如此，其他湘军大员也多仿效曾国藩设立幕府，网罗人才，而且由于咸同之后洋务运动兴起，湘军将领经世致用的学风，所以这种人才的网罗并不仅限于科举八股之士，凡有一技之长者皆可受到重用。这促使了湖南社会重视对各种人才的培养教育，如著名的数学方面人才丁取忠、黄宗宪、左潜、曾国藩之子曾纪鸿等；外交人才郭嵩焘、曾纪泽等；文史人才王先谦、王闿运、周寿昌等，形成了近代湖南人才辈出的局面。

二是咸、同之后，湖南社会风气的改变，大量湖南人从军并在征战中通过各种途径获得了大量财富，这些财富一方面是湖南文化教育事业得以发达兴盛的保证；另一方面，这些军官也利用

---

① 王继平．略论曾国藩幕府［J］．求索，1991（4）：109-114.

这些财富来兴办族学，延请名师教育子弟。比如湘军虽然是以书生领兵作为特色，但仍然有不少武途出身者。书生出身的人都因军功获得了重要官职，而武途出身虽然也有不同程度的保举，但在传统社会和士人心中，仍是属于非正途出身，因此常常受到士人的轻视和排斥。镇压太平天国后，这批非正途出身者往往也很少得授实职，他们只能拥资回乡做一个乡村的富家翁。所以近代湖湘文化大兴之后对于教育的重视，使得不管是正途出身还是武途出身的官员回乡之后都延请名师，或是自己求教科举以博得功名，或是教育自家子弟和宗族子弟，期冀提高家庭、家族的文化地位和使子弟能从科举正途考得功名。如曾任浙江巡抚的蒋益澧就曾聘请两名拔贡为自己的家庭教师，学习科举八股之道，还在家乡开办义学，吸收家族内子弟入学。到清季中国教育制度变革，新式学堂兴起，留学之风盛行时，此前湖南人所积累的财富又在一定程度上支持了其后辈开始负笈海外，学习西方文化制度，在中国社会变革中发挥了重要作用。湖南自1898年戊戌新政时期决定选派学生50名赴日留学，但新政旋即取消，留学就此搁置。留学生的大规模增加是在20世纪最初几年，湖南留学运动在全国独步一时，其原因同早期湘军将领所带回财富不能不有莫大关系。湖南官费留学生在1904年仅为24人，其余皆为自费留学生，留学费用的高昂也不是一般家庭所能承担，所以湘军将领的财富在其中起到了重要作用。同时，这种湘军兴起所带来的经世致用的学术传统在湖南的强化，影响了湖南人才发展的取向。经世致用重点在于治国平天下，不管研究什么学问，其旨归都在社会政治。所以这也对其后湖南人才的发展造成了一定影响，即其后湖南人才以政治、军事人才居多，经济、科学人才居少。概因湖南士人志在通过学习做官进而治国平天下，如湖南的杰出人才从维新时期的谭嗣同、唐才常、熊希龄，其后的杨度、陈天华、宋教仁、黄兴、蔡锷、谭人凤乃至毛泽东、蔡和森、刘少奇、彭德怀等，他们是不同时期、不同阶级、成长经历不同的湖南杰出代表人物。

湖南在中国古代不管是从思想还是政治上来讲都没有太为重要的地位，同时也极少出现在全国有较大影响的人才和人才群体。这一状况在鸦片战争后发生了急剧性的变化，这主要是由于湘军集团在镇压太平天国农民革命后的崛起所带来的。咸同之际直至晚清民初，湖南出现了一大批以湘军集团为核心和代表的在全国拥有重要影响的政治和军事人才，促成了湖南近代人才的兴盛，学界一般认为，晚清至民初，湖南涌现出了四个人才群体。在鸦片战争前后，面对严重的社会危机与经济危机，在湖湘文化熏染之下，陶澍、魏源等人发扬经世致用的湖湘特质，主张推动社会改革，且面对中国与世界的关系变化提出了“师夷长技以制夷”的重要思想，这也成为近代湖湘第一个人才群体，又称“湘系经世派”。咸同太平天国农民革命促成了以曾国藩、左宗棠、胡林翼、郭嵩焘等为代表的湖南第二个人才群体的兴起，这一人才群体不仅组建了湘军，镇压了太平天国农民革命，而且发起了洋务运动，将第一人才群体所倡导的“师夷长技以制夷”落于实践，开创了近代中国向西方学习的新风，同时，湘军集团的崛起，使湖南人才不仅是数量而且在影响方面，都达到了近代的高峰。近代湖湘第三个人才群体出现于维新变法时期，以谭嗣同、唐才常、熊希龄等维新变法派为代表，倡应当时维新变法之风，在湖南建学校、办报纸、立学会、兴建近代工业企业，使湖南成为变法时期“全国最富朝气”的省份。辛亥革命前后，湖南产生了以黄兴、宋教仁、蔡锷、谭延闿等人为代表的湖南第四个人才群体，这一人才群体或投身革命，创立近代资产阶级革命政党，或为立宪党重要人物，在晚清立宪运动中有着重要影响。“五四”之后，湖南出现了以毛泽东、刘少奇、彭德怀等为代表的第五个人才群体，成为中国现代历史上有着重大影响的湘籍无产阶级革命家群体。这五个人才群体形成了晚清以至民国湖湘人才盛极一时的状况，有学者统计，从 1820 年到 1919 年的 100 年中，湖南人才名列全国第四、占全国人才总数的 12.66%[①]。

从人才群体分布结构来看，晚清湖湘人才主要集中于政治军事领域。据《清史稿·列传》192 卷到 262 卷的统计：湖南人物入传的为 102 人，其中军事人物多达 86 人，占总数的 84.3%，所以当时人就有“咸丰以来……名臣儒将，多出于湘，其民气之勇，士节之盛，实甲于天下”[②]的说法。湖南政治军事人才之盛，首先得从咸同之际湘军集团说起，其中最著名者为湘籍的曾（国藩）、左（宗棠）、彭（玉麟）、胡（林翼），此外还有王鑫、罗泽南、李续宾和李续宜兄弟、曾国荃和曾国华兄弟、刘长佑、江忠源和江忠济兄弟、蒋益澧、杨岳斌、刘典、刘蓉、刘锦棠等。据同治四年（1865）即湘军等攻陷太平天国首都天京的第二年编纂的《缙绅录》载：其时湘人之任督抚者 10 人，包括总督 6 人，巡抚 4 人，即：两江总督曾国藩，闽浙总督左宗棠，陕甘总督杨岳斌，云贵总督劳崇光，总督淮扬等处并提督漕运海防军务彭玉麟，直隶总督刘长佑，兵部侍郎、前浙江巡抚曾国荃，湖北巡抚郑教谨，陕西巡抚刘蓉，署广东巡抚郭嵩焘；开藩陈臬者 9 人，即：浙江布政使蒋益澧，四川布政使江忠增，广西布政使刘坤一，云南布政使刘岳昭，直隶布政使唐训方，浙江按察使杨昌濬，福建按察使王德榜，云南按察使赵焕联，湖北按察使唐际盛。另外，还有为监司者 7 人，为提督者 6 人，为总兵、副将者 32 人。以当时全国 21 行省计（当时新疆、台湾、青海及西藏、蒙古均尚未建省），湘人之任督抚者 12 省，妥居一半强。所以当时人就称：（湖南）“文武彬彧，蔚为国华”，“天下人才之盛，尤莫如楚南”[③]。这种情况后来有进一步的发展，终晚清时期，湖南共计有大学士 2 人，军机大臣 1 人，部

① 陶用舒．近代湖南人才群体研究［M］．长沙：岳麓书社，2000：143–147.
② 朱寿朋．光绪朝东华录：4［M］．北京：中华书局，1984：4051.
③ 毛祥麟．墨余录：卷三［M］．上海：上海古籍出版社，1985：31.

院大臣 8 人，总督 15 人，巡抚 25 人。《清代七百名人传》其他各类人物湖南并不突出，唯有军事类湖南人居首位（除满人外），达 28 人，而其他各省没有超过 8 人的，湖南军事类名人占全国 18 省总和的 31.4%（不包括情况特殊的统治民族满族、蒙古族和外国人），几乎相当于江苏、江西、湖北、云南、贵州、广东、广西、直隶、河南、山东、山西、陕西和甘肃 13 省的总和。以地方军事大员提督、总兵为例，晚清（1840—1911）提督、总兵总计为 257 人，其中湖南籍就有 74 人，占总数的 28.79%，位居全国榜首。[①] 辛亥革命前后，湖南又涌现了大批优秀的军事人才，著名的革命家黄兴，羊城浴血，武昌拜帅，他不是作为思想家而是作为横戈跃马的军事家的形象出现在辛亥革命的历史舞台。此外，组织自立军起义的领袖们唐才常、林圭、沈荩、秦力山等，湖南会党首领、长沙甲辰起义的领袖之一马福益和萍浏醴起义的首领之一龚春台，文学社社长、武昌起义的总指挥蒋翊武，长沙起义的领导人、湖南军政府正、副都督焦达峰、陈作新，云南“重九起义”的首领、护国运动的主将蔡锷，等等，都是作为军事人才映现在人们的心目中。

近代湖南人才除政治军事人才特别突出之外，也不乏有影响的经济人才，他们相对于近代湖南政治军事人才虽然为数不多，但凭借着他们雄厚的经济实力和广泛的社会联系，在晚清湖南社会各项事业以至政治活动中，发挥着重要的影响。如长沙籍的陈文玮，年轻时因为科举屡试不第，遂弃文经商，后来由于经营有道迅速发家，通过捐纳得到了湖北补用道的官衔，在地方上颇有善名。安福县蒋征蒲、蒋征陶两兄弟以经营典铺、田产富甲一方，捐输大兴之时，他们捐出钱 36 万串，得到了道员和刑部郎中的

① 王继平. 晚清人才地理分布研究（1840—1912）[M]. 北京：中国社会科学出版社，2012：78.

职衔，还有黄镁捐资为淮北盐大使。[1]最为引人注目的人物是朱昌琳，他以经营杂货、谷米、盐、茶贸易起家，虽未正式捐资为官，但依恃其丰厚资财，与官府紧密结合。光绪三年（1877），他受托办理陕西、山西赈灾事务，叙功为道员，加按察使衔；随后在维新运动中，他从经济上支持湖南新政，并大力举办地方公益事业，如开凿长沙新河，晚年受保举，奉旨特授内阁学士衔，显赫乡里。晚清社会大变革中，湖南的学术思想型和政治军事型人才也纷纷投向近代工商业的创建与经营，在经济上也有突出的成就，湖南近代工业如宝善成制造公司、和丰火柴公司、鄂湘善后航船局、樟脑化学公司等，其创始者几全为绅士，如王先谦、黄自元、张祖同、刘国泰、熊希龄、张本奎等。这种情况发展到后来，晚清湖南许多新兴的经济行业都可以看到绅商的身影，即投资或发起一些资本主义工商业的基本上首先是绅士，也即地主。如湖南最早设立的湖南矿务总局，即由当时知名的绅士朱昌琳来主持，其资本来源也基本上是朱氏支持。还有湖南新政时期创办的湖南宝善成电灯公司，光华电灯公司，瓷业公司等都可以看到王先谦、左宗澍、熊希龄等绅士在其发展过程中发挥的重要作用。此外，在学术文化上，晚清湖湘人也有不少杰出代表，根据对晚清知名学术人物的统计可得知，晚清湖湘知名经学家如周寿昌、叶德辉、王先谦等共 21 人，位居全国第三位；文学家以李星沅、何绍基等为代表，共 53 人，位居全国第三；教育家以朱剑凡、何炳麟等为代表，共 28 人，位居全国第二位；科学家以丁取忠、黄宗宪、左潜、曾国藩之子曾纪鸿等为代表，共 10 人，位居全国第四位。[2]

从地理分布上来看，近代湖南人才的分布也比较集中，据陶用舒的统计，古代湖南人才主要集中于洞庭湖平原地区，包括湘

① 熊英．湘军与近代湖南社会［M］．重庆：重庆出版社，2007：62.

② 王继平．晚清人才地理分布研究（1840—1912）［M］．北京：中国社会科学出版社，2012：254.

阴、岳阳、临湘、华容、南县、沅江、常德、汉寿、澧县、安乡、临澧等11个县市。这一地区土地多为长江及省内湘、资、沅、澧四大河流冲积而成，区内河湖众多，港汊纵横，土地肥沃，可耕地多，物产丰富，十分利于农业经济发展，因而在全省具有自然地理环境上的优势，被称为鱼米之乡，农业经济的发达自然产生文化和人才上的兴盛。“在古代，农业经济占有决定性地位，因而该地区是湖南重要的人才中心之一，占有全省古代人才的16%左右，常德、岳阳、湘阴、华容分列全省3、6、8、10名。”[①] 到了近、现代，农业在国民经济中的地位相对下降，再加上对洞庭湖区过度开发导致洞庭湖地区生态环境的恶化，传统农业经济发达地区灾害连年，所能出现的人才也相应减少。鸦片战争之后，晚清湖湘人才主要集中出现于湘中丘陵、盆地地区。这一地区长沙、湘潭、娄底、宁乡、隆回、湘乡、衡山、衡阳、武冈、益阳、桃源、安化、涟源、新化、邵阳、新宁等16个县市，从地理位置来看，位于洞庭湖以南，武功山以西，八面山、阳明山以北，雪峰山以东，多为丘陵、平原、盆地、谷地，地形多样化，一般在海拔500米以下，历史上这一地区雨水丰富，而且气候适中，无霜期长，适于水稻和各种经济作物的种植；从交通上来看，湘江、资江流经此地，支流多，交通极为方便，而且也是古代湖南对外省输出稻米和特产的主要口岸，一直是全省经济比较发达的地区。长沙成为湖南省会之后，也逐渐成为全省政治、文化中心，在近代化转型过程中，长沙、湘潭、邵阳、衡阳、益阳陆续成为具有现代意义的城市，近代工业得到了发展。再加上在近代社会大变革中，这一地区的湘乡、宁乡、长沙、衡阳等地，都适逢重大变革，如湘军兴起、戊戌维新，因此人才辈出，如星空璀璨，从整个近代历史来看，是鸦片战争之后湖湘人才最为集中之地，有统计就说这一地

① 陶用舒．论湖南人才的地理环境［J］．湖南城市学院学报，2003，24（1）：79-84.

区的人才占了近代湖南人才的55%左右，长沙、湘乡、湘潭、宁乡、邵阳、衡阳、益阳分别占全省1、2、3、4、7、9、10名。[①] 像陶澍、贺长龄、曾国藩、胡林翼、黄兴、宋教仁、蔡锷、毛泽东、刘少奇、蔡和森等许多近代湖湘杰出的人才都是来自这一地区。

此外，从地理分布与人才结构关系来看，近代湖南的政治型人才群体相对集中于经济比较发达、以长沙为中心的湘中地区，像陶澍（籍贯安化）、魏源（籍贯邵阳）、贺长龄（籍贯长沙）、曾国藩（籍贯湘乡）、谭嗣同（籍贯浏阳）、宋教仁（籍贯桃源）等晚清政治人才。近代湖南军事型人才则多来自山区经济较为落后的地区，如宝庆、双峰、平江、醴陵、凤凰、新宁等地，如郑国鸿（籍贯凤凰）、洪大全（籍贯新宁）；湘军集团的许多军事将领也多来自于此，如罗泽南（籍贯双峰）、左宗棠（籍贯湘阴）、李续宾李续宜兄弟（籍贯双峰）、江忠源江忠济兄弟（籍贯新宁）、刘长佑叔侄（籍贯新宁），晚清民国之际的如李燮和（籍贯安化）、李聚奎（籍贯安化），唐生智兄弟（籍贯东安），禹之谟（籍贯双峰）、蔡锷（籍贯宝庆）等。相对于军事人才出现于经济不发达的山区，思想文化型人才，则多来自经济较为发达的平原地区，如晚清曾任闽浙总督的文化名人赵慎珍（籍贯常德）、王闿运（籍贯湘潭）、杨度（籍贯湘潭）、杨毓麟（籍贯长沙）。

3. 近代湖湘文化转型与近代湖南社会民风的转变

第一，"重农轻商"心理的转变。湘军兴起带来的湖南商业的发展和商人影响的扩大，促使了湖南社会"重农轻商"文化心理的转变。原来商为四民之末的观念在士人观念中逐渐淡化，商人的社会地位逐渐提高。也正是在这种观念的影响下，湘军兴起之后湖南的士绅相较于湘军兴起之前有一个明显不同，即他们除经

① 陶用舒．论湖南人才的地理环境［J］．湖南城市学院学报，2003，24（1）：79-84.

营土地外，还兼营商业活动，因之而形成晚清湖南社会的“绅商”特色。在湘军裁撤之后，湘军将领回乡之后也是“田宅之外，如票号、如当店，以及各项之豪买豪卖，无不设法垄断”[1]，开始了由地主、高利贷者向近代工商业者的演化过程。湖南近代工业，如宝善成制造公司、和丰火柴公司、鄂湘善后航船局、樟脑化学公司，等等，其创始者几全为绅士，如王先谦、黄自元、张祖同、刘国泰、熊希龄、张本奎等。这种情况发展到清末更为普遍，湖南许多新兴的经济行业都是绅商们创办的。如湖南最早设立的湖南矿务总局，即由当时知名的绅士朱昌琳来主持，其资本来源也基本上是朱氏提供。军功绅士中一部分从事商业活动，其特殊的身份也给晚清湖南商品经济的发展带来了极大的动力。随着商人自身力量的增长和发展的需要，他们在湖南社会上发挥的影响也日益扩大，促使着湖南社会结构的蜕变，出现了一个新的阶层——绅商阶层。绅商阶层的出现对湖南社会的发展产生过重大影响。

第二，由于湖湘文化精神的影响，近代湖南社会形成了热心于习武从军的民风。湖南民众自古以来习惯于农耕，较少外出经商和从军。鸦片战争后，湖南人就开始醉心军事学、兵法和战争史等的研究。湘军战胜太平天国后，湖南风气更是为之一变，人人以从军习武为光荣，“父兄子弟争荷戈”，湖南人与军队结下了不解之缘，以至有“无湘不成军”的俗语。在近代湖南，这是一种极普遍的社会现象。“湘中自城市及村落尝有少年相聚数人或数十人延请教师，昼夜练习……此风以咸同间为极盛。”[2] 湖广总督张之洞也奏称：“自咸丰初年军兴以后，湘民释耒从戎，转战各省，

① 刘云波，李斌．湖南经济通史：近代卷［M］．长沙：湖南人民出版社，2013：83.

② 湖南调查局．湖南民情风俗报告书：上册［M］．长沙：湖南调查局，1912：35.

湘军几遍寰区[①]。”湘军的兴起，在湖南造成了“士乃嚣然喜言兵事，人颇牧而家孙吴”的特殊社会风气和尚武精神。杨度曾这样描述了湘人乐于从军的景观：“城中一下招兵令，乡中共道从军乐。万幕连屯数日齐，一村传唤千夫诺。农夫释耒只操戈，独子辞亲去流血。父死无尸儿更往，弟魂无返兄逾烈。”[②] 许多普通家庭以军功兴旺发达，不仅一些无业游民乐于习武从军，就是许多农民也纷纷放下犁耙，走出田园，拿起刀枪，走上战场。从此，湖南人和军队结缘，湖南人才也多为军事人才。清代同光之际，湘军的势力几乎蔓延到了全国，湘军成为当时维护国家安全的支柱，足迹遍及大江南北。“国内有事，无役无湘人”，如 1862 年 11 月，湘勇开赴山西。1865 年 3 月，湘乡等壮勇 5000 人，前赴甘肃。1884 年，湖南永州防军赴广西。石达开从湖南转入广西后，刘长佑督带湘军 8000 人入桂，后援桂湘军达 2 万余人。骆秉章奉命援蜀，在湖南招募新军，共有约 11000 人。1876 年左宗棠率 10 万大军进军新疆，军中主要将领都是湘军名将，战士多系湖南籍士兵。从军征战，死生无定，本是普通百姓避之唯恐不及的事，但湖南人却争先恐后，并从旧有的士农工商四民中分离出一个独立的军人群体，成为一种专门的职业，这是湖南社会习气和社会心理的一大变化，以至于影响其后如辛亥革命时期湖南的黄兴、蔡锷、刘揆一、焦达峰、陈作新等一大批人，以从事革命武装斗争为主，成为推翻清政府的主要军事力量。在新民主主义革命时期，湖南所创造的军事奇迹更是震惊中外，在 1955 年授衔的十大元帅中，湖南有 3 位；10 员大将中湖南有 6 位；57 员上将中，湖南有 19 位；在 100 多名中将中，湖南有 45 位。从湘军到辛亥革命的主力新军，到反袁世凯的护国军，到北伐战争的革命军，到国民党的国

① 周秋光，张少利，许德雅，等．湖南社会史：第 2 册［M］．长沙：湖南人民出版社，2013：799.

② 刘晴波．杨度集［M］．长沙：湖南人民出版社，1986：94.

军，到共产党的红军及以后的解放军，无一不证实“无湘不成军”并非杜撰，它确实构成了湖南人现象的特征之一。

第三，湖南社会风俗开始变为追求奢靡，注重享受。湘军中上级军官在征战中掠夺了大量财富，这些财富一部分被他们用来享乐，尤其是军功绅士挥霍无度的奢侈之风，败坏了社会风气，使有用之财虚掷于无用的奢靡淫乐之中。他们的奢华生活促使当时湖南民众相互攀比，奢靡之风盛极一时。在湘军兴起之前，“荆俗敦朴，自古志之耕农之余，游闲甚少，金玉纂组雕文刻镂里老相传数十年”；但是，自军功绅士成批涌现之后，长沙府县之人则“衣必绮罗，出必舆马，宴客必珍味，居处必雕几，故近市镇而拥素封者间亦有之”，“湖湘间宾客宴集供鱼清羹，则众皆退用五簋者，皆数十年前事。士大夫宴客珍馐交罗，竞为丰胜，有一食至费数金者，而婚葬为尤甚”。[①] 在湘潭“及寇平，诸将拥资还，博戏倡优，相高以侈糜。尝一度输银至巨万，明日举典商部帖尝之，传以为豪。未十年，簪无余矣”[②]。不事经营，一味追求个人享受，这在军功绅士几乎是极为普遍的现象，使得湖南昔日俭朴持家、力耕以食的社会风气荡然无存。奢靡与享乐之风的盛行，既虚掷了大量有限的社会资财，又不能促进当地社会经济的繁荣，不能为社会创造财富，增加就业门路，反而败坏了社会风气，滋长了好逸恶劳，奢侈享受的不良之风。这种风俗的改变在人们生活的各个方面都可以看到。

在婚姻方面，人们竞相攀比，奢靡之风遍及全省，如郴州“婚礼因富室相耀，渐次奢华，戚友族里致贺，上宾留至数日，每日数十席不等，筵席必极丰盛，否则以鄙啬相嗤。大杯劝饮，尽兴始撤”。永定县“惟妆奁……竞尚华靡，力足者动费千金，即力不

① 刘采邦，张延珂．长沙县志：风土［A］．刻本．1874（清同治十三年）．湖南省图书馆藏．

② 陈嘉榆，王闿运．湘潭县志：风俗［A］．刻本．1889（清光绪十五年）．湖南省图书馆藏．

足者亦转相效尤，至鬻田以偿所费”[①]。醴陵“近时婚娶浮靡颇甚。遣嫁者夸饰装（妆）奁，娶妇者侈陈肴馔，常有竭数载经营之力，博亲戚顷刻之欢，相尚以财，渐染成俗”[②]。石门县“咸同以来贫富相效有破产嫁其子者，民穷而俗益侈”[③]。巴陵县“中等之家亦彼此相效为观美装。郎须寒暑衣服，女更倍之，绫缎远求京扬，珠翠争夸新样，一切器具备极精工，除婢女外，尚有奁钱数十千、数百千不等。富者即侈费，固绰有余裕，中户亦欲争夸，遂有典田鬻产以资奁仪者”[④]。由于攀比之风盛行，使得中下阶层特别是贫困之家艰于措办，无力承担巨额的婚奁，碍于面子又不得不倾其所有，其直接结果就是“育女苦于陪累，不仁者遂作溺女之计”。“娶妇艰于闹阔，贫寒者不免旷鳏之虞，至不得已为权宜之计：血盆抱养，谓之‘婆养媳’；……虽于婚礼稍失，是亦救时之策也。”[⑤]

在丧葬方面，丧礼以前“遵朱子《家礼》，从简而易行”，咸同后大变，主要表现一是从奢，如醴陵“富家葬费，动用千金、数百金不等，则群以为俭其亲”[⑥]。二是迷信风水，如新化“亦有溺于风水，旷年不葬者；更有贪人吉壤，或盗墓，或盗窨，或冒认古坟为祖墓，经年累月，讦控不休者”[⑦]。尤其是为求好的风水，引起各种纠纷，以《醴陵县志》记载为例，为图谋风水，“有以计取之者，有以势夺之者，有以货财诱之者，有以黉夜盗之者，甚至截他人祖坟之脉而葬其父母，且辟自己祖宗之冢而葬其新丧，以亲柩为富贵之资，借葬亲为垄断之策，殃连祸结，暴骸斫棺”。还有的“无

① 万修廉，张序枝．续修永定县志：风俗［A］．刻本．1869（清同治八年）．湖南省图书馆藏．
② 徐淦．江浦光．醴陵县志：风俗［A］．刻本．1870（清同治九年）．湖南省图书馆藏．
③ 闫镇珩．石门县志：风俗［A］．刻本．1889（清光绪十五年）．湖南省图书馆藏．
④ 严鸣琦，潘兆奎，吴敏树．巴陵县志：风俗［A］．刻本．1872（清同治十一年）．湖南省图书馆藏．
⑤ 同④．
⑥ 徐淦．江浦光．醴陵县志：风俗［A］．刻本．1870（清同治九年）．湖南省图书馆藏．
⑦ 关培均．刘洪泽．新化县志：风俗［A］刻本．1872（清同治十一年）．湖南省图书馆藏．

故而自掘其祖骸易葬他所”，导致“争山冢坟之案，无岁无之”[①]。

在文艺方面主要表现为促进了戏剧的繁荣。无论城乡，凡遇到年节庙祝、迎神赛会、吉庆婚丧、酬神宴客及农闲季节等，都要招请戏班演戏，男女老少，群趋往观。“郭外各村，于二、八月间，递相演唱，农叟渔父，聚以为欢”，“高台演唱，男妇纷来，习以为常”。在较大的城镇，演戏看戏则更属盛况，演唱戏剧之风在湖南大兴，百姓士绅皆以观戏演唱为乐。“每逢喜庆，聚亲会友，以此侑觞，资为笑乐，一时社会靡然成风。缙绅子弟研习演唱，初时不过集合问道于家中为之，继而且相率粉墨登场，实际表演，遂开票友彩唱之端”，导致“咸丰、同治之交，湖南弹腔大为发展”[②]。遇有酬神庙会更是连日演唱，人们群趋观看，乐此不疲。据岳阳《巴陵县志》记载，因时人竞演小戏，农月不止，致使各地“村儿教习成班，宛同优子，荒弃学业……”[③]。在清末，巴陵戏出现了兴盛的景况，著名的专业科班和班社有“巴陵十三块牌”“巴陵十八班”，从艺人员达800余人，业余科班和班社遍及城乡，茶楼酒肆，围唱不绝；他们活动的范围广及湘、鄂、赣三省。[④]咸丰、同治年间，不但戏班大为发展，而且培训戏曲人才的科班，也如雨后春笋般兴起。

① 徐淦．江浦光．醴陵县志：风俗[A]．刻本．1870(清同治九年)．湖南省图书馆藏．

② 龙华．湖南戏曲史稿[M]．长沙：湖南大学出版社，1988：24.

③ 严鸣琦，潘兆奎，吴敏树．巴陵县志：风俗[A]．刻本．1872(清同治十一年)．湖南省图书馆藏．

④ 湖南省岳阳市政协文史资料委员会．岳阳百年大事记(1840—1949)[M]．北京：国际展望出版社，1992：97.

第四章

近代湖湘文化精神与近代中国文化

20世纪80年代以来，由于受到西方中国史研究特别是美国中国近代史研究的方法论演变的影响，以及史学自身发展的需要，史学界对整体、线性的中国史研究和精英研究进行反思，区域史由此而兴起，其理论路径主要是从中国不同地方的角度来阐释历史变迁过程中的不同侧面，单一化的中国近代史研究是史学研究进行深化和细化的重点，正如有学者指出："由于中国幅员广阔，各地区的经济、政治、文化发展不平衡，区域特征各异，史学界日益感到划分若干易于把握的区域空间，进行深入研究，是推动全国通史、断代史、专门史向深度和广度进展的一个有效途径。"①尽管在区域史的理论前提和方法论上，学术界仍然存在诸多争议，但正是在这种学术自身动力和现实因素的推动之下，区域史研究成为了更真实与更详细理解和分析近代中国社会与文化整体变迁的重要范式。

区域社会史与文化史的兴起在某种意义上是为了弥补和细化以往中国史研究的整体化和单一性，即在空间上确定"区域"的特征来研究历史社会文化变迁的具体过程以及体现于其中的人与人、人与社会丰富多样的关系，但由此而来的一个问题是，过分强调区域史研究前提的"区域"性特征便会带来一个后果，即将整体之下的部分独立化，因之而产生现在很多学者所批判的中国史研究的碎片化问题，也即只见局部，不见整体，史学研究越来越趋向于文学化的琐碎白描。所谓"区域"，应该是存在于整体社会之中的"区域"，"区域"之所以存在的前提，是整体的存在，脱离了整体的"区域"便不再成为"区域"。因此，区域史研究不能脱离对整体社会与区域社会之间关系的研究。区域是整体之下的区域，对于中国这样一个地域广阔，但长期处于中央王朝集权式统治的国家而言，各地方由于地理环境、民族、人口等因素的

① 隗瀛涛．四川近代史稿［M］．成都：四川人民出版社，1990：2.

不同构成了区域性的特征，但由于是在中央王朝统一之下，其在政治、文化、经济等社会因素的变迁方向和态势是大体一致的，不可能脱离整体社会发展变迁的方向。而在具体变迁过程和微观方面，由于上述因素的不同，各地方在接受中央政府的政令、制度等各方面政策也会出现差异，这种差异表现出社会经济文化发展进程的不一致，变迁态势的细微不同等，但不可能脱离国家整体发展的一致。因此，在区域史研究中，特性的研究是以共性作为前提的，脱离了共性的特性研究则失去了其意义。区域史研究不仅要深化和细化区域特征在整体共性之下表现的不同，更要深入探讨特性变化与整体变迁之间的关系。从深化近代湖湘文化的角度来看，其变迁动力、态势、表现无不深受近代中国文化转型之影响。正如郑大华指出："我们要进一步深化近代湖湘文化的研究，首先就必须把它放在近代中国文化这一大背景中加以考察，以厘清它与近代中国文化的互动关系，亦即近代中国文化的变动、转型与发展是怎样影响和制约近代湖湘文化的变动、转型与发展的，近代湖湘文化的变动、转型与发展又对近代中国文化的变动、转型与发展产生了什么影响。"①

一、近代中国文化影响和制约下的近代湖湘文化精神

湖湘文化的近代化是一个历史发展过程，它发生在中国社会文化近代化这一大的历史背景下，同时也是近代中国文化整体之下极具地方特色的一个单元，具有中国文化近代化发展过程的一般特点。作为现代中国文化单元的湖湘文化，其发展变迁的本质是离不开中国近代文化变迁的影响和制约的，近代湖湘文化精神

① 郑大华．中国近代思想史学术前沿诸问题［M］．长沙：湖南师范大学出版社，2012：44.

也随着近代中国文化的变迁而表现出不同的外在形态，赋予每一个社会时期湖南人不同的精神气质。

1. 近代中国文化变迁的历程决定着近代湖湘文化的发展历程

关于近代中国文化发展变迁的历程，学界有不同的看法，如郑大华指出："依据文化的性质及其表现形态，这一时期的近代中国文化大致经历了三个发展阶段，即资产阶级新文化的萌发或准备阶段（从 1840 年的鸦片战争到 1895 年的中日甲午战争）、资产阶级新文化的形成发展阶段（从 1895 年的甲午战争到 1919 年的五四运动）和无产阶级新文化的形成发展阶段（从 1919 年的五四运动到 1949 年中华人民共和国的成立）。"[①] 汪林茂指出，晚清是近代文化初步成型并且初具规模和形态，构建比较完整的体系的时期，在这个意义上"当今的现代文化大厦，正是在此基础上建立并发展起来的"。晚清的文化运动，"几乎浓缩了数百年西方文化史的内容，浮光掠影般地走过了西方数百年文化史的历程"[②]。他把晚清文化转型分为四个阶段：第一阶段（19 世纪初至 19 世纪 50 年代末）是近代文化的萌发阶段，第二阶段（19 世纪 60 年代至甲午战争前）是近代文化的初兴阶段，第三阶段（甲午战争后至 1900 年）是近代文化的发展阶段，是自觉的文化运动时期，第四阶段（1901 年至 1911 年）是民族新文化建设时期。尽管学界对于近代文化变迁发展历程看法不一，但总体来看，由于嘉道时期中国传统社会已经出现了与之前截然不同的社会危机，中西之间的交流日渐频密，这种社会危机是传统社会范畴内无法解决的，加之当时中国传统世界观和周边国家秩序遭受到了西方越来越大的冲击，在这种大裂变的时代背景之下，文化观念发展出现了一

① 郑大华．中国近代思想史学术前沿诸问题［M］．长沙：湖南师范大学出版社，2012：44.

② 汪林茂．晚清文化史［M］．北京：人民出版社，2005：6.

些与传统文化不同的因素。因此，研究近代中国文化变迁，其起始不应拘泥于以鸦片战争为上限，而应在考虑外来冲击对近代文化变迁影响之时，同时去思考在鸦片战争之前的 18 世纪初的中国社会文化发展中是否存在一些引致其后近代中国文化发展变迁的内生性因素；鸦片战争之后，面临着西方带来的武力和文化的侵略，中国文化开始了在与西方文化冲突和融合之下的新变化，出现了“近代化”的缓慢变化；甲午之后，严重的民族危机导致中国人开始逐步产生“民族国家观”，民族复兴伴随着学习西方资本主义制度兴起，近代中国文化转向以西方资本主义文化为核心的变迁态势；新文化运动之中，由于第一次世界大战和俄国十月革命的影响，近代中国文化开始出现了真正的自觉自为的发展趋势。这是近代中国文化发展的四个基本阶段。

与近代中国文化发展历程基本一致，近代湖湘文化发展也基本遵循这一过程。文化的发展遵循着社会发展的客观规律，呈整体前进发展趋势，尽管其过程中总是充满着曲折和波澜。文化特别是观念文化包含着人们对现存社会的批判和对未来社会的向往，指示着社会前进的方向，因而常常走在现实社会运动的前头，对整个社会的发展起着引领作用。文化的这种引领作用对于湖湘文化来说十分突出。嘉道之时的中国社会存在的内外危机使得深受湖湘文化精神熏染的湖南士人开始逐步突破明清以来学术上的弊端和局限，表现出强烈的忧患意识和事功价值趋向，嘉道经世派由此而兴起。他们在认知模式和价值观念上虽然没有突破传统文化的束缚，但已经开始以湖湘文化精神来指导自身的社会实践，以之来改造社会和人心。鸦片战争之后晚清中国的近代化转型，是在西方文化的输入过程中发生的，因而沿海地区的广东、福建、浙江、江苏最早受到西方文明的影响，而最早进入到近代化文化转型的过程中，被视之为近代中国文化变迁与转型的锋面。19 世纪中叶开始，中国社会面临着数千年未有之变局，逐渐由封建社会向半殖民地半封建社会过渡。中国社会的这一变化在当时并未体现为社会的进步，当然它更不是国人自动选择的结果而是为外力所迫。在近代中国文化转向“近代化”之后，湖湘文化也开始向近代化发轫，作为湖湘文化精神载体的湖南人在应对太平天国农民革命以及三千年未有之大变局时以强烈的忧患意识将所学应用于事功，开创了近代中国历史上第一次现代化改革运动——洋务运动。甲午之后，中华民族面临着严重危机，现代民族国家观念产生，民族复兴思潮发轫，受此影响，湖湘文化再次趋新，而成为当时维新变法运动之中领全国风气之先的省份。新文化运动之中，湖湘文化也随着近代中国文化变迁而表现出强烈的文化自觉自为意识，湖湘学人自从接受了马克思主义，便义无反顾地沿着马克思主义的方向探索中国社会的发展道路和文化发展道路。从此可以看出，近代湖湘文化作为近代中国文化的一个地域单元，其变迁发展的态势是受到近代中国文化变迁的影响和制约的。

2. 近代中国文化影响和制约着近代湖湘文化的结构变化

近代中国文化的变迁总体上来讲是一种被动的近代化变迁过程，与西方资本主义兴起和近代化的内生性不同，中国传统文化的近代化是在西方强大压力之下所产生，但同时也必须认识到传统文化观念在中国文化近代化中的重要影响，应该这样说，“中国文化的近代化过程，就是一个以中国传统价值观念为前提、动力，进而推动中国文化近代化的过程”，这是近代中国文化发展变迁的最大特点。从文化结构变化的角度来看，晚清时期，“西学的冲击，一方面激活了传统中学的文化因素，使之与时代的变动相结合，形成互动，追随时代进步的风向；另一方面，西方文化本身的科学和民主因素也逐步纳入中国传统文化之内，构成了晚清社会文化由旧趋新的基质”[①]。而到了民国之后，“中国以封建性为核

① 王先明. 中国近代社会文化史论［M］. 北京：人民出版社，2000：198.

心和主体的传统文化精神，到 19 世纪已不可避免地面临整体性危机，尤其是受到世界性的现代文化精神的全面挑战，因而中国文化各领域、各层面的话语构造及符号系统也都从根本上发生着动摇、断裂、崩溃、重组和转型等”[①]。与之相适应的是近代湖湘文化发展也同样如此。对于鸦片战争后中国所面临西方文化所带来的严重危机，湖湘士人以湖湘文化精神的敏锐开始了向西方学习的历程，近代湖湘文化精神的杰出代表魏源，即是在当时对待西方普遍愚昧认知之时，开创性地提出“师夷长技以制夷”。这一主张是后来深为人诟病的“中体西用”的先声与发源，他将师夷与制夷结合起来，在当时的时代背景之下提出了一条有效解决中国问题的途径。虽然其所学习西方的长技主要指西方的先进的科学技术和军事，师夷也只是作为制夷的手段，但近代中国文化中价值观念与认知模式一旦发生此种变化，那么，文化结构中就会不断出现否定自身存在的新的因素，向西方学习的脚步就不会停止而是将不断向纵深拓展，而随着这一拓展，“师夷”也不会仅仅停留在手段层面而必将逐渐转化为目的本身。从这样一个角度看，湖湘文化精神赋予魏源的在社会危机之时所提供的并不仅仅只是一种政治主张，更是一种文化主张，这一文化主张指示了近代中国文化结构变化的方向，也即不断引入西方文化近代化的因素。其后由湘军集团所推动的洋务运动，五四之后湘籍无产阶级革命家群体的兴起，其在文化上的整体路径与结构重建都是遵循近代中国文化转型模式。整体来说，近代中国的文化转型是在不断地自我更新与创造中进行，这种更新与创造以中国文化的主体性为基础，不断引入被视之为具有“现代性”的西方文化中的因素，从而最终改变了中国文化的面貌，促成了传统文化的现代转型。

① 郝雨．中国现代文化的发生与传播——关于五四新文化运动的传播学研究［M］．上海：上海大学出版社，2002：6.

3. 近代中国文化变迁影响和制约着近代湖湘文化的形成和内容

文化是人类社会独有的社会实践活动，在文化发展变迁过程中，人作为社会实践活动的主体不断重新认识人与自然、人与社会、人与人的关系，在认知模式和价值观念上不断演新，体现出文化的不断进步性和创造性。嘉道时期，虽然严重的社会危机和中国与西方交流的日渐频密，使得中国人在认知模式和价值观念上出现了新变化的可能，但终究没有超脱传统文化的范畴。鸦片战争之后，西方文化冲击日益造成中国文化生存的危机，在这种背景之下，中国文化才出现文化自觉自为的可能，在认知模式和价值观念上有新的突破。文化发展变迁方向与社会发展变迁方向一致，但又表现出在某种程度上的自主性。总体而言，近代以来，中华民族的历史任务是求得民族独立、人民解放和国家富强、人民富裕，近代中国文化的发展变迁方向也是与此一致。“近代中国文化是在中西文化的冲突与融合过程中、在新旧文化的斗争与调适过程中形成的，实现民族独立（救亡图存）和社会进步（科学与民主）始终是近代中国人文化的追求目标和主要内容。”[①] 湖湘文化的近代化及其主要内容也不外如此。

经世致用是中国传统文化中的优良传统，虽有清一代，乾嘉考据学盛行，但嘉道时期由于严重的社会危机和中国与西方交流的日渐频密，支离破碎、脱离社会经济民生的学术风气发生改变，今文经学复兴，经世致用思潮重新抬头，中国社会处于大变动的前夕，这时涌现了一大批在学术和政治上都颇有影响的湖南学者，在湖湘文化精神的指引之下，这批学者以强烈的忧患意识在学术上批判乾嘉学术和理学，主张为学重在经世致用，在政治上主张改革弊政，如改革漕政、盐政，抑制兼并，防止白银外流等，这

① 郑大华．中国近代思想史学术前沿诸问题［M］．长沙：湖南师范大学出版社，2012：44.

些人以汤鹏、唐鉴、魏源、贺长龄为代表，这是一批学术旨趣相同，政治倾向较为一致，同时互为师友互为乡党互为同事的湖湘学人，也可视为一个学术群体。他们的共同学术特征和群体联系，在认知模式和价值观念上发生的新变化，可以说，为其后湖湘文化的近代化奠定了基础。反对繁琐空疏的汉宋之学，主张社会改革反对西方的侵略，这是以汤鹏、魏源为代表的古近之变的湖南知识分子的主要思想特征和内容，也可说是近代湖湘文化的主要内容。鸦片战争之后，经世思潮伴随着西风东渐，促使湖湘士人逐渐把注意力转移到如何以有效方式应对当前变局上来。于是人们的认知模式和价值观念都急剧地反映到社会发展的需要上来，即制夷与求强，湖湘文化中的事功化价值取向进一步得以加强，学人以社会现实的需要为自己的目标，这些社会任务和现实环境的变化都使得近代中国文化和湖湘文化加速向现实的社会目标集聚，文化不再像过往那样或是高高在上地对社会进行俯视和“遥控”，或是寄希望于人们通过内省而发挥影响，而是直接实现了与社会的沟通。作为中国文化的一部分，湖湘文化强烈地表现出介入现实社会的功能，集中反映出近代中国文化发展变化的主题，实现民族独立（救亡图存）和社会进步（科学与民主）。综观魏源的“师夷长技以制夷”的主张，湘军集团在魏源思想基础上的中体西用，并以之来促成近代中国的第一次现代化改革运动，维新运动中湖南在面对民族危机之时的更加激进，这都说明近代以来的湖湘文化已具有相当明确的社会意识和行动自觉，即要完成近代中国文化转型的主要任务。新文化运动尤其是五四运动之后，由于“救亡压倒启蒙”，中国社会改造（革命）运动进入一个全新阶段，近代湖湘文化也为之一变，强烈的忧患意识和事功化的价值取向使得五四之后的湖南人更加自觉和积极地为社会政治运动服务，甚至其本身也构成了这一社会政治运动的组成部分。湖湘学人在新文化运动中并非主角，他们对传统文化的批判也没有达到像陈、李、胡那样绝对的地步，但是在后来的岁月里，随着一大批立志改造中国和世界的湖南人在马克思主义指导下迅速革命化，他们在文化上的态度和立场也被赋予了革命的品性。综观近代以来湖湘文化的发展变迁历程，基本反映出近代中国文化发展变迁的主题。

二、近代湖湘文化丰富和推动了近代中国文化的发展

近代湖湘文化是近代中国文化的组成部分，其发展历程、结构变化、内容受到近代中国文化发展变迁的影响和制约，但区域文化有其自身特点，在一般共性之下，区域文化的发展又表现出其变迁态势与其他区域的细微差别，总体而言，近代中国文化发展中，湖湘文化地位经历了由边缘到中心的显著变化，总是走在时代的前列，领全国风气之先，丰富和推动了近代中国文化的发展。

1. 由边缘到中心——湖湘文化地位的演变

近代以前，湖南在全国的地位是“碌碌无所轻重”，湖湘文化虽然源远流长，博大精深，是中华文化中独具地域特色的重要一脉，但其影响主要在学术和思想方面，对湖南社会、政治、经济和民众生活的影响不大，更不用说对整个中国的社会、政治、经济和民众生活的影响了。两宋时期，湖湘文化在全国的地位开始发生改变，这主要与湖湘学派的形成有着直接的关系。周敦颐开创理学，其后胡宏在湖南碧泉书院讲学，传授门徒，吸引了张栻等一大批其后在中国思想史上产生深远影响的学者前来从学，这些学生后来又分别在湖南各地讲学授徒，形成了富有鲜明特色的湖湘学派。同时，湖南书院教育兴盛，岳麓书院、石鼓书院、城南书院等一批在全国享有盛名的书院在这一时期都得以兴盛，形成了所谓“湖湘学术之盛”“潇湘为洙泗，荆蛮为邹鲁”的气象，由此而湖湘地

域的文化地位有了较大改变，从两宋之前的落后的、边缘化的困境中走了出来。近代以后，特别是太平天国农民革命之后，以湘军之兴带动了湖湘文化的兴盛，近代湖湘文化一跃而成为全国最有影响的区域文化之一。杨昌济就曾说过："考之春秋，楚地不到湖南，此后二千余年历史之上亦殊寥寂。……风气闭塞，人才寥落，可想而知。及南北分闱，湘省士风，云兴雷奋。咸、同以还，人才辈出，为各省所难能，古来所未有，此分闱之效也。自是以来，薪尽火传，绵延不绝。近岁革新运动，湘人靡役不从，舍身殉国，前仆后继。固由山国之人气质刚劲，实亦学风所播，志士朋兴。"[①]这段话明确地指出了湖湘文化地位演变的过程与趋势。

这种文化中心地位首先表现为学术思想的兴起与发展，"学术思潮的兴起与发展，是一个文化区域的地位、作用的最重要的标志，它代表着这个区域的文化积累、思想创新的程度和作用，最能综合性反映该地域的文化地位与文化影响"[②]。在历史上，湖南地区虽然有儒学重要发展阶段、理学重要派别的湖湘学，但在全国影响还是十分有限。有清一代，乾嘉汉学是显学，其学术中心主要集中在江苏、浙江、安徽等地。嘉道之后，严重的社会危机和外来威胁使得学术风气和旨趣为之一变，经世之学兴起，不管是理学经世派还是今文经学经世派，其主要大师都集中在湖湘地区。再比如说在近代产生重大影响的王夫之的学术思想，也是因为湘军集团兴起之后，由于宣扬地域文化的需要而得到广泛传播，成为晚清及民国湖南士人和知识分子思想上的渊源之一。正如郭嵩焘所说："将使吾楚之士知有先生之学，求其书读之，以推知诸儒得失，而于斯道盛衰之由、国家乱政之故，皆能默契于心。又将有人焉，广大先生之业，以上溯五子之传，确然有以知先生之学非元明以

① 王兴国．杨昌济文集［M］．长沙：湖南教育出版社，1983：352.
② 朱汉民．中国文化地理格局中的湖湘文化近代化［J］．船山学刊，2014（2）：45-48.

后诸儒所能及也。”[①] 在近代中国历史发展过程之中，湖湘地区也成为社会改造和革命的学术思潮的重要区域，由此可见湖湘文化在近代中国地位的变化。

其次，湖湘文化由边缘走向核心还表现为近代以来所涌现的对近代中国历史发展和社会进程产生重大影响的大量人才群体。湘军的兴起及其成功镇压了太平天国起义，改变了湖南在过去的那种“未尝一为轻重于大局”的状况，戴德诚说：“咸同中兴，江（忠源）、罗（泽南）、彭（玉麟）、李（续宾）诸公，凛凛以血肉之躯当炮石，而曾（国藩）、胡（林翼）巨老，苦心调护诸将，兴起大难而共功名。”[②] 曾国藩、郭嵩焘等人也称湘军的兴起是“湘运之始”。近人谭其骧也说：“清季以来，湖南人才辈出，功业之盛,举世无出其左右。”[③] 这就说明湖南文化的兴盛以及对于湖南和全国的大作用与大影响，是从晚清时期湘军的崛起才真正开始的。而且近代以来湖南人才出现了多元化的趋势，形成了近代湖南社会人才多样化的局面，如著名的数学方面人才丁取忠、黄宗宪、左潜、曾国藩之子曾纪鸿等；外交人才郭嵩焘、曾纪泽等；文史人才王先谦、王闿运、周寿昌、周带钧等。

最后，湖湘文化由边缘走向核心还表现为湖南人的社会心理发生转变，近代以来湖南人变得自信、敢为人先和具有社会责任感。古代湖南由于经济文化落后，在全国各省中的地位是很低的，影响也微不足道。据《汉晋春秋》载：“吴楚之民脆弱寡能，英才大贤不出其土”,说明古代吴楚之地包括湖南在内的地方地位低下，人才缺乏，几乎成了被遗忘的角落；到清初这一地位也没有改变，著名学者刘献廷认为湖南是一个“荒陋之区”，讥讽湖南“无半人

① 郭嵩焘 . 郭嵩焘诗文集［M］. 长沙：岳麓书社，1984：513.
② 张朋园 . 湖南现代化的早期进展（1860—1916）［M］. 长沙：岳麓书社，2002：357.
③ 谭其骧 . 长水粹编［M］. 石家庄：河北教育出版社，2000：312.

堪对语”[①]。一直延续到1840年鸦片战争前,湖南没有出现过几桩足以影响全国局势的大事，湖南人物见于史传者，也是寥若晨星，湖南在当时中国的地位由此可见一斑，这些使湖南历代有识之士深感憋屈。太平天国农民革命爆发后，湖南出现了以曾国藩、左宗棠、胡林翼等为核心的挽救封建统治秩序的湘军集团。湘军经过十多年的奋战取得的最后胜利，终于使湖南人走上中国历史舞台,湖湘文化由此而兴盛。湘军与太平军的战争,在湖南士人看来，不仅仅是维护清政府统治的战争，而是为名教而战，为文化绝续之战，因为湘军的胜利，儒家文化传统得以保存，社会秩序得以维持。所以在此之后,为中国保存文化传统的湖南成为全国的重心，遂有“天下一日不可无湖南”之说。这对湖南以至整个中国往后历史的发展产生了深远的影响，逐渐形成了以天下为己任，敢为天下先的社会心理。

这种社会心理的转变实际上就是一种觉醒了的群体意识及行动。以湘军为自豪，以湖南为骄傲的情绪形成，湖南在全国的地位也为之一变。“振支那者惟湖南，士民勃勃有生气，而可侠可仁者惟湖南”[②],“其可以强天下而保中国者,莫湘人若也”[③],湘军的成就刺激了大批湘人奋发努力、以匡世济民为大志，力图承担社会大任的强烈愿望。“语战绩则曰湘军，语忠义则曰湘士，语以民权而参官权,则亦曰湘人。”[④]“无湖南人不成衙门”之说,几乎流遍全国。这种指画天下的风气，到后来更加突出，影响了后来的湖南人。

① 龙盛运.湘军史稿[M].成都：四川人民出版社，1990：415.
② 湖南省哲学社会科学研究所.唐才常集[M].北京：中华书局，1980：178.
③ 梁启超.饮冰室合集：文集第二册[M].北京：中华书局，1989：66.
④ 同②.

2. 近代湖湘文化的发展丰富和推动了近代中国文化的发展和转型

湖湘文化由边缘走向中心，并在近代中国历史发展过程中产生了重大影响，其主要表现之一就是丰富和推动了近代中国文化的发展和转型。嘉道以来，中国文化由于社会实践基础的新的变化与文化冲突就已经面临着质的转型的可能。这一时期，思想学术上发生的新的变化虽然还没有摆脱传统文化的范畴，但已经蕴含着近代转型内生性因素。从嘉道时期开始，深受湖湘文化精神影响的湖湘学人不断推动着近代中国思想学术上的更新，结合时代历史发展的特点，调适中西文化的冲突与融合，以强烈的责任感和使命感丰富着近代中国文化的新内容，在每一次社会文化变革的潮流中走在时代的前列，引领了近代中国文化的发展，为近代中国文化的转型作出了重要贡献。

湖湘文化形成与发展的特点决定了其文化特质具有封闭保守和兼收并蓄的并存特点。历史上的湖南自然地理环境较为封闭，民风保守，与此同时，移民众多，对于外来文化又能兼收并蓄，因之能形成两宋时期湖湘学派的盛况。由于强烈的忧患意识和事功化的人生价值取向，这就使得湖湘文化其内在学术理路虽然是以理学为根基，但如果遭逢社会大变革，往往是湖南人最早能够提出解决方案，并能突破传统认知模式和价值观念的范畴，开创出文化发展的新路径。嘉道之时，社会危机的加深和中西交流的日渐频密使得当时的湖湘士人就已经认识到传统文化秩序所遭受到的冲击，湖南士人上承王夫之学术精神，他们将传统文化中的经世学术传统发扬光大，“当历史进入嘉道之际后，在日益严重的社会问题刺激下，一些思想较为清醒、敏锐的官僚和士大夫，起而重新倡导因乾嘉汉学的兴起久已‘隐而不彰’的经世治学，使其勃然再兴,蔚为风气,成为一股强大的社会思潮”。[1]在这一时期,湖南文化落后的局面得以改变,湖南学术在中国经世思潮复兴的大环境下涌现出了一大批经世致用的代表人物,如魏源、贺长龄、陶澍、汤鹏等,成为领全国风气之先的区域。其中的杰出代表魏源提出“以《周易》决疑,以《洪范》占变,以《春秋》断事,以《礼》《乐》服制兴教化,以《周官》致太平,以《禹贡》行河,《三百五篇》当谏书,以出使专对,谓之以经术为治术”[2],进而编成《海国图志》这样一部近代思想史上的奇书,以“师夷长技以制夷”开创了近代中国向西方学习的新风,推动了中国近代文化的转型。

继魏源之后,湖湘文化每每能继续在历史发展的不同阶段结合时代主题,走在文化变革的潮流前列。以曾国藩为代表的湘军集团,一方面继续发扬由王夫之传承而来,魏源、贺长龄等人发扬的经世致用学风精神;另一方面又将“师夷长技以制夷”应用于应对当时中国文化由于西方入侵与太平天国农民革命所遭受的主体危机,从一种变化了的认知模式和价值观念转换传统学术思想,曾国藩认识到:“君子之存心也,不敢造次忘艰苦之境,尤不敢狃于所习,自谓无虞。礼俗政教,邦有常典。前贤犹因时适变,不相沿袭……岂有可泥之法,不弊之制?……凡可得而变革者,正赖后贤相时制宜,因应无方,弥缝前世之失,俾日新而月盛。又乌取夫颛己守常,姝姝焉自悦其故迹,终古而不化哉?”[3]正是在这样一种思维模式的指导之下,他以“中体西用”兴起洋务运动,推动了近代中国的现代化改革。甲午之后,国势日颓,民族危机加深,中国文化中激进求新的文化心理日盛,“19 世纪末年开始,国人的改革诉求出现加速趋势,其政治上的表现是由和平改革走向暴力革命;思想文化上的表现是全盘否定传统文化,提

① 郑大华.晚清思想史[M].长沙:湖南师范大学出版社,2005:25.
② 魏源.魏源集[M].北京:中华书局,1976:152.
③ 曾国藩.曾国藩全集:一四[M].长沙:岳麓书社,2011:169.

倡新文化。而就新文化言，先是欧美国家盛行的民主主义大行其道，转瞬间又代之以布尔什维主义。一部中国近代思想史或中国文化史，就体现为这样一个激进化的过程，激进化成了近代中国思想史、文化史的一个特色”[①]。而湖湘文化表现得更为突出。湖南士人由于湖湘文化精神中强烈的忧患意识以及湘军兴起而带来的自豪、使命感而变得更加趋新与激进。正是湖湘文化本身保守与开放并存的特点，湖南人在经历社会激烈变革之时往往容易走向极端，在文化心理和文化构建中也更加激进和偏执。维新运动虽然是由康、梁等岭南文化代表人物所开始，却推动了湖南人在思想文化上的更新丰富。当时谭嗣同虽然属于维新变法阵营的干将，但在维新思想理论上却有别于康有为的今文经学变法理论，而是提出了更为超越的“仁学”理论体系，他创造性地将“仁”和“以太”这两个分属于东西文化的哲学概念进行融合，建立了解释宇宙现象和人类现象的宇宙观；又将西方进化论和传统的公羊三世说结合起来，形成两三世（“逆三世”和“顺三世”）的历史哲学；再加上其“冲决网罗”的现实主义批判哲学，构成了一个独具特色的哲学体系和文化体系，极大地丰富了近代中国文化的发展。辛亥年间，湖南人受事功化的人生价值取向这一近代湖湘文化精神的影响，投身于共和革命之中，涌现了一大批以黄兴、宋教仁、蔡锷等为代表的湘籍革命家，为在中国建立西方资本主义制度文化而做出卓越贡献，尤以宋教仁为代表，其宪政思想虽有脱离中国实际，按图索骥之弊，但对于近代中国文化中引入西方资本主义制度文化中核心的民主、平等思想观念产生了重大影响。新文化运动与五四运动之后，湖南人在文化发展上表现出更为强烈的文化自觉和文化担当，对于中国文化的发展方向与途径提出了科学合理的方案，即在马克思主义理论的指导下，深入分析中国历史

① 许纪霖．二十世纪中国思想史论：上卷［M］．上海：东方出版中心，2000：422.

和中国现实，在准确把握世界发展潮流和文化发展客观规律基础上，提出了建立属于中国的、民族的、科学的、大众的新民主主义文化纲领，为中国新文化的建设指明了方向，直接推动了中国文化的发展与转型。

三、中西文化的冲突与交融下的近代湖湘文化精神

中国文化的近代转型是在中西文化的冲突与交融的大背景下进行的，近代湖湘文化的发展历程也不外如此。近代中国文化转型的最大问题与主题，也即如何处理中国文化主体危机之下的中西文化关系。从自然地理位置来看，近代中国各区域之间接受西方文化冲击并不是一致与同时的，东南沿海地区因为地接外部，最早遭受西方武力入侵，中国最早开放的通商口岸也大多集中于此，所以是接受西方文化冲击最早与最深的区域。而湖南地处内陆，交通不便，商品经济不发达，因而直到 19 世纪 80 年代开放传教，90 年代开放商埠。所以接受西方文化冲击较晚，与东南沿海地区相较呈现出一种迟缓的状态，无论湖南士人和民众，对西方文化的冲击反应只有在甲午之后才有了深刻的变化。同时，正因为湖南地处中部，使之成为中西文化较量、不断碰撞的最激烈场所之一，为湖湘文化在转型中结合西方文化提供了有利条件。因此，分析近代湖湘文化在近代中西文化冲突与交融下的演变大致可以分为两个阶段。

第一阶段是从鸦片战争之后到甲午中日战争前后。此一阶段，湖南相较于传统社会而言对于西方文化态度没有太多实质性的改变，湖湘文化因尊崇理学的地域特色而带来的保守使得湖南人趋向于封闭。鸦片战争发生之后，西方给中国带来的改变基本上集中于东南沿海地区，相去湖南甚远，所以，湖南人并没有对西方

文化有何种直观的感受，湖南士人或许能从官方文告，友人书信或见闻中得知华夷关系已经开始发生改变，堂堂天朝上国竟然被一个不知何处而来的岛夷所打败，这种文化心理的创伤比直观感受来得更深。对于湖南社会普通民众而言，就更是不知西方为何物了。深受湖湘文化精神熏染，且在学术上为今文经学，多年生活在东南沿海一带的湖南人魏源却对西方文化的强大以及对于中国文化的冲击有了直接的体会，开始了对于中国文化的出路的反思。经历过阵痛，才会懂得选择和取舍。魏源对于鸦片战争之后中国文化主体性危机开始有了清醒的认识，如何处理中西文化关系成为了他思想的核心。变化首先从认知模式和价值观念的改变开始。在传统华夷关系中，西方一无是处，而今西方打败中国，带给中国人最直观感受的是先进的军事和科学技术，这并不能证明中国文化就劣于西方文化，从传统认知模式出发，中国文化的主体性不能削弱，是知识分子安身立命的文化命脉，要拯救文化危机，只有引入西方能够使中华民族富强起来的具有近代因素的政治、军事、科技、经济的方法、路径、手段，就是所谓“夷人”的“长技”。这种体用二分的中西文化观开创了中国近代文化在危机之下转型的初始阶段。太平天国农民革命兴起之后，久有经世之志的湖南士人开始在更大的历史舞台上发挥重要影响，现实环境的变化使得他们悲哀地发现，传统知识体系和认知模式已经无法应对这三千年未有之大变局，不得不开始理性地抛弃过去保守的文化心态，将魏源的“师夷长技以制夷”发展为“中体西用”，来解决文化危机之下中西文化关系以及文化主体性问题。湘军集团的成功和湖湘文化的兴盛使得越来越多的湖南人开始走出湖南封闭的世界，在与西方日渐加深的交流交往中，他们对于西方的认识也在缓慢发生变化，其中以郭嵩焘为典型代表。

郭嵩焘的中西文化观在湖湘文化的近代转型中具有典型性，也能反映出当时一大批处在传统与现代、中与西之间彷徨迷惑的知识分子的生存状态。郭嵩焘对西方文化的认识并没有停留在之前中体西用、船坚炮利的层面上，他认识到，西方文化是有本有末的，而学习西方，不仅仅要学习西方的物质文明，同时要学习西方的政教风俗。郭嵩焘比较中西文化发展的源流，彻底地批判了传统的夷夏观，认为西方也同样具有文明，同时，他从对中西文化历史发展源流的考证中，得出了“自秦汉以来两千年流极败坏之久，累积之深以至今日”，“中国圣人之教，亦但资之以涂饰文具而已”，“秦汉以后之中国，失其道久矣”，而“西洋立国二千年，政教修明具有本末，可以凌驾而出其上也”[①]的结论。这种以传统文化来比附西方文化的方法，是郭嵩焘提出学习西方思考方式的逻辑基础，其逻辑基点和思维模式是以传统文化比附西方文化，西方的强盛并不是凭借其自身文化所有的特质异于中国，而是西方本身的文化中蕴涵了和中国传统文化内核政教风俗相契合的因子，正是这些与东方文化相一致的思想因素造成了其文明的兴盛，而中国之所以积弱不振而处于衰世，是因为中国没有充分地把这些有利因素发扬光大。“他洞观历史，知道文明取代野蛮，或由野蛮进入文明，这是历史发展的必然趋势，对于这种历史的大趋势，顺之者存，逆之者亡。”[②]这点也正是郭嵩焘作为先知先觉者的根本所在，正因为他有着远较同时代人开阔的眼光，“所以他才敢于置‘区区世俗之毁誉’于不顾，毅然承担起‘以先知觉后知，以先觉觉后觉’的历史使命”[③]。究其根源，杨念群指出郭嵩焘成为悲剧性人格的原始根源在于湘学传统中以心势主客体认知关系链为背景的思维取向，限制了他对深层文化心理变动的开掘，从而使他的主体价值变更理论从本质上讲没有任何新意，其立论的基点及其价值仍是所谓器变道不变。郭嵩焘付出了沉重代价的以变

① 郭嵩焘．郭嵩焘日记：第三卷［M］．长沙：岳麓书社，1983：202.
② 王兴国．郭嵩焘评传［M］．南京：南京大学出版社，1998：690.
③ 同② 269.

通正教风俗为治国之本的理论，其实质恰恰是和中体西用的认知模式在最深的心理层次上达到了十分默契的谐应，郭嵩焘无可挽回地陷入了被传统文化心理精心构筑起来的思维怪圈中。郭嵩焘最大的悲剧并不在于他本身想成为西方民主自由的传播者而殉道，而在于他深深寄情于以往非民主的专制盛世时恰恰是以西方民主制度的思想播火者姿态出现的。尽管郭氏的民本观念与西方民主观念相去天壤，当恢复原初政教风俗的浪漫遐想借助郭氏的特殊阅历而被不自觉地披上了崇尚西学的外衣时，郭嵩焘对儒学基本价值颇具历史意义的认同，就易为世人所忽略，而仅仅成为他个人心底的不屈的呐喊。这种一往直前义无反顾的对儒学基本价值的深层追求，却屡屡为儒学卫道士们所诟病。到甲午之后，湖湘士人的文化观更为激烈，湖湘文化也面临着艰难转型。这种转型实际上也是以传统文化的认知模式和价值观念去想象西方文化中能适应和适合自身文化土壤的因素。谭嗣同把康有为“全变”“速变”的今文经学主张结合西学进行了激烈的演绎，他认为中国两千余年的政治体制都是“秦政”，“秦政”就是所谓的强盗政治；两千年的“学”是“荀学”，是乡愿，而且两者狼狈为奸，因此不但专制政体要改变，思想传统也要全变。为此他提出冲决一切网罗，和传统观念实行最彻底决裂。谭嗣同具有的这种时人少有的激进态度，使他成了“当时激进派的最高的代表”[1]。表面上看谭嗣同是对传统文化提出了彻底的批判，但实际上他的思维模式与价值观念还是与郭嵩焘如出一辙，只是更为激烈而已。

在此一阶段，湖湘士人经历着痛苦的文化抉择，湖南人在历史发展中与西方的接触也日渐频密。湖南社会旧有的保守心态和湘军集团的功绩强化了湖南社会在面对西方文化时的抗拒和排斥。有学者指出“甲午战争前，湖南没有产生一位早期维新思想

① 许纪霖．二十世纪中国思想史论：上卷［M］．上海：东方出版中心，2000：417.

家，没有创办一所新式学堂，一份新式报纸，一个真正的近代企业”[①]，在19世纪90年代以前，湖南既没有通商口岸，也没有外资工厂，还没有出现民族资本的新式企业，也没有像模像样的新式工矿企业和学堂。曾国藩在当时可以说是湖南的精神领袖，但是他在1872年逝世后灵柩以轮船运抵长沙，湖南官绅竟抵制其入境，足可证明湖南人的顽固保守，所以当时有人记载："湖南之阻矿务，阻电线，以天子之尊，不能举一事。官湖南者动色相戒，噤口不敢谈洋务。"[②] 总之，湖南在维新运动前"独以疾恶洋务名于地球"，正如英国人马歇尔·布朗荷所说的那样，湖南成为维护传统、抵制西方的坚强堡垒："多年以来，它（湖南）是大陆腹地中一座紧闭的城堡因而也是一个无与匹敌的，特别引人注意的省份。中国的保守主义，以及对于所有外国事务的反感，都在这儿集中起来了。""在中国其他各省向传教士和商人开放很久以后，湖南人继续吹嘘没有一个外国人胆敢进入他们的省境。"[③]

甲午之后是湖湘文化与西方文化关系演变的第二阶段。甲午战争中国的战败，特别是湘军出关一触即溃，其后马关之辱给予湖南人严重的打击；甲午之前，"湘中向不与外人通，读书积古之儒，几至耻闻洋务，西人所谓守旧之党莫湘人若也"。[④] 由甲午湘军战败而来的强烈的自责心理和湘军历史的骄傲自豪更激发了湖南人的救亡心态，以一种激烈的方式投身于社会变革与革命的大浪潮中。湖南维新运动时期"风气之开，几为各行省冠"，连梁启超也叹道"近岁以来，官与绅一气，士与民一心，百废具举，异于他日。其可以强天下而保中国者，莫湘人若也"[⑤]！其后谭嗣同更以一种

① 郑焱．近代湖湘文化概论［M］．长沙：湖南师范大学出版社，1996：61.
② 蔡尚思，方行．谭嗣同全集［M］．北京：中华书局，1981：205.
③ 周锡瑞．改良与革命——辛亥革命在两湖［M］．杨慎之，译．北京：中华书局，1982：39.
④ 许顺富．湖南绅士与晚清政治变迁［M］．长沙：湖南人民出版社，2004：188.
⑤ 梁启超．饮冰室合集：文集第二册［M］．北京：中华书局，1989：66.

壮烈的心态以身血祭戊戌变法。近代中国每次社会变革和政治革命都可以看到诸多湖南人杀身成仁、九死不悔的身影。从清末会党反清起义、同盟会的反清斗争、辛亥革命，到第一、二次国内革命战争，再到抗日战争，湖南知识分子及民众的血性、气节以及受湘军影响的自豪感都在中国近代历史的长河中展现得淋漓尽致。同时，甲午之后中国教育制度变革，新式学堂兴起，留学之风盛行，湖南有识之士成批走出湖南，走向中国，走向世界。他们或则公费，或则自费，或则勤工俭学，大量涌入日本和欧美资本主义国家，他们如饥似渴地学习，学习西方文化制度，在中国社会变革中发挥了重要作用。湖南自 1898 年戊戌新政时期决定选派学生 50 名赴日留学，但新政旋即取消，留学就此搁置。留学生的大规模增加是在 20 世纪最初几年，湖南留学运动的兴起使得湖南知识分子开始更为广泛和深刻地了解和学习西方文化，在更高级的层次、更广泛的范围和更复杂途径上开启了向西方学习的大门。其后湖南人对西方文化的认知模式更发生了深刻的转变。一是更为集中地把学习西方文化的重心放在了政治制度与思想观念上，如宋教仁在辛亥之后宣扬的“宪政”思想；二是在新文化运动之后，近代湖湘文化开始更深刻地与西方文化的融合。特别是马克思主义传入中国，毛泽东以湖湘文化精神的特质创造性地提出了马克思主义中国化的命题，既有对于社会发展客观规律的把握，同时也不放弃对于中国文化主体的坚守，走出了一条中西文化融合和谐的发展转型路径。

四、近代湖湘文化与其他地域文化的比较

近代湖湘文化是近代中国文化整体之下的一个局部，中国是

一个地域辽阔的国家，长期以来由于地区之间的民族、地理、经济社会发展之间的差异也形成了特色各异的地域文化，就湖湘文化研究而言，“只有通过与其他区域文化的比较，我们才能对近代湖湘文化在近代中国文化中的地位和作用有更清楚的认识，也才能更准确地把握近代湖湘文化的特征”[①]。近代以来,在中国社会文化发展中有着重要地位和影响的地域文化就是岭南文化、江浙文化和湖湘文化，这三大文化所影响的区域在近代历史上涌现出许多杰出历史人物，对近代中国文化和中国历史发展产生了深远影响。

1. 近代岭南文化的特点

从文化生态学角度来看，每一区域文化的形成与其独特的生态环境有着直接的关系，它们之间互相影响、相互制约、互为因果，因而成为相互交往的文化主体从事文化创造、文化传播及其他文化活动的背景和条件。这一由美国文化人类学家朱利安.H. 斯图尔特在 1955 年《文化变迁理论》中提出的理论，能够很好地解释具有地域性差异的特殊文化特征及其文化模式的来源。简约来看，三大地域文化都是中国文化的一个组成部分，都存在中国文化的共性，只是由于地域性特征如自然地理环境、社会民族因素的差异而形成极具地方特色的区域文化系统。

从岭南文化来看，独特的自然地理环境对岭南文化的特征形成具有重要的影响。岭南地处我国南疆边陲，北隔五岭，在交通落后的古代，是一道难以跨越的巨大屏障，极大地限制了古代岭南与中原的沟通；岭南南部为大洋所包围，也基本上是与世隔绝，这样就形成了岭南地区较为封闭的自然地理环境。因之在历史上基本与中原地区隔绝，是比湖南更为边缘化的区域。岭南这种相

① 郑大华 . 中国近代思想史学术前沿诸问题［M］. 长沙：湖南师范大学出版社，2012：46.

对封闭的地理位置，一方面极大地限制了与先进的中原文化的沟通，使得岭南社会经济文化发展缓慢；另一方面，由于中原文化对此区域影响较少，又有利于形成和发展自己民族地方特色的文化系统。但与湖湘地区的封闭不同的是，岭南地区南靠大海，与越南、马来西亚、印度尼西亚、菲律宾等国隔海相望，是我国通往东南亚、大洋洲、中近东和非洲等地区的最近出海处，汉唐时成为中国对外沟通的门户，因之形成北部较为封闭、南部较为开放的半封闭、半开放的自然地理环境。岭南地处热带，气候等自然地理条件一方面较为优越，适合粮食作物和经济作物的种植，且产量较高，农业经济发达；独特的自然地理环境也使得岭南物产丰富，岭南特产的奇珍异宝对域外有着较强的吸引力，因之商品经济发展程度较高。但另外一方面，岭南河流纵横，原始森林茂密，毒蛇猛兽和“瘴疠病毒”多。这样的生态环境，在生产力低下的古代，显得十分恶劣，淮南王刘安谏汉武帝远征岭南说：“南方暑湿，近夏瘴热，暴露水居，蝮蛇蠚生，疾疠多作，看作未刃血，而病死者十之二三。”[①] 恶劣的生存环境，使得外来人难以久居，岭南土著文化只是混合于外来文化，而没有被外来文化消灭。这种较为封闭和恶劣的自然地理环境使得岭南一直是远离中心的边缘地区。梁启超评价广东说：“朝廷以羁縻视之，而广东亦若自外于中国，故就国史上观察广东，则鸡肋而已。”“自百年以前，未尝出一非常之人物，可以为一国之轻重。”[②] 汉之后，随着中原人口和文化向这一区域的推进，逃亡或随军征战等原因，岭南地区的开发逐步加快。到唐朝开元年间，宰相张九龄，主持扩建大庾岭新道，使其成为连同岭南岭北的主要通道，岭南与中原交通阻碍消失，史料就记载：“兹路既开，然后五岭以南人才出矣，财货通矣，

① 韦浩明．潇贺古道历史文化研究［M］．长沙：中南大学出版社，2012：62.
② 刘益．岭南文化的特点及其形成的地理因素［J］．人文地理，1997，12（1）：48−50.

中原之声教日进矣，遐陬之风俗日变矣。”[1] 历史上历次汉人的大举南迁，不仅加快了岭南的开发，并以先进的生产力和文化影响了越族人。同时，历代流人贬官的流放，对提高岭南各地文化素质与文化水平，或多或少出过力，唐代流贬广东有史可考者，流人将近 300 人，降官近 200 人。其中名人士大夫更起到促进的作用，如刘禹锡、寇准、秦观、汤显祖、柳宗元、韩愈等。但岭南地区这一时期尚未出现在全国有影响的人才。2007 年广州市委宣传部为筹备越秀区南粤先贤馆，牵头组织社科院等各方面专家，经过两年的研讨，并向社会公示及广泛征求意见之后，最终确定了生平主要活动发生在辛亥革命以前的 56 位南粤先贤名单。入选人物既包括原籍广东的历史人物，也包括虽非粤籍但在广东有重要影响的历史人物，其中知名的如惠能、洪秀全、容闳、黄遵宪、梁启超、丘濬、邓世昌等，四分之三为近代历史人物，由此可见近代之前岭南地区人才的稀少。

近代岭南文化鲜明的地域特征主要有以下几点：

第一，开放通融、择善而从。岭南独特的自然地理环境使得岭南人才能够最直接地接触和感受到外界的信息和刺激，较少有保守的思想和封闭的心态，不断更新观念，以赶上时代的潮流。从整体上看，晚清岭南人才群体表现出开阔的胸襟和宽容的气度，不僵化保守，故步自封，对于别人所视为“洪水猛兽”的“异端”“邪说”，他们并不是一味地排斥、抗拒，而是以开放的心态兼容并蓄，对待新事物择善而从，甚至照搬，拿来为我所用。这一特征首先表现在对待西方器物的态度上。早在鸦片战争之前，岭南人就由于其较强的开放意识和多元化的观念对待西方的器物持宽容和主动接纳的态度，如当时广州就在洋货消费方面，始终居于全国领先的位置，当然这种情况有广州地理位置，属于唯一与洋商贸易

① 彭长歆．现代性·地方性：岭南城市与建筑的近代转型［M］．上海：同济大学出版社，2012：13.

口岸的原因，但岭南人的这种开放、多元的精神面貌不能不说起到了重要作用。鸦片战争之后，由于中国战败，广州民间的排外情绪高涨，但即使是在广州民间反对外国人入城的情况之下，当时广东人都并没有说要抵制洋货，可以看到一方面是广州民众与洋人的敌对，但另一方面大街上洋货店的商人仍然穿着洋服做买卖，且门庭若市，曾有这样一首诗描述了洋货热销的情景："香珠银钱堆满市，火布羽缎哆哪绒。……壕畔街连西角楼，洋货如山纷杂处。"[①] 广州由于地理的便利，与西方的交流迅捷，19 世纪 50 年代，广州就有了全国最早的洋货店，到 60 年代，广州洋货店里的商品已与西方接轨，当时欧洲流行的工业品，几乎都可以在这些洋货店里看到。在 19 世纪 70 年代，广州城普通百姓家庭开始使用洋布，稍后，西方的一些时髦商品如肥皂、奶糖、洋家具、化妆品等也普遍流行起来。根据《粤海关十年报告》记载："在当地的消费品中，毛巾开始普遍地使用，并淘汰了国产品，据说较大的几种毛巾被广泛地用来做内衣。……洋酒、洋糖、牛奶，甚至沙发、弹簧床等作为新潮商品，在广州市场上也非常畅销。"[②] 此外，洋货中的缝衣针、纽扣、搪瓷制品等日常用品陆续取代国货，成为广州老百姓生活的必需品。而像一些在西方也比较昂贵的奢侈品如留声机、电风扇、电话等新式电器，也在社会中上层之间成为争名逐利的对象。这些都反映了岭南人的开放多元的态度。

第二，重商逐利。传统社会经济一直以自给自足、单一化生产的农业经济为主，以中原正统文化为核心的中国传统文化历来就存在有"重农抑商""贵义贱利"的价值观念，而岭南文化在这一点上与中原传统文化存在比较明显的差异。岭南文化在其发展过程中，受到以中原汉文化为代表的传统文化的深刻影响，但并

① 戴胜德．中国南海海洋文化传［M］．广州：广东经济出版社，2013：355.

② 广州市地方志编纂委员会办公室，广州海关志编纂委员会．近代广州口岸经济社会概况——粤海关报告汇集［M］．广州：暨南大学出版社，1995：405.

没有被这种影响所束缚，而是在很多文化特质上都迥异于中原，对中原传统文化表现出较大的游离性和再创造性。岭南文化的远儒性在整个历史发展过程中都体现得比较明显，特别是在儒学人才的多少方面体现比较突出，说明岭南文化的发展较少受传统文化束缚，利于对各种外来文化的兼容并蓄，并以探索、开拓、进取、革新的精神不断向前发展。远儒性在观念文化方面的突出表现便是重商性，历史上，岭南特别是珠江三角洲一带一直是一个商业贸易比较发达的地区，“崇利”的商品价值观念渗透到岭南社会各个角落。广东尤其是广州、潮州等地，人们逐利之广，上至官僚、地主，下至士子农人，经商活动十分普遍。清代仅潮州一地，“不务农业”的居民就发展到10万户之多，务商在平民中成为令人羡慕的职业。与之相适应，岭南社会的经济结构也向多元化、商品化方向发展。明代时，珠江三角洲就成为商品性农业区，土地经营方式已呈多样化特点，经济作物生产成为最发达的农业部门，以至于明朝中后期，广东在历史上第一次变为缺粮省，农业生产已带有较强的商品性目的。同样，手工业生产也具有相当高的水平，以品种繁多、工艺先进而远销海内外。岭南地区物质生产的多元化、商品化倾向，促进了商业贸易的繁荣。岭南地区由于其地理位置的特殊性使得商人在这一地区拥有较为特殊的地位，他们在经济上拥有强大的实力，并凭借其经济实力积极地参与到政治与社会事务中。首先表现为在洋务运动中粤籍买办发挥了重要作用。晚清岭南经济人才群体积极投身于洋务运动中，他们投入大量资金帮助政府从欧洲购买军舰，并兴办新式学堂，培养技术人才；还有当时洋人在上海所开设的英华书馆、格致书院，都有广东籍买办的参与。晚清岭南经济人才群体还表现出强烈的责任感和使命感，这种责任感和使命感反映在他们对国家民族前途命运的担忧以及强调商人在社会进步中的核心地位上。如广州商人关伯康在《粤商自治会函件初编》的序言中说：“夫商者，农工之枢纽也。塞野时代，出产不富，制造不多，所谓商人，不过通有无，粟易布而已；迨文明进步，出产丰富，器用繁多，万国交通，因利生利，而商人居中控御，骎骎乎握一国之财政权，而农工之有大销场，政界之有大举动，遂悉惟商人是赖。此时虽欲不尊重之也，不可得矣。是以观其国商人地位之尊卑，既可以知其国文野之程度，其有中外之异，今昔之殊哉！”① 从这里可以看出广东商人对自己社会角色和地位的重视，认为商人以其经济力量而应该成为社会中坚，理所应当地要为国家民族的发展而负责。还有在广州、香港的一些报纸上由商人所资助的文人发表的有关商人地位的言论，也大都如此，如《香港华字日报》就曾经发表过一篇《论商人与政治家之关系》，在这篇文章里作者详细地从不同角度比较了商人和政治家的地位作用，最后自豪地说“一国元气惟商人司之”，并发表议论说：“惜乎我国今日，有真商人，而无真政治家。遂令商人日求与官场相交结，意将赖以为护符也。己且损一职官，以自安其心。而官场之视商人，如砧上肉、釜中鱼，为得寸得尺之株求；迨既得商人之实利，则出其虚荣以酬之，初亦未尝不两利。稍后商人知其然而避之，政府眼光亦较明，故三五年来，情形又一变。吾望我国之有志为政治家者，欲连结商人，必先为一二事，为商人造福，商人可以不招而自附。徒为罔之之术，无益也。为商人者，亦宜审视谁有政治家之希望，谁能为商人造福，则亦竭其力而辅之。”②

在岭南文化的影响之下，近代岭南商人群体有着强烈的责任感和使命感，所以他们力图摆脱传统体制下“重农轻商”、商人是贱役的落后观念，利用自身的经济力量积极参与地方事务，在经济、社会、文化、政治各方面都努力扩大自身的影响，从某种意义上

① 周松芳．珠水维新——中华文明的珠江时代［M］．广州：南方日报出版社，2014：182.

② 同① 182-183.

来讲，这些人的活动，在晚清中国社会变迁中，不仅改变了广东，也在一定程度上改变了他们自己。前文已经论述，广东是华侨最多的省份，香港、澳门紧邻广东，往来联络密切。许多广东内地的商号都在南洋、香港和澳门设立了分店，同时也有许多在海外积累了财富的侨商或港澳的华商回广东投资办厂，经营工商业。曾经有在广东经商的外国人认为广东商人："性质之活泼、知识之灵敏、营业心之坚忍、商工业之熟练，实于支那人中别开生面者。"[①] 正是由于岭南文化"重商轻利"的文化价值取向，商人在社会中的地位随着经济实力的增强而不断提高，也更积极地承担社会变革中的重要角色。

随着晚清中国社会裂变速度加快，传统社会秩序和观念日益瓦解，到 20 世纪初，商人的社会地位已由原来的"四民之末"而逐渐在广东成为"四民之首"。岭南商人群体积极地参与政治。在晚清社会激荡变革时期，由于中央权威的逐渐丧失，广东商人群体开始积极参与政治，凭借其雄厚的经济力量及与西方的密切关系，甚至对政权更替产生影响。如武昌起义爆发后，广东的光复就是由于广东商人赞成共和，这种影响甚至到民国之后，广东各种势力交错，地方社会动荡不安，商人为保护自身利益以各种手段干预地方政治，包括直接建立武装力量，以至于民国初年广东的都督、督军、省长，在莅任之初都会接见商界代表，推行重要政策时通常也会召集商人团体领袖征询意见。在晚清中国历次的爱国运动中，广东商人也表现得特别突出，随着阶级意识、民族意识的觉醒，他们把反帝爱国同自身发展、国家富强联系在一起，如当时的商人组织广州总商会及粤商自治会就在 1905 年的反美运动、1907 年反对英国攫夺西江缉捕权的斗争、1908 年抵制日货的运动中起到了领导作用。在反帝爱国运动中，他们开始把保护国

① 方志钦，蒋祖缘．广东通史：近代下册［M］．广州：广东高等教育出版社，2010：250.

内市场，反对外国经济侵略作为了宣传的重心，同普遍发动群众斗争联系在一起，使得广东的民族资本主义经济发展得到了喘息之机。还有像原本就存在和新出现的一些商人团体，只是商人之间沟通信息，互通有无的行会性组织，在广东逐渐发展成为商人维护自己经济、政治利益的组织。比如在 1907 年，在原有的广州七十二行基础之上，商人们建立了粤商自治会，这是一个带有明显政治性自治的团体，成为商人表达集体政治诉求的组织。此后，在晚清广东社会动荡之中，广州商人为了维护自身利益，又建立粤省商团（广州商团）、粤商维持公安会等政治性甚至带有军事性的组织。据统计，广东一省到 1911 年，总计有广州、汕头两个总商会，全省各地还有 60 个商会。这个数字仅次于江苏省，但比较加入商会的商户数，却比江苏还多[①]，这显示了广东商人对参与地方经济政治事务，表达诉求的热情。除了建立各种组织之外，广东的商人还从西方学习到了以报纸来制造舆论、表达诉求的方式。据有学者统计，到 1911 年辛亥革命之前，在广州登记的报纸有 15 种，在商户集中、商人活动频繁的商业区西关一带就有 14 种。[②]这些报纸都是由商户募资，并且由商户推举人选来主持，报纸的宗旨也大都是反映商人团体对于时政大事的态度，表达他们对于经济政治事务的意见，为维护商人团体的利益而鼓吹呐喊，像广州的《七十二行商报》就是广东商界的喉舌，基本上商人团体的意见看法都会首先在此报纸上刊载，它也是近代广东报龄最长的报纸，创办于 1907 年，一直办到 1937 年停刊。除此之外，广东各项地方事务，无论办学、办警、办慈善事业，商人群体都是积极参与，并以此来强化商人在广东地方社会中的领导地位。像晚清时期广州有著名的九大善堂，多数创办于 20 世纪初，这一时期也是广东商人群体力量增长的时期，商人利用善堂干预地方社会

① 邱捷．近代广东商人与广东的早期现代化［J］．广东社会科学，2002（2）：75-82.

② 同①．

生活，强化他们在地方事务中的影响。

第三，开拓进取，勇于创新。岭南地区历史上属“蛮夷之地”，长期与中原中心相隔，隋唐之后逐渐地开发，这种相对于其他区域开发较晚的状况使得岭南人要想获得更大的影响必须突破陈规，创新进取，于荆棘之中破路而出。加之岭南靠海，使得岭南人才自然带有海洋文化中冒险、进取的因子。梁启超就曾说过：“广东于地理上受此天然优胜之感化，其剽悍、活泼、进取、冒险之性质，于中国民族中，稍现一特色焉。……故其人对内竞争力甚薄，而对外竞争力差强。……自明以来，冒万险，犯万难，与地气战，与土蛮战，卒以匹夫而作蛮夷大长于南天者，尚不乏人。”① 这种开拓进取、勇于创新的精神面貌主要表现为岭南地区有大量出洋谋生者。从地理环境来看，岭南地区地濒南海，交通便捷，历史上就有民众漂洋过海，择地而栖，遂成著名侨乡。到晚清时期，由于社会动荡，内地生活困苦，加之海禁已开，交通条件日益发达，到海外谋生者更多，其足迹可以说遍布世界各地，主要去向南洋，后又至美洲。曾任广东巡抚的蒋益澧就曾经在奏折中说：“内地闽粤等省，赴外洋经商者人非不多，如新加坡约有内地十余万人，新老金山约有内地二十余万人，槟榔屿、伽拉巴约有内地数万人。”② 根据首任驻美公使陈兰彬向清廷的汇报，到光绪五年（1879），当时在美华人所设同乡会馆，共有 6 个，包括三邑会馆、阳合会馆、冈州会馆、宁阳会馆、合和会馆、人和会馆，总计人数约 18 万之众，其中绝大部分是广东人。③ 苏州布政使丁日昌上疏建议清廷设领护侨时曾指出：“查闽粤之人，其赴外洋经商佣工者，于暹罗约有三万余人，吕宋约有二三万人，加拉巴约有二万余人，新加坡约有十数万人，槟榔屿约有八九万人，新老金

① 梁启超．饮冰室合集：文集第二册［M］．北京：中华书局，1989：91.

② 宝鋆．筹办夷务始末：同治朝［M］// 沈云龙．近代中国史料丛刊：第 611 册．台北：文海出版社，1966：16.

③ 王锡祺．小方壶斋舆地丛钞［M］．台北：广文书局，1964：57.

山约有二三十万人”[①]，由此可见当时旅美华侨、华工，广东人约占90%。

近代岭南文化的开拓创新还表现在政治上革新。近代社会大变革的环境之下，中国遭受到三千年未有之大变局，面对与中国传统文化截然不同的西方资本主义文化的冲击，如何才能挽救国家民族危机，就必须不能固守成法。晚清岭南人才群体努力寻求救国之良方，所走的路在当时也是开全国风气之先，这种不懈的努力和尝试正是由他们开拓进取、勇于创新的精神品质所驱使的。他们在接受到西方文化强劲辐射的同时，也接触和学习了西方的思想文化。梁启超曾这样说到广东人学习西学的开放精神："广东人旅居外国者最多，皆习见他邦国势之强，政治之美，相形见绌，义愤自生"，"广东言西学最早，其民习于西人游，故不恶之，亦不畏之"[②]。这种勇于开拓、敢于创新的精神品质，造就了晚清岭南人才在政治上一次又一次领全国风气之先。他们善于将传统文化的内核加以更新潮的西方文化尤其是资产阶及民主政治理论的包装，以迎合社会变革的需要，如康有为提出的“大同”说，结合今文经学理论用来指导政治改良，孙中山建立“三民主义”学说推动资产阶级革命等。

2. 近代江浙文化的特点

江浙地区位于中国的东南沿海，在中国几千年历史发展过程之中，该地区绝大多数历史时期都较少经历大规模的战争，从自然地理环境看，江浙地区毗邻宽阔的大海，地域内既无挺拔之高山，亦无奇险之沟壑，有的只是纵横交错的密布水网，总的来说气候温和、雨量充足、土地肥沃，是一个山清水秀、特别适宜于人口

① 宝鋆．筹办夷务始末：同治朝［M］// 沈云龙．近代中国史料丛刊：第 611 册．台北：文海出版社，1966：21.

② 李锦全，吴熙创，冯达文．岭南思想史［M］．广州：广东人民出版社，1993：243.

居住、繁殖的“风水宝地”。江浙地区十分适宜于农耕生产，太湖流域与宁绍平原一带自唐宋以降就是中国的粮仓。物产的相对富裕，使得人们为解决温饱所付出的劳动相对于其他地区来说要少一些，这也使得吴越人比较容易满足，在某种意义上有一种安于现状的惰性。因此，有学者认为：“长期在这种舒适、温润的环境条件下生活的人们，很难不具有和谐、平衡、机敏、细腻的心理和性格特征。”[①] 此外，江浙地区自古商品经济发达，特别是蚕桑生产历史悠久，成为全国丝绸生产的核心区域，百姓生活富足。而在地理上受到传统文化影响呈现出一种中间状态，“比起中原地区来，这里所受封建礼教的桎梏要适当轻些，但比起西南、东北等边远地区来，这里的人们所要遵循的种种‘规矩’毕竟又要多得多。因而表现在文化心理个性上，吴越地区比中原地区要开放、自由、随和、浪漫一些；而比起西南、东北等边远地区来，则又较为循规蹈矩，多一些温文与尔雅，少一些叛逆与挑战”[②]。总体而言，近代江浙文化具有以下几大特征：

第一，近代江浙文化文风鼎盛，自古以来博学崇文。江浙地区历来为中国文风鼎盛之地。江浙地区成为全国文化人才集中之地大致源于宋时，而在明清时期达到鼎盛，潘光旦先生这样说过：“江浙的人文，溯源虽远，但三国以后，才逐渐发皇，东晋以后，更露头角，经过五代以达于南宋，它的重心的地位才算确定；而全盛时期，则在明清两代；浙江因为南宋偏安的关系，在宋元两代已占有领袖的地位。”[③] 尤其是唐末北方中原由于战乱动荡不安，中原许多士族豪门向江南地区迁移，给江南带来了大量的先进技术与文化精华，加快了全国经济文化中心的南移。此时，江南人口急剧增加，成为全国人口高密度区。这种北方向南方的人口流徙，

① 刘云波．江浙文化与湖湘文化比较轮［J］．求索，2006（8）：215−219.
② 同①.
③ 潘乃穆，等．潘光旦文集 9［M］．北京：北京大学出版社，2000：128.

江南经济繁荣逐渐超越北方的状况，必然会为江南文化的鼎盛奠定雄厚的物质基础，当时就有“平江、常、润、湖、杭、明、越，号为士大夫渊薮，天下贤俊多避地于此”[①]的说法。发达的经济与繁荣的文化互为补充，使得江浙民间好学尚文之风成为一种潮流。近代江浙文化转型过程中启蒙知识分子群体多有课艺经古的经历，特别是像冯桂芬、汤寿潜、俞樾、孙诒让、张焕伦、袁希涛等人，都主持过书院教席，在学院转型为学堂的过程中，其经历成为书院课艺向“实学”，乃至“西学”过渡的阅历津梁，加之江浙地处西学传播中心上海，得风气之先，士绅对西学的了解更为便捷。已受过传统教育的士绅再充当学生，接受近代教育，被称之为“再教育者”。城市近代化的地域不平衡性，使清末江浙地区不同等级城市的新式学堂程度高低不一，影响了在堂学生（包括“再教育者”）离异传统迈向近代的步伐。

鸦片战争以后，在近代社会急剧动荡变化时期，这种价值观念仍然没有发生太大的变化。时代裂变所带来的影响在戊戌之前还没有改变晚清人才选拔方式，仍然沿袭着由四书五经—科举—功业的传统模式。江浙人才群体仍然在他们所熟稔的领域里独占鳌头，晚清曾任江苏巡抚的陈夔龙就有这样的说法：“苏浙文风相将……冠盖京师，凡登揆席而跻九列者，半属江南人士父兄之衣钵，乡里之标榜，事甫半而功必倍，实未至而名先归。半生温饱，尽是王曾，年少屐裙，转羞梁灏。不识大魁为天下公器，竟视巍科乃我家故物。”[②]与之相同的，鸦片战争之后，江浙一带依旧是传统学术人才及学术成就最突出的省份之一，在传统学术方面并没有出现衰落的趋势，但由于时代的变化，学术研究的重心已经发生了转变，程朱理学和乾嘉汉学开始逐渐失去其原来的统治地位，今文经学和再图复起的汉学也不得不向西学让位，以致到光绪年

① 朱长文．吴郡图经续记：学校［M］．南京：江苏古籍出版社，1999：12.
② 宋元强．清朝的状元［M］．长春：吉林文史出版社，1992：105.

间“门前冷落车马稀”。

第二，实事求是的学术风气。在晚清中国社会由传统向现代转型过程中，传统学术也开始向现代学术转型，在这一过程中，江浙涌现出了庞大的现代学术人才群体，成为近现代学术重镇，这自然与江浙地区传统的文风鼎盛有着紧密的联系，但与江浙地区历史上就注重所谓“畴人”之学，崇尚实事求是的学风也有着紧密的关系。面对道光朝以后社会、民族危机急迫的现实，浙江的一些汉学家们也开始脱离陈腐的汉学研究，继承和发扬汉学中崇尚客观主义的学术和精神资源，并在传统学术向近代学术转型过程中发挥了重要作用。

鸦片战争之后，在西学东渐的影响之下，江浙地区的传统学术人才日益接触到西方的现代自然和社会科学，这些出自朴学门户的“畴人”学者继承并发扬了乾嘉学派的实证、类比、分析、归纳方法以及怀疑求真、实事求是精神等可与现代西方科学相类似的学术精神和治学方法，开始由原本的对经典的考据训诂，转向对物质世界的研究；从原来汉学研究依附于经学，主要为儒家道德本体哲学服务，转向主要研究那些自然科学知识，以认识客观世界。最为突出的是对西方自然科学的介绍，其中贡献最大的是李善兰。在1852年，李善兰来到上海，虽然不懂外语，但以其强烈的科学精神和对西方自然科学的向往，主动与西方传教士接触合作，他聘请外国传教士口述西方的一些自然科学名作，按照传统学术方式执笔撰写，总共翻译了6种科学著作。其中包括1858年，李善兰与英国传教士伟烈亚力合作翻译《几何原本》后9卷，使欧几里得的数学名著《几何原理》第一次有了完整的中文译本；同一年，李善兰与英国传教士艾约瑟共同翻译《重学》20卷刊行，第一次向中国人介绍了西方经典力学理论体系，并第一次完整地向中国人介绍了牛顿的三大运动定律；大致也是在这一年，他又与英国的传教士韦廉臣、艾约瑟合作翻译了刚刚在西方创立未久的《植物学》，系统地向中国介绍了近代植物分类学说以及细胞学说、植物体各器官生理功能的理论；到 1859 年，李善兰再度与伟烈亚力合作翻译了中国第一部代数学译著《代数学》，另一部中国第一次介绍微积分的译著《代微积拾级》，除此之外，这一年李善兰还与伟烈亚力合作翻译了《谈天》，主要是向中国人介绍自哥白尼开创，后经开普勒发展，牛顿集大成的西方近代天文学知识。李善兰虽然从事的是翻译工作，但同时也是创造性工作，他把西方近代自然科学各学科的奠基之作以中国学术的方式传播到中国，为中国科学从传统向近代发展作出了巨大的贡献。此外，还有一些晚清江浙的学术人才也翻译了诸多的西方科学名作，如出生于归安的晚清秀才张福僖于 19 世纪 50 年代翻译了《光论》，这是中国第一部光学译著；临海人周郇雨与英国人傅兰雅合译的《电学纲目》于 1879 年刊行，这是中国第一部较为系统的经典电磁学译著；其中译著最多的要数浙江慈溪人舒高第和海盐人郑昌棪，他们分别翻译了近 20 种和 16 种西方著作，内容涉及理、医、农、兵、工、政各领域。可以说，这些晚清江浙的学术性人才的译介工作，起到了向中国传播西方科学的桥梁作用，在中国近代科学的创建和发展中起了“筚路蓝缕，以启山林”的作用。

第三，士商相混、义利并重。江浙地区自古以来就是商品经济比较发达的地区，长期以来商品经济的发达使得江浙文化中包含有工商皆本的亲商意识和义利并重的价值观念，也使得这一区域的思想文化呈现出与中国传统主流思想文化显著不同的特色。如宋代的永嘉学派提倡农商一体发展工商业，清代浙东学派强调的个性、个体、能力、功利、重商的基本思想，经过千年的浸染已经渗入江浙人的血液骨髓，反映在近代江浙文化上，表现出一种共同的功利主义的集体气质。近代社会变革之后，西方资本主义的洗礼也使得晚清江浙人才群体这一集体性格更为突出，具体表现为晚清江浙人才群体社会价值取向的多元化。相对于传统社会重农轻商、视经商为贱役的主流价值观念，晚清江浙人才群体认为人的社会价值的实现并非只有传统的为官或为学两途，商场的奋斗也能实现人生价值，这种特殊的价值取向激励越来越多的江浙人才投身于近代工商业，并作出了巨大的成绩，造成了晚清江浙人才群体士商相混的现象。如晚清浙江的两位著名的状元实业家张謇和陆润庠，都是以状元之身份投身于近代实业，并且取得了巨大的成就。还有江浙地区普遍存在的绅商现象，也正是由于商人获得财富后与官僚结合或捐资纳官，又或者是官员投资工商业具有身份和角色的双重性。这样一种社会氛围，使得晚清江浙商人从事工商业并不仅仅是为了赚钱谋利，而更具有一种“实业救国”的精神价值取向。这种思想实际上是把近代中国严重的民族危机与民族经济的发展、个人的富裕同国家的强大联系在一起，颠覆了传统的“重农轻商”这样一种经济伦理。在这种“实业救国”思想的激励之下，江浙地区企业家产生了对国家、民族的使命感和责任感，创办企业不再像传统的那样是“逐利”，而是有了崇高精神追求，是为了国家和民族的富强。如晚清宁波著名企业家竺梅先就曾明确表示，自己创办企业，并不断做大做强并不是为了个人名利财富，而是在此民族国家贫穷积弱之时要为“生产救国”而竭尽全力。[①] 还有当时上海五洲药房总经理项松茂，他就清醒地认识到中国的制药业不能简单地就是进口西药，而是认为“贩售外货，不过拾其余汤残羹，必须振兴实业。自制新药，与外货抗衡，始能堵塞漏卮”[②]，他身体力行从五洲大药房的利润中划拨大量资金，投资创办工厂，研究中国人自己能够生产的新药。再比如曾经做过上海买办的刘鸿生后来在追忆自己投资工业的动机时，他说：“那时我还很年青，虽然口袋里的钞票很多，但我毕

① 中国人民政治协商会议全国委员会文史资料研究委员会．工商经济史料丛刊：第 3 辑［M］．北京：文史资料出版社，1984：174.

② 上海市医药公司，上海市工商行政管理局，上海市社会科学院经济研究所．上海近代西药行业史［M］．上海：上海社会科学院出版社，1988：262.

竟是一个中国人，特别是在短短的买办生涯中，使我感到外国人瞧不起中国人。我觉得中国之所以受气，是因为没有工业，没有科学。因此就想用口袋中的现钞做点事"，"我的宿愿是把所有的火柴制造厂及其有关企业归并在一个庞大的联合公司之中。我力图把这一特殊行业发展成为一个巨型的民族工业……我的这种努力并非出于自私，因为我想，只有用这样的组织手段，我们才能真正地发展和保护我们的民族工业"。[①] 正是在这种"实业救国"思想的推动之下，晚清江浙的经济人才在创办经营近代工商企业的时候有了类似于韦伯所讲"新教伦理"精神力量的推动，把企业经营与国家、民族的命运联系在一起，用强烈的使命感、责任感去不断扩大企业的经营规模。也正是在这种"义利兼重"的价值取向的激励之下，江浙地区企业家从事经济活动非常重视诚信，形成了江浙一带商人多出现"儒商"的现象。"儒商"一般有着较高的文化素质，注重对传统道德和价值的坚守，比如晚清浙江著名红顶商人胡雪岩，在企业经营之时就非常重视以顾客为本，诚实经营，在胡雪岩名下的药店胡庆余堂创办之初，胡雪岩就定下了"以顾客为本"这样一种服务理念，并落实到具体的经营之中，以之来考核店内员工是否合格。胡雪岩经常强调，做生意不仅仅是要追逐利润的最大化，同时还要在经营活动中多为对方、顾客考虑，要能换位思考，要能体谅对方的难处，更要能主动地为对方分忧，他也留下了一句做生意的名言："前半夜想想自己，后半夜想想别人。"胡雪岩认识到做药店生意攸关生死，不能为了谋取利润，用假药来害人，为了让店中伙计掌柜能够做到货真价实、诚信待客，他亲自写了一块"戒欺"匾挂在店中，希望借此来警示店中员工，告诫员工药业是人命关天的行当，不可有欺诈行为，更不能以伪劣药品牟取暴利，希望员工采购药材要地道，加工成

① 上海社会科学院经济研究所．刘鸿生企业史料：下册［M］．上海：上海人民出版社，1981：462-463.

药要精细，不至于蒙骗己又蒙蔽世人，这样才是积“阴德”。这种朴素的“双赢”经营理念，胡雪岩在商场纵横之时从来不敢忘却，使得他在生意场上能够纵横自如、左右逢源，既获取丰厚的利润，也赢得合作伙伴甚至生意对手的赞誉，使自己的生意越做越大。此外像晚清无锡著名实业家荣氏兄弟（荣宗敬、荣德生）在兴办实业过程中提出：吾辈办事业，必先正心诚意，实事求是，庶几有成。正是这种“义利并重”“诚信经营”的精神价值观念，促成晚清江浙人才群体在经济领域取得了巨大成就。

第四，强烈的批判精神。从历史上来看，江浙文化中存在着工商皆本的亲商意识和义利并重等价值观念，这种意识观念使得江浙地区在中国最早树起早期启蒙批判的旗帜，如宋代浙东学派。就其学术观念来看，当时批判的矛头是直指封建儒学绝对化、道德化对人、人性的压抑和束缚，明代以李贽为代表的一批江浙学者就鼓吹人性解放、自作主宰，情欲私利皆人之本性，在政治上顺应明朝中后叶江南商品经济的发展潮流，主张工商皆本，追求社会变革。明末清初社会裂变之时三大思想家中顾炎武、黄宗羲继承了这种江浙人才群体的批判精神，质疑封建君主专制制度对社会进步的阻碍，从某种意义上讲也是一次思想启蒙。这种批判精神被晚清江浙人才群体所继承，他们继承和深化了晚明、清初江浙先辈们对传统价值观念（重义轻利观念、道德主义、禁欲主义、重农轻商观念、重人文轻科学观念等）和君主专制的传统社会政治结构（君权至上、三纲五常、臣民忠于一姓等）的否定，追求人性的解放，发扬了理性主义的近代启蒙价值。嘉道年间，清王朝由盛而衰，一些对社会危机十分敏感的江浙学者开始抛弃保守且脱离社会实际的程朱理学和古文经学，开始应对时代变化，转而以今文经学作为批判社会和改造社会的思想武器。曾在嘉庆末年随外祖父、汉学大家段玉裁研究朴学的龚自珍，感觉时代的变化，腐朽的朴学无法再适应应对现实危机的需要，下定决心“烧尽虫鱼学”，转而治公羊经学。因为公羊经学注重变革，其核心的“变易观”能够为突破旧传统、旧体制提供思想武器，而“微言大义”更能够给启蒙社会思想、批判现实提供载体，因而为他所阐发。其后道光咸丰年间的谭献，适逢西方以武力打开国门、西方文化冲击中国这一大裂变时代，他认为公羊经学中“通三统”“张三世”的主张正符合这一时代变化，为改造社会提供了理论基础，所以“治经必求西汉诸儒微言大义，不屑屑于章句”，“学有体用，又通知时事，于古今上下得失了如指掌”[①]。还有同时代的学者戴望也非常重视今文经学“改制”之义，以圣人的“微言大义”来阐述中国社会已经到了不能不“损益因革”的时代，强调“以为欲求素王之业，太平之治，非宣究其说不可”[②]。晚清江浙今文经学的盛行，无疑是以此作为武器，继承前辈学人对现实社会之批判精神，强调变革的结果。

3. 近代湖湘文化与岭南文化、江浙文化之比较

近代以来，湖湘、岭南、江浙以其极具地方特色的文化精神影响了近代中国文化的发展历程。三者都是中国近代文化的组成部分，都具有中国文化发展的一般共性，但在近代中国历史发展过程之中又各具鲜明特色，在不同时期、不同侧面发挥着各自不同的影响和作用。

在中国文化发展的一般共性之下，地域文化特色的产生归根结底是由自然地理和社会、民族等因素的差异性所导致的认知模式和价值观念的差异。人们在具体的社会实践过程之中，虽然受到国家社会主流思想与官方意识形态的控制和影响，但由于地方性的特点，在理解与接受这种思想观念过程中难免产生地域性的差异。文化是关于人如何认识世界与改造世界以及在此过程之中

① 徐世昌. 清儒学案 四［M］. 北京：中国书店，1990：400.

② 同① 727.

形成的对于自然、社会、人与人关系的认知模式和价值观念，区域文化的出现，并不是由于内在完全独立性因素所导致，而是国家社会文化传统在地方社会因其自身特点的异化，是一种整体性投射在地方中的多元化反映。近代以来，中国遭受几千年未有之大变局，文化主体的危机不断加深，西方文化以强势的地位不断消解着中国文化的正统性与合理性，中国文化近代化的最大问题和主题也即如何在保证文化血脉的同时引进西方文化中先进、合理的因素，促成中国文化的创造性转换。这一时代历史背景，也使得分别具有认知模式和价值观念地方性差异的三大区域文化，面对西方文化的冲突与融合而各自产生多元化反应。同时，也正是这种多元化的反应，刺激着中国文化整体的近代化变迁。

（1）认知模式与价值观念的差异

近代湖湘文化与岭南文化、江浙文化最大的区别，在于事功化的价值取向不同。按照杨念群《儒学的地域化与近代中国知识分子人格的二重取向》的说法，在晚明学术分野之后，为救明代心学空疏之弊，王船山开了以“理”释“势”的经世思潮，即“理”不再是空洞虚无缥缈的抽象本体，而是与历史规律客观性相生相随的东西。“理”日益明晰化具体化，为经世派和洋务派以“礼”代“理”的思想作了开创，也是湖湘地域文化的重要特征来源，形成某种“心”—“势”对立的主客体认知关系链。“在这个关系链中，内在状态的‘心’总是指向外在状态的‘势’而不是相反，这种思维走向大大影响了湖湘知识精英心理结构和行为模式的构成，形成了所谓外倾感应型人格……使湖南近代知识精英不可能仅仅停留在道德践履的思想幻觉中而必须有所延伸。”他们往往把焦点放在现实形势上，拥有太多的忧患意识和历史意识，总是呈外倾感应型状态，而越发偏离对心理变更的重视，只允许变革限于制度层面而不允许变革达于心理层面、人伦层面。

引进西方文化的根本目的是以富强来维护传统文化的主体地

位，在这一点上，作为文化载体的人在具体的社会实践过程中会表现出不同的精神气质。湖南人更偏向于价值理性，也即目的的正确性和合法性，所以无论是洋务运动还是维新变法，都只是把西方文化当成维护传统文化的一种工具和手段。曾国藩就曾经提出过："凡行之而过，无论其非义也，即尽善之举，盛德之事，稍过，则吝随之。……故大易之道，莫善于悔，莫不善于吝……"[①]谭嗣同也认为："阴（阳）足以益阴，阳（阴）足以益阳，而偏则相妨也。有利必有害，有损必有益，相纠相寻，至于无尽，此君子所以贵乎中也。"[②]从中可以看出，近代湖湘文化发展变迁中始终关注对于传统文化观念的坚守，不管外在变化的形式如何，但不可放弃对于内心价值观念的遵守。

与之不同的是，近代岭南文化更趋向于工具理性，也即只要达成目的，任何手段和方法都是可以使用的。因此，近代岭南地区思想家层出不穷，在介绍西方社会学说时往往与传统旧学进行比附，而形成各具特色的观念体系或救国方略，其实用目标与功利倾向是很鲜明的。这也使得近代岭南文化呈现出传统与现代、本土与外来、中国与西方多重交融的文化特点。晚清以来，岭南人所提出的政治方案能够迅速传播，为广大民众所接受，并产生重大的社会效应，原因在于其多元性和开放性，深切时弊。如洪秀全太平天国农民革命所提出的革命理论，就是将中国本土的一些宗教观念与西方基督教的概念相融会，创造出一个极富煽动性的人间天国，既能从宗教上给中国农民以熟悉感，使得他们能够被广泛动员，又能赋予其新的历史特点，并在后期提出了《资政新篇》具有鲜明时代特征的革命方案。康有为撰述《孔子改制考》与《新学伪经考》，用资产阶级的政治思想附会《春秋》公羊派的学说，虚构出一个首倡"改制"的孔子，目的是为维新变法运动

① 曾国藩．曾国藩全集：一四［M］．长沙：岳麓书社，1987：412.
② 蔡尚思，方行．谭嗣同全集［M］．北京：中华书局，1981：247.

寻找历史理论依据。康有为也说自己是“含咀于吾国数千年来之文化，以及印度、希腊、波斯、罗马古哲之懿言，及近世英、法、德、美先哲之精英，损益今古，斟酌至当”[①]，才使得维新变法有了思想武器和理论基础。孙中山更是如此，他的革命主张都是“凡一切学术，有可能助余革命之知识及能力者，余皆用以为研究之原料，而组成余之革命学也”[②]。这样的性格可以使得岭南人在激烈的社会变革以及中西文化冲突中走在时代最前端，进行合理的文化调适，综合创新；但另一方面也形成了近代岭南人才群体激进而多变的政治立场，他们的人格魅力强大，能够团结一大批志同道合的同志从事社会变革，但往往缺少对社会变革实践具有逻辑性和操作性的设计，比如康有为领导的戊戌新政短短 103 天就夭折，孙中山在民国建立之后所推动的二次革命、护法运动的失败，都证明了这一点。

近代江浙文化则在两者之间寻求更适合的平衡，既不排斥任何有用的方法和手段，也不放弃对文化深层次的观念和价值的坚守。这主要是与江浙文化中长期存在实事求是这一价值观念有着密切的联系。如黄以周在南菁书院就曾经提出过“实事求是，莫作调人”的治学理念，后来为许多出身于江浙的学者所尊崇，吴稚晖就回忆：“‘实事求是’为河间献王传中语，凡读书者，均能记忆。但‘莫作调人’之句，为黄山长自创，最为精警之语，自古以来，从未有人说过。由是衷心感动，终身奉为圭臬。”[③]胡适后来也特别赞赏黄以周这个理念，是深受这个理念影响的现代人士之一。《胡适的治学与国学研究》中说：胡适“也确实受到他后来在《口述自传》中所说的‘我国十九世纪一些高等学府的治学精神’

① 康有为.大同书：序［M］.沈阳：辽宁人民出版社，1990：55.

② 中国社会科学院近代史研究所中华民国史研究室，广东社会科学院历史研究所，中山大学历史系孙中山研究室.孙中山全集：第 7 卷［M］.北京：中华书局，1981：532.

③ 赵统.江阴书院史话［M］.合肥：黄山书社，2005：118.

的影响，这是指由当时龙门书院山长、扬州著名经师刘熙载和南菁书院山长名儒黄以周等所传播的学术空气”。[①] 这个影响既是黄以周的，也是浙东学派的。虽然黄以周本人的思想与观念最终停留在 19 世纪，但他所倡导的“实事求是”精神却迈进了现代门槛，并成为早期现代中国追求科学主义的精神基石。这种社会批判思潮，具有启蒙主义的突破和创新的历史意义。

（2）具体表现的不同

以上三大区域文化在认知模式和价值观念上的差异，实际上反映出三大区域文化载体的人在近代中国历史变迁过程中个人选择取向的不同。杨念群认为：“近代三次转变过程大体上与特定知识群体的崛起相呼应，湖湘士人以经世致用和‘帝王之学’话语为深层作用背景所形成的洋务引进浪潮，与物质器技层面第一波变革交相叠合；岭南儒生以神秘主义和再造‘政治神话’为手段游说皇帝变法，则与制度变革的第二波涌动轨迹颇为合辙；新文化运动与观念变革作为第三波高峰，则几乎为擅长‘技术传统’的江浙启蒙知识分子所垄断。”[②] 具体表现为湖湘文化重军政而轻学术和经济。近代以来，湘军集团的崛起造成了湖湘文化的盛极一时，湖湘文化精神中的事功化价值取向被湘军集团发扬得淋漓尽致。“他们不是当权派，但比当权派更深刻地了解和熟悉社会；他们不是官僚，但比官僚更忠于自己的信仰；他们处在封建政权的底层，但因此而更直接地承受着农民战争的压力。”[③] 他们治学宗理学，以经世致用为旨归，更以研究国计民生的学问为主体。所以湘军使这些士人团结在一起，“以中兴清朝为己任，实现了经邦治国的理想，故而湘军的官佐基础实际上是一个以经世致用为特

① 王元化．清园论学集［M］．上海：上海古籍出版社，1994：622.

② 杨念群．儒学地域化的近代形态——三大知识群体互动的比较研究［M］．北京：生活·读书·新知三联书店，1997：87.

③ 杨国强．百年嬗蜕：中国近代的士与社会［M］．上海：上海三联书店，1997：190.

征的经世派湖南士人群体”，“这样一个以经世致用为特征的士人群体组成的湘军以其收拾东南半壁河山的显赫功业，为后来的湖南士子树立了一个仿效的榜样”。[①] 这种榜样的巨大激励作用，促使经世致用、探讨治国平天下学术，成为其后湖南社会和士人的学术价值取向，对晚清以后湖南人才的形成造成了巨大影响。由于近代以来中国面临着西方侵略的最大问题，民族独立和人民解放是中华民族两大历史任务之一、也是最迫切的任务，强烈的忧患意识使得每一个湖湘人都以治国平天下为自己的第一价值取向，这也形成了近代以来湖南人才群体偏重于军事政治弱于经济学术的现象。对于湖南人而言，湘军先辈的功绩和所树立的榜样在前，给予了湖南人巨大的从军激情，湖南社会习气和社会心理也发生了巨大变化，军人社会地位有了很大提高，以至于影响之后，晚清以至民国，湖南人人以从军习武为光荣，“父兄子弟争荷戈”，与军队结下了不解之缘，出现了诸多军事型人才。湖南虽然也产生过像王夫之、魏源、谭嗣同、王闿运、王先谦、章士钊这样著名的思想学术人才，但湘军集团的巨大影响使得晚清湖湘人才还是集中在政治军事方面。杨度在 20 世纪初就已尖锐指出了湖南人“长于政治而短于经济”的不足：“湘军以百战之余，遍布全国，出湖南之境而适他者，几无一处官场、军队，不有湖南人之足迹。盖至此时，而湖南人亦几于除农业以外，惟以做官与当兵二者为生活之途。为农则劳，为工商则不谙熟，而做官以剥民财，当兵以糜国饷，斯其事至易。儒以做官为出路，农以当兵为逋薮，此种风气，深入人心，绝未见有谋于实业界立足者，且或以此为耻，而鄙夷不屑。其结果也，影响于湖南人之生计至大。……今日世界，为经济战争之世界，湖南人不竞争于工商，而惟做官与当兵之竞争，必对于国外而为外人所压，对于国内而为闽、粤、江、浙之人所

① 王继平．湘军集团与晚清湖南［M］．北京：中国社会科学出版社，2002：140.

压，其以淘汰而劣败必矣。”[①] 杨昌济更通过湖南人与广东、江西等地人的比较，指出了不同地域文化孕育下的人才群体在经济领域的巨大差距。他说："以广东之人与湖南之人比较，广东人则从事于海外贸易，湖南人则多从事于政治军事。今广东人之海外贸易，方骎骎发达，而吾湘人军事上之势力扫地尽矣。此亦生利与分利之辨，吾湘人所宜深长思者也。又以湖南之人较之江西之人，亦得有同一之结论。湘人之谚曰：'无江西人不成口岸，无湖南人不成衙门。'若以此自矜者，其实窟穴于衙门，固非最上之业，且非长久之计也。”[②]

近代岭南文化精神中首先表现为对商业和商人的重视。在从汉到隋长达800余年的历史中，广东被朝廷察举人才总共不过24人。唐朝开科取士，进士、诗人如群星灿烂，而在广东，唐前期竟没有一个进士，唐后期广东进士亦仅5人，占全国的0.7%。可见广东传统儒学人才的稀缺。在19世纪70年代后，洋务运动由“自强”转为“求富”，从“制内”转为“御外”，岭南经济人才买办出身的像唐廷枢、徐润和郑观应等人，也积极地参与其中，踊跃投资于轮船运输业、电信电报业、矿业及纺织业以至铁路兴建、金融、银行筹建、机器制造、码头修筑、土地垦殖、保险业、盐务、煤气生产、印刷业及进出口业等新式行业。甚至可以说在传统氛围还比较浓厚的晚清，他们建立了一种全新的商业制度。他们之中，还涌现出了以郑观应为代表的一批“买办学者”，成为早期维新派的代表人物。这一批以其自身经济实践而形成维新思想的学者提出了一系列早期资本主义改革的方案，如郑观应在《救时揭要》《易言》《盛世危言》等著作中就强调国人要学会商战，其核心是西方强盛不在武力，而在于经济，中国要发展，“习兵战不如习商战”，主张发展中国自己的民族经济，与外国资本主义斗争

① 刘晴波．杨度集［M］．长沙：湖南人民出版社，1986：433.
② 王兴国．杨昌济文集［M］．长沙：湖南教育出版社，1983：236.

的主张。还进一步地超越洋务派“中体西用”观的局限，提出要发展民主、科学，指出体用须得一致，国家方能富强。其次近代岭南文化突出的表现为求新求变。像中国最早的3位留学生容闳、黄胜、黄宽均来自广东，其中容闳被称为“中国留学生之父”，也是中国历史上第一位在美国留学的中国人，他曾经自豪地说：“以中国人而毕业于美国第一等之大学校,实自吾始。”[①] 他还主导了晚清中外文化教育交流史上的重大事件，负责选派幼童留美。当时晚清总共选派四批幼童赴美，其中以广东籍占绝大多数。在晚清保守势力还比较强大，其他地区视外国为鬼蜮的氛围之下，岭南人的开放、冒险精神使得他们敢于尝试。据统计，当时四批总共120名留美幼童中，广东籍就有84人，占到了总数的70%，其中在第一批留美幼童中，广东籍所占比例更是高达80%，尤其在容闳的故乡，号称“买办之乡”的广东香山，出洋幼童人数极为可观。虽然后来由于清廷保守势力的顽固，留美幼童大都没有完成学业肄业回国，回国之后境遇也大多不尽如人意，但他们通过在美国学校系统、正规地学习，大多掌握了比较强的西学知识和外语才能，成为了后来中国各领域的优秀人才。因为长期以来岭南人出洋者众多，大多熟悉外洋事务，民风开放，所以广东近代也涌现了大量熟稔外交事务的人才。像前文已有数据，在晚清中国驻外使领人员中，广东人所占比例非常之高。如晚清留洋学生群体中回国担任驻外领事者，以留美幼童人数最多，所取得的成绩也最大。像著名的政治家、外交家唐绍仪“留学西洋多年，回国后担任领事、海关道等职，学问渊博、阅历亦深，实我国谙练外交之能手也。……其通晓中外情形，谙练外交事务，遇事办理交涉，

① 容闳. 西学东渐记［M］. 徐凤石，恽铁憔，原译. 长沙：湖南人民出版社，1981：31.

条理明晰，意见透澈，非寻常外交家可比”[①]。中日甲午战争之后，中国社会变革开放的风气较之前已大为改善，洋务也已成为当时热门职业，而之前遭到冷遇的留美幼童纷纷从落魄之中，擢升到显著地位，被视为杰出的洋务人才，其中大量担任驻外使领职务，如刘玉麟、苏锐钊、欧阳庚、吴仲贤、唐绍仪、吴其藻、唐荣浩、张康仁、钟文耀都是广东人，而其中除苏、吴三人外，全为广东香山人氏。

在政治取向上，近代岭南文化更加重视求新。从洪秀全开始，他将西方基督教的人道主义和平等思想融入到中国传统的农民革命中，将基督教与中国本土的民间宗教信仰创新性地糅杂在一起，形成了他的“人间天国”的革命思想。在太平天国后期，他又勇于接受洪仁玕所提出的《资政新篇》作为太平天国的施政纲领，就是想在农民革命的旧藩篱之中寻找一条新道路，突破了两千余年来中国旧式农民革命的老套路，使得太平天国农民革命具有了鲜明的时代特征，这充分体现了晚清岭南人才群体的开放与创新精神。其后康有为在19世纪末严重的民族危机之下，以“救亡图存”的社会进化论为核心，创造性地以西方资产阶级民主思想改造保守的儒学体系，提出了融今文经学与资产阶级民主政治思想为一体的大同思想。虽然其一系列改造儒学的著作被当时不少学者和后人批之为“疏离”，但不可否认，这些著作中所反映出来的革命性创新思想观念对当时顽固保守的中国人思想观念是一次翻天覆地的冲击，有力地推动了维新变法运动的开展。孙中山所创立的三民主义，即在中国传统文化基础之上，学习西方资本主义政治经济制度，博采所长，取长补短，兼容并蓄，在实践中根据时局的变化把旧三民主义发展为新三民主义，便是主动接受西方文化并注意创新的典型史例。这三代晚清岭南政治人才群体的兴起，

① 石霓.观念与悲剧：晚清留美幼童命运剖析［M］.上海：上海人民出版社，2000：248.

都是由于其自身所具备的开拓进取、勇于创新的精神品格，才使得岭南地区在晚清时期一次又一次处在全国政治变革的最前沿。

江浙地区对西方的学习并没有局限于洋务运动“中体西用”的藩篱，反而不断地突破与加深，从传统中国学术的变革到近现代科学的引进，都成为江浙人才群体的学习内容。与湖湘人才群体“经世致用”观念现实取向为军事和政治不同的是，江浙人才群体现实的价值取向则在学术的救世性，他们认为学术同样可以解决晚清中国和近代中国的现实问题。传统博学崇文的重学风气和实事求是的学风造就了近代江浙成为现代学术重镇，江浙人才群体也开始由原来的崇尚儒学与举业转向更有时代意义和现实意义的现代学术，其中最关键性的就是近现代科学。中国古代科学被压抑于儒学之下，只有“技术”的发达而无“科学”的发达，直到 15 世纪初叶，中国仍然处在科技的领先地位。15 世纪中叶以后，中国的科学技术渐渐落后于西方国家，到 19 世纪中叶，除了数学中的某些分支还具有若干优势之外，其他方面都毫无成果。随着晚清教育制度的变革，留学生大规模的出现，从 19 世纪末开始，江浙地区不断有大量的官派或自费留学生出国学习，其中主要的还是自费生。这些留学生回国之后，也在中国近代学术史上留下了不可磨灭的一页，大量中国近代学科也是由这些晚清江浙人才所建立的。据统计，从 1907 年至 1911 年的 5 年间，浙江出国留学生回国后由清廷所授予的格致、数理、化学、工、农、医各科进士和举人功名的，分别有 18 人和 35 人。当然由于一些实际的原因，很多回国的理工科留学生并没有去要求清廷授予功名，实际数字要超过官方所统计的数量。留学生回国之后，除少数从政之外，大多继续在各地新式学堂任教，从事自然科学方面的研究和教育工作。由于在西方接受了系统而正规的自然科学方面的教育和学术培训，使得他们有着完整、系统的西方科学思维和知识体系，相较于传统江浙地区的学术性人才，这一批人才群体更加符合时代和社会发展的潮流趋势。江浙地区还有许多留学生在近代科学方面作出了巨大成绩，为中国近代自然科学学科的创立和发展奠定了基础。在人文社会科学方面，近代江浙地区的人才同样是近代中国人文社会科学的开拓者。19世纪末面临着中国教育与文化的急剧裂变，传统学术逐渐衰落，江浙学术人才群体以江浙地区传统学术的“实事求是”的学术精神，以及实证主义的严谨学风，吸收西方学术中的现代科学学术价值观念和方法，对传统学术加以批判继承性的改造，正如王国维所宣称的：“今日之时代，已进入研究自由之时代，而非教权专制之时代。”[①] 朴学传统的“疑古”精神在这个东西方文化激烈碰撞的时代被用来挽救传统文化学术，这一时代，江浙地区也涌现了诸如张元济、夏曾佑、章炳麟、王国维、蔡元培、陈黻宸等新型学术大师和现代中国人文社会学科的创始者。他们自觉地采用西方近代科学方法来研究传统学术，并力图建立中国人自己的学术体系和门类。在世界变化的大潮面前，这一批学者普遍认为，要建立和发展中国自己的人文学科体系，首先就要学习西方人的学术研究方法，就是“今日所最亟者，在授世界最进步之学问之大略，使知研究之方法”[②]，学习之后就是创建，当时中国人文科学学科门类的创立者几乎全是江浙人才群体。

义利并重的精神，也使得近代江浙知识分子在社会变革中本着务实和理性态度。江浙文化中的义利并重、自作主宰的思想文化观念，包含着近代资产阶级民主主义的因子，所以使得他们很容易接受西方资产阶级民主制度，但功利主义的集体性格使得他们在每次社会变革和政治运动中多呈现出理性、务实的态度。相较于湖南人易于从保守走向激进，又从激进变为保守这样从一个

① 姚淦铭，王燕．王国维文集：第三卷［M］．北京：中国文史出版社，1997：71.

② 同① 366.

极端走向另一个极端的性格，也不同于岭南人偏重于激进的性格，近代江浙人整体呈现出相对不偏不倚中庸的性格特质。在历史上，江浙人才就能够接受儒家思想中比较务实的经世致用、自强不息的进取的部分，而对于儒学迂阔空洞、僵化的、扼杀人性自由的道德教条则非常排斥，他们强调人性，强调人的自主价值，也正是这一原因，他们讲究实干和实效。像早期江浙商人与西方接触过程中，这种务实就表现得精明过人。江浙地区是近代中国最早直接接触西方冲击的地区，同时也是外国资本主义最早冲击的地区，本地的商人在与外国商人和资本家的接触过程中，就已经认识到西方的入侵已经是不可阻挡的历史潮流，他们没有盲目地抗拒、排斥，而是理性地面对西方资本主义所带来的这种冲击，率先与其接触,出现了许多的买办。但他们也不是简单地妥协和投降，而是在接触过程中不断地思考和学习，并且吸收了外国商人带来的一些资本主义新事物，学习并掌握了国际贸易的方法，体会到了投资近代工商企业的好处，由此发展了自己。这种务实性还表现在晚清江浙人才群体在政治上抗干扰能力较强，在对待政治运动和社会变革上趋向理性和务实，从实效出发去考虑变革对于国家、社会和个人的利弊，选择最有利的应对方式。他们面对变革，首先采取的是温和的改良的方式，即使实在无法达成目的，也不愿意用激烈的暴力手段动摇旧时代和旧社会的根基。这一点在晚清立宪派上表现得最为突出。

第五章

近代湖湘文化精神的当代价值

一、当代中国文化转型的理论逻辑与实现途径

文化产生于社会生产生活实践，是人外在实践活动内化的精神和观念的集合。同样，文化也是社会的核心和灵魂，社会的发展最突出地体现为文化的变迁与转型。近代以来，中国文化经历了长期艰难的近代化转型，这一过程是伴随着近代中国复杂矛盾的近代化过程而进行的。鸦片战争之后，中国文化遭遇主体危机，面对西方文化冲突融合的大时代背景，中国文化近代化的最大主题和问题就是在如何保住民族传统文化主体合法性、正当性的前提之下引进西方文化中先进、合理的因素，进行创造性的转化，适应近代中华民族两大历史任务的需要，塑造民主和科学的、推动社会进步的文化体系。近代以来数次文化论争不外如是。面对着中西文化之间矛盾、复杂的关系，近代知识分子纠缠于两者之间的两难选择，总是顾此失彼、茫然失措，反映出近代中国文化转型如何在特殊性与普遍性、历史性和创新性、内在性和外源性之间艰难选择、摇摆彷徨。

文化转型到底是一种什么样的概念，事实上学界对此也没有统一的认识和界定。相对比较统一的是对于近代中国文化转型的探讨与反思，前文关于近代中国文化转型的学术综述已经详细介绍。而随着 20 世纪 80 年代之后国内学术界不断引入西方学术方法和范式，在研究视角、手段、途径等方面更加的多元化，尤其是当前中国社会高速发展与转型过程之中出现的诸多复杂问题，学者对文化转型的界定与阐释更加的多元化。总体看来，文化转型是伴随着社会变迁的发展，文化形态的内在核心与外在表现形式都已不再适应社会发展尤其是社会转型的需要，在内生性或外源性的刺激之下，出现了明显的断裂，主动或被动地由一种文化形态向另一文化形态的转变，在转变过程之中，旧的文化体系逐步被消解，作为文化主体的人对旧的文化体系进行结构、变革和

再造，使得文化在发展方向、道路、性质和表现形式都发生了根本性的改变，更为具体的是人们对于世界、社会、人自身认识的质的变化，认知模式和价值观念逐步进化的显著过程和阶段。从工具理性和价值理性出发，既要明确把文化建设作为推动社会转型与进步的重要途径和手段，更要进一步地通过文化转型与文化建设达到人作为自然人和社会人的和谐存在，实现文化最终的价值意义所在，即实现人的全面而自由的发展，由必然向自由的进步。从这样的范畴和视角来看的话，文化转型实际上就是更广阔意义上的社会转型，是社会发展过程中的观念意识性先导与精神、物质的具体变迁过程。

由此可以得知，当前讨论中国文化建设与文化转型，首先必须明了文化建设的现实社会实践条件和环境。当前中国处在高速发展与快速转型时期，与近代以来中国社会相比较，文化转型和文化建设的社会现实出现了很大的断裂与矛盾。改革开放以来，社会变迁加速，社会主义市场经济体制逐步确立和完善，社会中生产方式和生活方式日新月异，思想观念、认知模式和价值取向不断重构和解构，生活于其中的人不断发生对于自身和身处社会的认同危机。社会学家认为，中国人在历史上缺乏对社会的明确认识，因之也无法构建现代化所需要的社会关系基础。尤其在社会转型的普遍认知之中，我们曾经错误地认为社会转型目标“应该”是西方工业化和现代化模式，即由落后的农业社会模式向工业化模式的转变，并希望借此来改变和增加中国与西方相比较所缺少的那些因素，在一定程度上来满足近代以来中国人内心对于现代化和民族复兴的需求。但在社会发展变迁的现实过程之中，社会建设的目标与实践却产生了极大的错位，导致社会发展出现了各种关系的紧张，严重影响了社会建设的正常运行。当前，已经有越来越多的人认识到发展道路和模式的多元化对于“现代化”的否定，“现代化”也被赋予了更具有普遍性和合理性的因素，而非西方资本主义化的唯一性。但长期以来目标与实践的错位却难在短时期消除，这也成为当前中国文化转型与文化建设的现实社会实践条件和环境。总体而言，当前文化转型社会实践基础大致来说可以从以下几方面进行概括：第一，发展模式和道路的明确化——改革开放至今，中国已经历 30 余年的高速社会发展时期，对于社会发展模式和道路虽然至今依然存在争论，但改革开放以来的成就已经证明中国模式和中国道路的合理性与正当性；第二，经济基础的变化——虽然我们对于西方式工业化是否是后发国家唯一发展的方向已经有了理性的思考，但不可否认的是，当前我国经济发展依然是由农业经济向工业化和信息化经济的转变，在这一转变过程中，依然存在不同本质的经济成分，但总体趋势是信息化的发展方向，特别是伴随着互联网信息技术的发展，虚拟经济所产生的影响越来越大；第三，社会高速发展与转型时期利益主体的多元化——在社会主义市场经济体制建立和逐步完善过程之中，经济成分的不同、收入分配方式不同、社会阶层不同导致利益主体出现多元化，在思想观念上也出现多元化的趋势；第四，社会空间的虚拟化——互联网信息化技术的发展，导致传统社会空间出现了极大的消解，一方面人与人的关系在现实社会空间中不断地疏离，另一方面却在虚拟的世界中不断地被连接，社会网络与社会关系变得日益的个人化与情感化。

其次，我们必须反思当前文化转型与文化建设存在的内在逻辑。一方面是近代以来中国文化的转型一直面临着所谓“世界性”和“民族性”之间的冲突和内在紧张，有学者认为从 16 世纪以来的中国文化开始出现真正的现代化转型趋向，即始于基督教传教士远涉重洋到中国以传播自然科学为名而传教，由之而引发中西文化之争，一直延续到 20 世纪三四十年代。[①] 改革开放以后，在

① 张岱年，程宜山．中国文化与文化论争［M］．北京：中国人民大学出版社，1990.

经济、政治环境的变化下产生的文化论争也可以说是这一文化转型的影响。时至今日，经济全球化与世界一体化的发展带来了文化“世界性观念”的冲击，而长期以来人们对于“世界性”的认知上存在一定偏差。与社会发展道路和模式的选择一样，近代中华民族在西方冲击下的贫穷落后，中西文化冲突交融的文化对比现实，使得人们普遍地存在对于“世界性”就是西方化、西方化就是现代化的错误认知，新文化运动之后，第一次世界大战和俄国十月革命的影响使得当时知识分子重新思考在民族复兴和社会改造过程中的中西文化关系问题，新文化派与东方文化派，以及其后的全盘西化派与中国本位的文化建设派之间的中西文化之争，其实质还是如何在改造中国文化、实现中国文化现代化转型过程中处理好中西文化关系的问题。20 世纪 80 年代之后，关于文化建设和文化转型问题的争论出现了更多的混乱与迷惑，之前的中西文化之争或关于文化道路的选择还有学理的思考、理性与价值的个人选择，但此时更多的是由直观面对落差而产生的不自信、自卑，或是茫然失措地盲从于西方文化的表象，或是刻舟求剑愚昧地坚守中国传统文化来维护自己敏感脆弱的民族自尊感。从整个社会层面看，由于社会急剧转型带来的社会建设与文化建设的错位，导致中国人对于世界和社会认知模式和价值观念出现极大的问题。尤其在本世纪初以来，随着中国发展模式和发展道路所取得的成就愈来愈提升中国人民族文化的自信心，中国人在文化发展上也愈来愈更趋向理性的自主性，文化的发展具有人类生存与发展的普遍意义价值，但文化毕竟是人的认知模式和价值观念的总和，不可避免受到人存在空间关系的影响。文化的多源性和多元性已经是被世界所公认的客观现实，经济全球化与世界一体化带来的并不是文化的趋同，更加明显的是文化或文明之间的彼此差异愈加突出，甚至导致所谓“文明冲突”的出现。西方文化与中国文化彼此都面临一个“世界性”的问题。费孝通先生从文化人类学的角度曾经提到过："我认为文化转型是当前人类的共同问题，因为现代工业文明已经走上自我毁灭的绝路。后工业时期势必发生一个文化大转型，人类能否继续生存已经是个现实问题了。"[①]

另一方面，文化是群体长期历史发展积淀下来并且不断传承的生存方式的体现，文化作为一个系统的整体，本身在长期历史发展过程之中就存在否定之否定的超越性的发展。从这一角度看，文化的发展具有连续性。文化所规范形成的人的认知模式和价值观念经过长期传承深入人心，内化为生活于其中人的生活方式和存在价值，也是认识世界和改造世界的意识来源。在此基础之上，文化上升为整个民族集体的记忆与性格，是确定自我认同和集体认同的观念意识和价值基础，是民族特征的最核心的表现形式。因此，文化的传承是民族得以生存和发展的基本因素，也是个人在认识自我与集体关系之中的基本价值规范和行为方式。近代以来民族衰弱积贫的历史现实使得文化观念上出现了对于传统文化的过激反应，企图以全盘否定文化的历史性来建立全新的更符合"西方化""现代化"的认知模式和价值观念的文化体系，这种忽视文化传承的连续性，割裂文化的历史与现实之间关系的思维模式不可能带来符合文化发展客观规律的文化转型，也不可能真正建立属于民族复兴过程中主体性的文化体系。究其原因，还是对于"现代性"的迷思，过去我们认为"现代性"是描述西方文艺复兴启蒙时代以来的新的世界体系生成的时代精神，一种持续进步的、合目的性的、不可逆转的发展的时间观念。现代性是对于过去的决裂与革新，是以一种更加进步的文化模式取代旧的、腐朽的文化模式。随着后现代主义的兴起，对于现代性的解构和批判使得我们对于其的认识更加地符合文化发展的客观规律。现代

① 费孝通.论人类学与文化自觉［M］.北京：华夏出版社，2004：183.

性并不具备西方式的唯一性，也并不仅仅是对于过去和传统的总结以及决裂，现代文化批评普遍认为时间的维度体现在人的实践活动上并不是点与点的断裂，而是作为一个连续体的存在。因此，现代性从哲学辩证上更应是对于过去与传统的更新与超越。新旧事物的发展并不是彼此相互割裂的，而是不断在旧因素的否定之否定基础上的新的创造与发展。文化转型更应是如此，转型的产生是以社会实践条件和环境的变化为前提，而社会实践条件和环境的变化又是在原有的基础之上所开始，文化转型的开始也同样是在过去的、传统的基础之上发生的解构与重构，重建更符合社会实践条件与环境，更能体现人对于自身和世界认识、存在意义的认知模式和价值观念。在这一点上，近代以至今日的对于传统与现代之间文化的批判或复兴都无法找到其中合适与平衡的角度，要么由于近代以来的国家振兴、民族富强的强烈愿望与激情而将其割裂，要么怀着对于传统的盲目热情忽视创造性转化而搞“文化复兴”，并将之运动化，两者都不符合文化发展客观规律的要求与现实。

最后，当代中国文化转型的可能路径到底是什么？费孝通先生的“文化自觉”观念在文化学领域影响甚远。“文化自觉是指生活在一定文化中的人对其文化有‘自知之明’，明白它的来历、形成过程、所具有的特色和它发展的趋向，不带任何‘文化回归’的意思，不是要复旧，也不主张‘全盘西化’或‘全盘他化’或‘坚守传统’。自知之明是为了增强对文化转型的自主能力，取得为适应新环境、新时代而进行文化选择时的自主地位。”[①] 从文化转型的内在动力来看，文化是人的生存方式的历史凝结，是人的认知模式和价值观念在社会实践活动中的观念化，当社会外在对于人的生存方式产生否定，人必然要重新思考外在社会实践条件和

① 费孝通.论人类学与文化自觉[M].北京：华夏出版社，2004：188.

环境的限制与人对主体自由的超越之间的矛盾，重新建构由个体到群体再由群体到个体的认知模式和价值观念。因此，文化转型首先必须由对于文化本身的理性认识开始，历史地而不是割裂地去看待曾经赋予我们集体记忆和性格的文化传统，理性、辩证地去解构文化传统及其对于当前人生活实践的影响，超越偏执，执两用中。文化传统在文化转型中具有基础和前提的作用，任何更新和超越都是以对于原有事物的客观把握为前提，必须把文化传统和变化了的社会实践条件和环境结合起来，创造性地转化文化传统中富有时代性的内涵。20 世纪 80 年代以来，几次“国学热”和“传统文化热”的兴起，毋庸讳言，都与当下中国人所遭受的生存精神危机与认同危机有关，从某种程度上这也是“文化自觉”意识的表现。但在此过程之中又缺乏对于文化传统的理性辩证认识，商业化、庸俗化气息浓厚，不可避免地走向自大。中国文化在几千年历史演变中积淀了富有独特价值的文化传统，而当代中国文化转型，就是要认清文化发展的源流脉络，辩证文化传统与时代发展的契合,实现文化传统与社会发展的有机良性互动。其次，在文化冲突的语境中寻求中国文化的主体地位和价值。中西文化关系是从近代以来中国文化转型与建设的重大问题。随着经济全球化与世界一体化的发展，国家、民族、地区之间的差异越来越被消解，由此而产生的文化全球化使得文化之间的交流日益打破不同民族文化之间发展的封闭性，将不同文化体系卷入到同一时空环境之中，因之也导致不同族群的人在认知模式和价值观念上的冲突。在不同文化碰撞的交锋之中，中国人总是因为历史与现实的纠缠而缺乏理性的态度。从文化发展的客观规律来看，封闭只能造成文化系统的腐朽，而交流、开放才能不断趋新。“文化自觉是一个艰巨的过程，首先要认识自己的文化，理解所接触到的多种文化，才有条件在这个正在形成中的多元文化的世界里确立自己的位置，经过自主的适应，和其他文化一起，取长补短，共同建立一个有共同认可的基本秩序，和一套与各种文化能和平共处、各抒所长、联手发展的共处守则。”[①]一方面必须坚持中国文化的主体地位，这是中华民族历史传承和民族凝聚力的内在保证；另一方面，我们要以更加开放的文化心态合理吸收和借鉴其他文化资源中优秀的因素，在文化转型和文化建设上达到一种文化的“世界化”，“这就是把中国文化如实地看成是世界文化的一部分，我们从世界文化中汲取于我们有益的成分，丰富和发展我们的文化，同时又把我们的文化之优秀的东西贡献给世界，促进世界文化之进步。所以，文化之世界化，绝不是要超脱各国各民族的文化，另造成一种所谓的‘世界文化’；更不是以某一个民族的文化取代各国各民族的文化而成为所谓的‘世界文化’。文化的世界化，只是要造成一种世界各国各民族的文化相互交流，相互沟通，各取其有益于己者，以发展各自的文化，同时，又各献其所长，以丰富和推动世界文化的进步”[②]。再次，当代中国文化转型要实现价值转换。社会实践条件和环境的变化决定了文化转型必须要创造性地实现价值转换，而文化转型的内在动力又是源自于人的生存需要与现状的矛盾。互联网信息技术的发展使得社会空间日益的碎片化，人际关系在虚拟与现实之间不断变幻，传统文化秩序中时间与空间意义越来越失去其价值，群体在这种知识话语背景之下日益被消解，个人化的经验、感觉越来越成为文化建构中不可忽视的因素。因此，当前中国文化转型可能更要从文化的价值即满足人生存和发展的需要来实现。当所谓现代社会向后现代社会转变，人的主体意识逐步觉醒，即另一层面“文化自觉”的产生使得人开始更多地从个人化的角度重新思考人与世界的关系，文化转型在价值上必须满足这一要求。文化转型的方向既要符合社

① 费孝通．论人类学与文化自觉［M］．北京：华夏出版社，2004：187.
② 耿云志．近代中国的文化转型：问题与趋向［J］．广东社会科学，2008（3）：106-116.

会转型对于文化转型的价值要求，即文化对于社会成员在认知模式和价值观念上的规范性；更应体现人对于自我存在的一种认识，在对于外部世界感知和人与人关系之中确定自我存在的价值。

二、文化自觉与湖湘文化的当代转型的意义思考

20 世纪 80 年代文化热兴起以来，“湖湘文化”也重新成为湖南的一张历史名片和对外的宣传形象。由于近代湖湘文化及其精神在近代中国历史上的重大影响，湖南人好像一夜之间无人不谈湖湘文化，无人不以湘军为自豪。从表面看来，这好像是一种文化自觉的意识，“文化自觉”所需要的文化的自信力和凝聚力，对当代湖南人来说已经存在，如现在为全国所瞩目和争议的湖南人“湖湘文化”的历史情结；但另一方面，当代湖南人所谓的“自知之明”又存在着明显的缺陷，湖湘文化有被庸俗化和滥用的趋势。当代湖南各种冠以“湖湘文化”名号的现象层出不穷，这固然说明了当代湖南人对历史上的湖湘文化的认同感和自豪感，但滥用“湖湘文化”又是一种文化庸俗化的表现，甚至可以说，在当代湖南人的历史想象与文化认同中，“湖湘文化”离其本质愈行愈远。

20 世纪 80 年代,“湖湘文化”才成为一个专有名词,在此之前,湖南人对于湖湘文化的认识集中在于近代以来的湖南人才之盛与对近代中国历史的重大影响。如果考察当代湖南人对于湖湘文化认知的历史演变，从中不难发现“湖湘文化”包含了太多对于文化本身之外的历史想象，更是在 20 世纪 80 年代之后湖南人在社会变迁过程之中的文化认同之中所构建出来的。近代湖湘文化从边缘走向核心是与近代中国社会发展的时代背景有关，社会发展变迁进入到当代之后，湖湘文化的地位发生转变，湖南经济发展水平与身处内陆的地理位置使得湖湘文化有边缘化的趋势，在这

种背景之下，湖湘文化才成为一门“显学”，湖南人必称湖湘文化，自觉或无意识地强化对于湖湘文化的想象和认同，在此意义上，湖湘文化作为一种价值尺度，成为了一个“它者”，“文化是人的活动，它从不停止在历史或自然过程所给定的东西上，而是坚持寻求增进、变化和改革。人不是单纯地问事物是怎样的，而是问它应该是怎样的。以这种方式，他能够通过超出实际的规范（超越性），而突破自然过程中或历史过程中所产生的确定性条件（固有性）”[①]。这种文化被想象化，符合了湖南人对于自身生活方式和对社会认知的需要，在湖南人的想象之中，“湖湘文化”应该是这样，而不是“湖湘文化”是这样，这是湖南人追求自我文化认同的结果。文化认同是“个体对某种文化的认同程度，具体是个体自己的认知、态度和行为与某种文化中多数成员的认知、态度和行为相同或相一致的程度，是个体对于所属文化以及文化群体形成归属感及内心的承诺，从而获得、保持与创新自身文化属性的社会心理过程”[②]。当代湖南人在“湖湘文化”及其精神上文化认同异化的出现，一方面是由于当代社会具有普遍性的认同危机，市场经济的发展催生出文化的物化与技术化，社会的现代化转型造成了与传统的断裂。与此同时，社会日益的开放与多元化，尤其是在社会急剧变化的当代，人们被碎片化的社会关系网络割裂，每个人都面临着对于自身存在和社会关系的认知危机，也需要建立面对世界与社会的新的价值尺度。另一方面是因为作为内陆省份的湖南人，在市场经济的大潮中既无自然地理位置的优势，又无资本技术的积累，在区域竞争之中如何找准自己的定位，首先必然有观念的创造性转变。近代历史上湖湘文化所造成的重大影

① C.A. 冯·皮尔森．文化战略［M］．刘利圭，蒋国田，李维善，译．北京：中国社会科学出版社，1992：4.

② 董莉，李庆安，林崇德．心理学视野中的文化认同［J］．北京师范大学学报（人文社会科学版），2014（1）：68-75.

响虽然已是历史，是过去存在的一种现象，但当代湖南人可以通过不断地想象，将近代湖湘文化及其精神不断地外延扩大化，形成湖南人文化认同的基础，这种文化认同，“一方面，要通过自我的扩大，把‘我’变成‘我们’，确认我们的共同身份；另一方面，又需通过自我的设限，把‘我们’同‘他们’区别开来，划清二者之间的界限，即‘排他’”[①]。简而言之，就是通过一种不稳定的、被想象出来的、可选择的“湖湘文化及其精神”确立湖南人“我们”的身份标识，建构属于湖南人独有的适应湖南人心理需要文化精神体系，强化在经济地位竞争之中无优势的湖南人心理上的自尊与自豪感。在进入新世纪后，湖南曾经出版了几部在全国引起很大反响和争议的著作，如王开林的《纵横天下湖南人》和《敢为天下先——湖南人凭什么纵横中国》，周兴旺的《湖南人凭什么？》等。这些通俗类书籍虽然在省外遭受到了极大的非议与批评，但在湖南却一时洛阳纸贵，湖南人能从中获得自己在市场经济竞争与区域竞争之中所需要的一种文化心理上的满足，达到湖南人作为一种群体上的身份认同，即历史上的湖湘文化及其精神是湖南人重要的文化精神遗产，是湖南区别于其他区域最为重要的资源和财富，我有他无，是一种“排他性”的特征，所以作为大众，需要的是这样一种满足和认同，至于“湖湘文化及其精神”到底是什么，它的当代价值是什么，这已经无关紧要。因此，在大众对于“湖湘文化及其精神”的想象过程之中，自觉不自觉地会添加自己认为正确和合理的因素。或者可以说，历史上的湖湘文化的文化载体主要是作为精英阶层的知识分子、绅士等，而当前接受、传播文化的却是社会的普罗大众，从社会心理意识角度出发，大众对于历史和真相并不排斥，也并不否定，但总是按照自己的理解去解读和传播历史和真相，在社会与文化日益碎片化的今天，

① 崔建新．文化认同及其根源［J］．北京师范大学学报（人文社会科学版），2004（4）：108-113.

文化对于大众而言更可能是被消费的对象，个人化的体验与情感并不一定需要历史的真相是什么，而只是在个人化的想象中找到情感宣泄的出口，在消费文化的同时达到一种致幻的效果，在此意义上，“湖湘文化”成为了湖南大众解构社会的“话语”，“一组陈述，这组陈述为谈论或表征有关某一历史时刻的特有话题提供一种语言或方法。……话语涉及的是通过语言对知识的生产。但是……由于所有社会实践都包含有意义，而意义塑造和影响我们的所作所为——我们的操行，所以所有的实践都有一个话语的方面”[①]。如果从近代以来“湖湘文化”或“湖南精神”的被建构来看，实际上知识分子对于“湖湘文化”或“湖南精神”的研究、传播本身也包含着建立话语体系，构建文化—权力关系的意图。这种大众文化话语的想象在一定程度上满足了湖南经济社会发展的现实价值需要，因而得以在当代湖南形成一股普遍的风潮。

近代湖湘文化及其精神的当代价值是什么？湖南是中国的一个组成部分，湖湘文化也是中国文化的一个重要单元。当前文化建设的社会实践条件与环境在发生着重大改变，改革开放以来，社会变迁加速，社会主义市场经济体制逐步确立和完善，社会中生产方式和生活方式日新月异，尤其是互联网信息技术的兴起使得人们思想观念、认知模式和价值取向不断重构和解构，湖南社会作为中国社会的一个部分也不例外，这就决定湖南的文化体系——湖湘文化也必要经历转型重建。有人曾提出，近代湖湘文化之所以盛极一时，是与近代中国社会的时代背景分不开的，同时也与湖南作为晚清中国一个极具特殊性的区域特性分不开，但到了当代之后，社会由封闭走向开放，经济、文化交流和人的交往日益突破地域的限制，地域的特性日益被削弱，那么作为地域特性所产生的地域文化也因不再具备地域性不再具有现实价值，

① 斯图尔特·霍尔．表征——文化表象与意指实践［M］．徐亮，陆兴华，译．北京：商务印书馆，2003：44.

只能作为一种历史现象。这种观点在一定程度上有其合理性，但忽视了文化本身内在的系统性和所具有的生命力。湖南作为中国内陆的一个省份，既具备当代中国社会发展的一般共性，前文已谈到，所谓“区域”，应该是存在于整体社会之中的“区域”，“区域”之所以存在的前提，是整体的存在，脱离了整体的“区域”便不再成为“区域”。但同时，区域在经济、地理、社会、民族等各方面因素又具备其特殊性，这种特殊性使得区域因其特点在接受社会整体性方面会各自折射出不同的反应，因而在具体变迁过程和微观方面会有所差异，反映到文化上，文化是人对于自然和社会的认知模式与价值观念的集合，是人生活方式的观念化，地域性的特点必然影响人的文化观念的建构，虽然这种文化观念的建构要符合当代文化发展变迁的一般趋势，但不可避免地存在地方性的特色。我们可以把文化理解为人的一种特定生活方式的体现，是人对自然的理性超越或人的本质的对象化，其最终价值是要实现人作为自然人和社会人的和谐存在，人的全面而自由的发展，由必然向自由的进步。而在具体的认知模式和价值观念形成过程之中，人必然受到生活于其中的具体的社会生态的影响，受地域社会特性影响的地域文化也就有了其存在和转型的必然性。

文化作为人的一种特定生活方式，其本质是人的社会实践过程。人们在社会实践过程之中形成对于生活于其中世界的理解，内化为人们生存的价值意义与思想观念、行为方式。一旦形成之后，又会上升为群体的集体记忆与性格，对于生活于其中的每一个体产生潜移默化式的制约和规范作用，提供人对于世界的认知以及处理人与自然、人与社会、人与人之间关系的指导，从这一角度看，文化所集中反映的个体对于外在对象物的认知模式和价值观念一旦形成一种稳定的体系，那么其本身作为一个有生命力的系统具有不断地自我发展乃至更新超越的能力，对于人之关系在现实世界中的反映存在产生一种规范和制约。人是由自在不断走向自由，自由的前提是人的物质和精神性的自在，每个人从出生开始就具有必然性，生活于一定的物质与精神的时空关系之中，不可避免地在自由上存在自在的限制。而文化正是一种自在的限制，每个人产生和生活在一定的社会实践关系之中，在主体上是由自在向自由的不断超越，在客体上是不断被外在对象物所改造，文化对于人的存在兼具主客体的价值意义。正如兰德曼所说："它站在脱离于我们的、如同自然界那样的先天形式上。而我们如同不可避免地站在自然界之内那样，自然而然地生活在文化世界之内。"① 每一个生活于社会关系中的人自觉或不自觉地受到文化的浸染、规范和指导，产生潜移默化的长远影响。因之，在当代湖南社会现代化建设和实现中华民族伟大复兴的具体过程之中不能忽视作为历史存在的近代湖湘文化的作用。近代湖湘文化及其精神在近代历史上产生了深远影响，促成了近代湖南人对于世界认知的变化以及投身社会改造与革命之中，推动了湖南社会的进步，影响了近代以来湖南人的精神世界。在历史上所形成的这种湖湘文化及其精神是一种过去的社会存在，表面看来与现实和未来是断裂的，因为文化的社会实践条件和环境已经发生变化，人生活于现实的社会关系之中，对于外在对象物的认知模式和价值观念也会发生变化，从这一点看，谈近代湖湘文化及其精神好像过时，只能将之作为一种历史展览的存在供人们去瞻仰。但这种认识一是忽视了文化发展的本身具有连续性，无论转型也好，建构新文化也好，其基础和前提都是对于原文化的认识和继承。现实社会实践条件和环境在不断变化，但其中文化作为一种认知模式和价值观念具有长期稳定性，其对于人的浸染、规范和指导在新的实践条件和环境下同样起到作用。人同样也不能脱离时空环境对其的文化限制，因之历史上湖南人的认知模式和价值观念经过文化内在连续

① 刘放桐，等. 新编现代西方哲学［M］. 北京：人民出版社，2001：399.

传承性对于今天湖南人的生活方式仍能够产生指导作用。随着社会实践条件和环境的变化，近代湖湘文化经过创造性的转换，经过内在的更新与超越，不断地增加时代内涵，与时俱进，从而焕发出新的生命力和人类的生存智慧，创造出新的、更加和谐的社会关系以及人与自然的关系，促进人的自由和全面的发展。

三、民族复兴与湖湘文化现代转型

2012年11月29日，习近平同志在参观国家博物馆《复兴之路》展览时提出了关于“民族复兴”的重要论述：“《复兴之路》这个展览，回顾了中华民族的昨天，展示了中华民族的今天，宣示了中华民族的明天，给人以深刻教育和启示。中华民族的昨天，可以说是‘雄关漫道真如铁’。近代以后，中华民族遭受的苦难之重、付出的牺牲之大，在世界历史上都是罕见的。但是，中国人民从不屈服，不断奋起抗争，终于掌握了自己的命运，开始了建设自己国家的伟大进程，充分展示了以爱国主义为核心的伟大民族精神。中华民族的今天，正可谓人间正道是沧桑。”“经过鸦片战争以来170多年的持续奋斗，中华民族伟大复兴展现出光明的前景。现在，我们比历史上任何时期都更接近中华民族伟大复兴的目标，比历史上任何时期都更有信心、有能力实现这个目标。……我以为，实现中华民族伟大复兴，就是中华民族近代以来最伟大的梦想。这个梦想，凝聚了几代中国人的夙愿，体现了中华民族和中国人民的整体利益，是每一个中华儿女的共同期盼。”[①] 中华民族伟大复兴这一概念是对近代以来中国人民族富强这种最普遍诉求、最重

① 习近平．习近平关于实现中华民族伟大复兴中国梦的论述［N/OL］．中国共产党新闻网，2013-12-05.http：//theory.people.com.cn/n/2013/1205/c40555-23756883.html.

要愿景的话语表达与理论的提炼，从历史与现实两个维度指明了近代以来中华民族最核心的价值追求与行动方向。

1. 民族复兴的内涵与历史演变

对于中华民族而言，近代以来民族复兴成为一种普遍的价值追求是从认知到民族严重的生存危机开始，学界普遍认为，近代中华民族复兴观念的酝酿与形成，是从甲午中日战争之后民众对于民族主体性的重新思考与认知开始，近代民主革命的伟大先驱孙中山先生在当时严重民族危机之下所提出的“民族振兴”的口号，则成为民族复兴的观念源头。[①] 甲午之前，鸦片战争虽然已经使得西方打开中国国门，中西之间的冲突日趋频繁与激烈，但中国人还抱有一种普遍的对于自身认知模式和价值观念的迷思，除了少部分人外，大都没有认识到中华民族作为一个整体已经遭遇了有史以来最为严重的主体性危机，这种危机不仅仅是领土的被割占，也不仅仅是经济上的被侵略，当 19 世纪下半叶，西方基督教传教士以西方武力为后盾，在中国内地肆无忌惮地传播上帝福音之时，已经有人开始认识到了，这是中国人几千年来所面临的最大的生存危机。尤其是甲午年中国战败于日本这样一个蕞尔岛夷，这严重刺激了当时还抱有一丝侥幸心理的中国人，深刻反省对于世界与中国的认知，梁启超就说：“吾国四千余年大梦之唤醒，实自甲午战败割台、偿二百兆以后始也。”[②] 此时民族生死存亡的现实让中国人从迷梦中惊醒，开始更为激进地寻求挽救民族危亡的道路。

民族复兴的内在产生逻辑必然要有对于中华民族认同的确立。在近代之前，中国人在文化上缺乏对于民族国家的认识，只有一朝一姓之更替，华夷之辨更是一种模糊不清的文化分别。中国人

① 郑大华，张弛．近代“中华民族复兴”之观念形成的历史考察［J］．教学与研究，2014（4）：35-44.

② 梁启超．戊戌政变记［M］．桂林：广西师范大学出版社，2010：3.

在心理上还没有认识到作为文化、地域和血缘上的独特性，这种独特性是民族之分别的基础。在甲午之后，思想上的激进与争端逐渐使中国人开始认识到作为一个整体的中华民族的重要性。以孙中山为代表的革命党人虽然提出“振兴中华”的目标和口号，但中华一词，主要是在两种意义上使用，一是指“中国”，二是指“汉族”。“具体到‘振兴中华’的口号，就孙中山前后的思想以及时人对‘中华’的理解来看，指的应是居住在中华大地上的汉族，当时的人们还没有‘中华民族’的观念。”[①] 在 19 世纪末和 20 世纪初风起云涌的改良与革命运动之中，在面对世界急剧变化、严重民族危机而寻求中国人生存之道时，近代民族主义产生，而多元一体的“中华民族”观念也逐渐形成，梁启超以其敏锐的感知第一次提出了“中华民族”的概念，“1898 年梁启超在《东籍月旦》中较早使用了‘民族’一词；1899 年发表的《爱国论》一文首次在现代意义上使用‘爱国’一词；1901 年《中国史叙论》《国家思想变迁异同论》及 1902 年《论中国学术思想变迁之大势》等文最早使用了‘国粹’、‘民族主义’与‘中华民族’的概念。他在《历史上中国民族之观察》一文中指出‘中华民族自始本非一族’实由多民族混合而成’，至此，‘中华民族’一词基本定型”[②]。

在甲午之后“民族复兴”观念初步形成之后，伴随着近代以来中国人所面临的“救亡”与“富强”两大历史主题，民族复兴始终是每一历史时代中国人的梦想与追求，是时代的最强音。新文化运动及其后的文化论争，实际上还是对于中国在近代复杂历史社会环境之下的道路选择问题。自由主义者把新文化运动定义为中国的“文艺复兴”，主张改造革新传统文化，引进西方文化的

① 郑大华，张弛．近代“中华民族复兴”之观念形成的历史考察［J］．教学与研究，2014（4）：35-44.

② 俞祖华，赵慧峰．近代中华民族复兴观念的生成及其衍化［J］．天津社会科学，2014（3）：132-139.

核心价值观念，促进中华民族的新生与复兴；保守主义者则把近代以来民族的生存危机视之为文化危机，正是面对西方文化强势入侵时国人对于传统文化的不自信，忽视其主体性的建设才导致近代以来中国文化的危机，以致国弱民穷、民族衰弱，因此，要实现民族的富强，世界地位的提高乃至民族复兴，就必须要保存和弘扬传统文化，从文化上复兴中华民族，他们形成了这样一种影响深远的民族复兴的理论逻辑，特别强调儒学复兴在民族文化复兴乃至民族复兴中的核心地位，“要解决中国问题实现民族的复兴，就是要实现中国文化的复兴，而中国文化的复兴，主要是作为中国文化主干的儒学的复兴”①；在马克思主义传入中国之后，中国早期的马克思主义者则科学地提出既不能盲从于西方文化，也不能迷信传统文化，而是以先进的马克思主义理论改造传统文化，朝着社会主义文化的方向重建中国文化，实现民族复兴，比如李大钊在 1924 年发表的文章中就写道：“我们中华民族在世界上贡献，大都以为是老大而衰弱。今天我要问一句，究竟他果是长此老大衰弱而不能重振复兴吗？不的！从‘五四’运动以后，我们已经感觉得这民族复活的动机了。但我又要问一句，这民族究竟真能复活吗？时机倒也到了，只看我们是怎么的奋斗和如何的努力！我们如能使新的文化、新的血液日日灌输注入于我们的民族，那就是真正新机复活的时候。”②

九一八事变之后，“民族复兴”观念最终形成，在民族危机空前深重的背景下，此观念成为一种具有广泛影响力的社会思潮，“作为一种带有现代‘民族’意识、并以全民族整体作为思考对象的影响广泛的社会强势话语和时代思潮，那种明确以‘中华民族复兴’为表述符号的观念形态和有关话语的正式而大量的出现，还是在

① 谢群洋．儒学复兴与中国文化之未来发展——牟宗三“儒学第三期发展”说再议［J］．学习与探索，2013（1）：43-47.

② 李大钊．李大钊文集：下［M］．北京：人民出版社，1984：772.

国民党形式上统一全国之后，尤其是1931年‘九一八’事变之后。该观念一旦形成，随即流行于整个20世纪30、40年代”[①]。这一时期，日本帝国主义入侵的刺激直接刺激了“民族复兴”观念的广泛传播，从张君劢以德国民族复兴为模板，大肆鼓吹费希特爱国主义精神，创办《再生》杂志，提出“中华民族第三振作时期”理论，到梁漱溟提出民族复兴问题即文化重新建造问题，而所谓的文化建造，亦即社会组织结构之建造问题。抗战后期，民族危机已见解决曙光，民族复兴问题即社会发展道路集中反映在国共两党对于中国未来之命运的思考上。蒋介石在其著名的《中国之命运》一书中提出要按德意志民族复兴的路径，将三民主义作为了中华民族复兴的唯一正确路径，“没有三民主义就没有抗战，没有中国国民党就没有革命。即任何党派，任何力量，离开了三民主义与中国国民党，决不能有助于抗战，有利于民族的复兴事业”[②]。而以毛泽东为代表的中共领导人对于中国前途出路的探索中，虽然没有直接或很少使用“民族复兴”这一话语，但在他关于马克思主义中国化的中国革命与社会主义建设的思考和实践中对之也作出了科学的回答。“毛泽东从来没有使用过‘中华民族伟大复兴’或‘民族复兴’一类的词，但这并不能说明他对如何实现中华民族伟大复兴没有系统而深入的思考。毛泽东是伟大的革命家，也是伟大的思想家，实现中华民族伟大复兴是他一生思想和实践的出发点、归宿点。他对于中华民族复兴的思考，是毛泽东思想的重要组成部分，对于我们实现中华民族伟大复兴的中国梦有重要的启迪和指导意义。”[③]

从以上近代以来“民族复兴”思想观念的历史演变来看，民

① 黄兴涛，王峰．民国时期“中华民族复兴”观念之历史考察［J］．中国人民大学学报，2006（3）：129−137.

② 蒋中正．中国之命运［M］．北平：北平时报社，1946：7.

③ 郑大华．论毛泽东的中华民族复兴思想［J］．当代中国史研究，2013，20（5）：81−88.

族复兴是中华民族矢志不渝的理想信念和价值追求，不管时代如何变幻，近代以来中华民族所面临的两大历史任务一是民族独立、人民解放，二是国家富强和人民富裕，前一历史任务我们已经实现，当前我们正处在实现第二历史任务，实现中华民族伟大复兴的历史关键时期，也正是如此，民族复兴才成为当前中国人的共同理想。虽然近代以来不同文化立场、不同政治利益的人在共同的“民族复兴”追求中有不同的阐释，但总的来看，近代以来民族复兴的思想内涵可以用这样四句话来概括：“继往开来的历史视野与文化情怀，团结统一的整体观念与价值诉求，后来居上的顽强意志与宏大抱负，再作贡献的民族自信与世界胸怀。”[①] 不管如何界定民族复兴的内涵，近代民族复兴形成和发展的历史过程所反映出来的基本理想信念和价值追求是当前每一个中国人所必须坚守的，即对于中华民族整体利益的维护，对于民族兴亡的强烈的忧患意识，对于民族文化的创造性继承，对于中华民族未来发展的强烈自信。

2. 近代湖湘文化精神与民族复兴价值契合

在长期历史发展过程之中，湖湘文化形成了以忧患意识和事功化人生价值取向为核心的精神内涵，两宋时期，湖湘学派形成，湖湘文化的精神内涵有了学理上的支撑和话语上的体系。在近代复杂裂变的大环境之下，湖湘文化精神内涵在学理和话语上遭遇着主体性危机，但文化本身是对人生存状态的一种现实反映，虽然体现于外人的具体社会活动会随着社会时间条件与环境的变化而发生缓慢艰难的变化，但其内在的由传统长久所积淀的对于世界与社会及人本身的认知模式和价值观念却具有潜移默化的连续性与黏合性。也正是由于此，湖湘文化的精神内在才促使其文化的具体实践者在近代中国表现出各种不同的生存方式和生活状态，

① 张可荣．“民族复兴”的历史内涵与当代意蕴［J］．长沙理工大学学报（社会科学版），2011，26（4）：92-96.

并形成了湖湘文化和湖南人在近代中国的大放异彩。正如前文所述，甲午之后，湖湘文化出现艰难转型，不管是构成要素、部门文化还是价值观念都发生了复杂而深刻的变化，但驱使着这种变化的还是长久以来湖湘文化的精神内核所决定的认知模式和价值观念，这也决定了湖南人以何种方式投身于社会变迁的历史大潮之中，呈现出一种共同的精神气质及文化品性。甲午之前，近代湖南人以湘军集团为代表，其强烈的忧患意识的精神特质表现为忠君和维护儒学道统，其事功的人生价值取向表现为经世致用的儒学学风和关注经济实务。甲午之后，近代湖湘文化精神中忧国忧民的精神特质由忠君转变为挽救民族危亡的民族主义，维护儒学道统的外在表现也开始逐步向学习西方转变，事功化的价值取向变得更为激进，使得近代湖南人才多集中于政治而少于经济、自然科学等方面。当然，这种精神外在表现的转变更夹杂着甲午之后湖南人心理的深刻转变。如果从细化与具体的表现来看，则可以进行更加形象的概括，即强烈的爱国主义和民族主义精神；求新求变的变革精神；躬行实践的经世致用学风；敢为天下先的使命意识与责任意识。这种近代湖湘文化精神的内涵与表现，在价值上与“民族复兴”观念有着高度的契合，并能为实现“民族伟大复兴”的中国梦提供强大的内生性精神动力。

“民族复兴”观念发萌于近代中华民族严重的文化危机与国家危机之时，随着对于中华民族文化认同的确立与对于世界的重新认识，中国人开始逐步认识到如何确立自身的民族主体性，也开始逐步追求民族的强大与复兴，近代以来中华民族所面临的严峻形势虽然不可避免地带来了中国人在民族复兴道路选择上的艰难探索以及实现方式上的激进，但正是对于民族复兴的孜孜追求，才有了今日中华民族之独立和比历史上任何一个时期都接近民族复兴的伟大目标。实现中华民族伟大复兴贯穿于近代以来中国历史发展过程的始终，统一于近代中华民族两大历史任务之中，这是近代以来中华民族最集中的理想信念与价值追求，决定了近代以来中国文化发展的历史主线。因此，从洋务运动以来，中国近代的制度变革与文化更新，其主要指向都是为了实现民族伟大复兴的目标，湖湘文化的近代发展变化也不外如此。在近代民族危机严重之时刻，湖湘文化精神的忧患意识被激发，以对于民族国家最深沉热切的情感，积极探索民族复兴的路径，由此而可以看到近代中国社会重大变革之中，湖南人强烈的爱国主义和民族主义的精神表达，他们往往以莫大的勇气和担当，以敢为天下先的精神品格走在时代的前列，从郭嵩焘到谭嗣同，从宋教仁到蔡锷，再到以毛泽东为代表的湘籍无产阶级革命家，他们正是由于强烈的忧患意识，才能充当一个时代的“先知先觉”者，才能谱写出近代中国历史上的壮丽篇章。湖湘文化精神的另一面事功化的人生价值取向，使得近代以来的湖南人能紧紧抓住时代的主题，能够脚踏实地，躬行实践，他们从不虚妄空谈，也不盲目地西化或固执地保守，而是能够结合实际与社会需要，找准最符合中国人利益和客观规律的道路。虽然不可避免地产生了所谓湖湘文化偏重政治、军事，弱于经济、学术等现象，但这与近代中国所面临的形势有关，同时，这反映出湖湘文化精神之中忧患意识与事功化价值取向的高度统一。

历史进入到了新时代，社会实践条件与环境发生了变化，民族复兴的内涵也随之而变化，即对于中华民族整体利益的维护，对于民族兴亡的强烈的忧患意识，对于民族文化的创造性继承，对于中华民族未来发展的强烈自信，近代湖湘文化精神也与之有着高度的价值契合。

第一，近代湖湘文化精神中的忧患意识为民族复兴提供必要的认知前提。忧患意识是中国传统文化中重要的价值观念，而在湖湘文化之中表现得特别突出。忧患意识起源于古代人对于人与自然关系以及人自身生存意义的拷问，人的生存方式的进步和对于人自身自由的追求，以及如何超脱变幻无常的自然和社会对人自由的限制，追寻生存的终极意义，是忧患意识产生的重要动因。虽然大多时候忧患意识集中体现在人们面对艰难时世时的一种担忧与对未来的期盼、追求，但其主要内涵还在于对于事物发展未来状态的预测和警惕的风险意识，以及情感上的责任与担当。从湖湘文化初步形成之时，由屈原、贾谊所塑造培育的这种强烈的忧患意识就成为湖湘文化的精神标识之一，到南宋湖湘学派之正式形成，忧患意识也有了学理和话语上的支撑。到近代，湖湘文化精神的忧患意识有了更丰富的表现与更生动的社会实践，在一定程度上推动了“民族伟大复兴”的历史进程。近代湖湘文化精神的忧患意识在“民族复兴”语境下的价值，实际上是为民族复兴提供必要的认知前提。这种认知前提是对于集体的认同与价值的共同构建,正是个体对于“自我”为集体中的一分子认知的确认，才有了“我们”非“他们”的排他意识，由此而产生对于个体与外者关系的认识升华，即对于自己有着情感联系事物的责任感，正如徐复观所说忧患意识“是由这种责任感而来的要以己力突破困难而尚未突破困难时的心理状态，人类精神开始直接对事物产生责任感的表现,即精神开始有了人的自觉的表现”[①]。所以,忧患意识实际上是对于整体利益的认同与维护，这是爱国主义与民族主义的认知基础，也是民族复兴的必要认知前提。当前，中华民族正处于“民族伟大复兴”的历史关键时期，世界历史也走入了世界一体化和经济全球化的变革时代，在此背景之下，面对种种国家、民族弱化与消解的思潮观念，更需要强调个体的生存基本组织方式还是国家与民族，也更需要在社会实践之中强化对于民族、国家的认同与共同的价值观念，唯其如此，个体的生存意义和价值才有最基本的依托和保障，也才能在精神上凝聚共同的力量。近代湖湘文化精神中的忧患意识所体现出来的强烈的爱国主

① 徐复观.中国人性论史：先秦篇［M］.上海：上海三联书店，2001：18.

义和民族主义情感、价值，经过历史变迁，不仅没有失去其存在意义，在当前更应该是一种我们所必须积极继承和弘扬的精神传统。忧患意识同样也是一种对于未来状态的预测与警惕，正是由于责任感和对于未来的美好期盼，作为个体必然会激发出一种努力和奋斗意识，希望在自己的努力之下，事物发展能够符合自己的利益和情感需要。在当前实现民族伟大复兴的关键时期，我们既要充满信心，也要清醒地认识到当前中国之发展充满了机遇和挑战，外部环境也充满了不确定性，西方国家和周边邻国对于中国崛起还抱有文化和制度上的排斥与敌视，中国发展的内在不稳定性因素和限制性因素还很多，因此我们必须脚踏实地，居安思危，艰苦奋斗，将对于未来的良好期盼内化为行动动力，确保实现中华民族伟大复兴的中国梦。

第二，近代湖湘文化精神融入社会主义核心价值观为民族复兴提供价值引领。改革开放以来，中国进入了一个快速发展的时期，经济高速发展，社会日益进步，民众生活水平不断提高，同时社会也正处在转型时期，社会结构深刻调整，利益主体日益多元化，与之伴随的是在思想文化领域各种价值观念和思潮交融丛生，冲突激烈，尤其在意识形态领域斗争日益复杂。人们在思想上的多元性、选择性和多变性日益增强，却产生了社会核心价值观念认同的缺失，信仰迷失、道德滑坡和思想行为失范等诸多问题，并对社会发展产生一定负面影响，出现所谓“跛腿”现象，长此以往，忽视社会精神价值观建设，必然不利于实现中华民族伟大复兴的中国梦。也正是鉴于这一问题，在 2006 年 10 月召开的十六届六中全会上，中共中央第一次明确提出在建设社会主义和谐社会中“建设社会主义核心价值体系”这一重大命题和战略任务，“所谓核心价值体系，就是在一个国家或地区居核心地位，起决定作用的社会理论与意识形态的价值体系。它是一定价值体系的灵魂，主导着特定社会意识的方向与性质，引领着特定社会的思潮与文化走向，蕴含着特定社会发展的价值指向、文化理念与指导思想，影响着广大民众的思维方式、思想观念、文化风尚、道德规范与行为准则，是推动社会发展进步与国家繁荣富强的精神旗帜”①。社会主义核心价值体系包含四方面内容，即马克思主义指导思想、中国特色社会主义共同理想、以爱国主义为核心的民族精神和以改革创新为核心的时代精神、社会主义荣辱观。胡锦涛同志在中国共产党第十八次全国代表大会上所作报告中又再一次提出弘扬和培育社会主义核心价值观，“倡导富强、民主、文明、和谐，倡导自由、平等、公正、法治，倡导爱国、敬业、诚信、友善，积极培育社会主义核心价值观”②。所谓核心价值观，就是在该社会各种价值观中居于核心地位、起支配或主导作用的价值观，社会主义核心价值观是社会主义核心价值体系的内核，居于中心地位，具有统摄性、稳定性等特点。习近平总书记也指出：“一个国家的文化软实力，从根本上说，取决于其核心价值观的生命力、凝聚力、感召力。”③

社会主义核心价值观分为三个层面，“富强、民主、文明、和谐是国家层面的价值目标，自由、平等、公正、法治是社会层面的价值取向，爱国、敬业、诚信、友善是个人层面的价值准则”④。从三个层面看，这近代湖湘文化精神都与之有着高度的契合。作为一个社会中的核心价值观，在文化上必然有对于优秀传统文化资源的继承和升华，习近平总书记在同北京大学师生座谈时说：

① 冯颜利，廖小明．问题·旨趣·路径——社会主义核心价值观新探究［M］．北京：人民出版社，2014：6.

② 胡锦涛．坚定不移沿着中国特色社会主义道路前进 为全面建成小康社会而奋斗——在中国共产党第十八次全国代表大会上的报告［N/OL］．新华网，2012-11-29. http：//www.xj.xinhuanet.com/2012-11/19/c_113722546.htm.

③ 本书课题组．习近平总书记系列讲话精神学习读本［M］．北京：中共中央党校出版社，2014：28.

④ 中共中央办公厅．中共中央办公厅印发关于培育和践行社会主义核心价值观的意见［N/OL］．新华网，2013-12-23.http：//news.xinhuanet.com/politics/2013-12/23/c_118674689.htm.

"我们作为中国人，最根本的是我们有中国人独特的精神世界，有百姓日用而不觉的价值观，弘扬社会主义核心价值观，就充分反映了对中国优秀传统文化的传承和升华。"[①] 近代湖湘文化精神作为优秀传统文化资源，其本身发展就具有内在的连续性，社会实践条件和环境虽然已经发生变化，但文化的精神内涵作为一种认知模式和价值观念具有长期稳定性，其对于人的浸染、规范和指导在新的实践条件和环境下同样起到作用。尤其近代湖湘文化精神内涵，经过创造性的转换已经能与社会主义核心价值观高度契合。近代湖湘文化精神内涵中的对国家、民族的忧患意识，表现为强烈的爱国主义和民族主义情感态度，在近代反映为反对外来侵略，追求民族独立，探寻国家富强的内在精神需要与实践行动。在实践条件与环境发生变化的当下，近代湖湘文化精神内涵的忧患意识结合新的时代主题，反映为对于国家整体利益的维护，以及追求实现中华民族伟大复兴的中国梦。从其内在逻辑来看，既包含个人层面的对于集体的归属感，一种生存意义的价值体现，也包含国家层面的对于富强、民主、文明、和谐的现代化国家目标的追求，反映为对于国家富强目标的追求，达到个人情感与国家目标的一致，从而内在地提供民族复兴的精神凝聚力与向心力。湖湘文化精神内涵的事功化价值取向在近代历史中表现为湖南人的躬行实践、敢为人先的精神品格，也使得近代湖南人多投身于社会变革的实践，在当代环境之下这种精神内涵和价值取向也能提供给个人内在精神指引和规范，在如何处理人的各种社会关系之中有正确而又和谐的认知模式及价值观念，在社会实践活动中更注重脚踏实地，立足本职工作，爱岗敬业，实现个人价值与社会价值的统一。文化在本质上是为人的需要而存在，文化的发展从历史客观规律与人全面发展的逻辑出发，其终极目标是能够实

① 本书课题组．习近平总书记系列讲话精神学习读本［M］．北京：中共中央党校出版社，2014：128.

现人与自然、人与社会的和谐互动，达到人的自由而幸福的状态。近代湖湘文化的精神内涵是长期以来湖南人在地域社会实践过程之中所积淀的对于人生存状态与生存意义的反映，无论是强烈的爱国主义和民族主义精神、求新求变的变革精神、重践履和重实求的经世致用学风，还是敢为天下先的使命意识与责任意识，都能够指导个人生存状态，处理好个人、社会、国家三者的关系。而社会主义核心价值也同样涵盖经济、政治、文化、道德的各个层面，在价值上将个人、社会、国家三者有机地融合起来，最终达到三者在价值目标上的和谐。继承和弘扬近代湖湘文化精神，其目的就在于发挥区域文化本身的内在连续性，形成具有中国特色社会主义的共同价值理念和评价标准，从而在实现中华民族伟大复兴中国梦的历史进程中引领思潮、凝聚共识、坚定信念、激发活力。

第三，近代湖湘文化精神能为实现中华民族伟大复兴的中国梦提供精神动力和智力支持。文化所集中反映的个体对于外在对象物的认知模式和价值观念一旦形成一种稳定的体系，那么其本身作为一个有生命力的系统具有不断地自我发展乃至更新超越的能力，对于人之关系在现实世界中的反映存在产生一种规范和制约。每一个生活于社会关系中的人自觉或不自觉地受到文化的浸染、规范和指导，产生潜移默化的长远影响。因之，在当代湖南社会现代化建设和实现中华民族伟大复兴的具体过程之中，不能忽视作为历史存在的近代湖湘文化的作用。近代湖湘文化及其精神在近代历史上产生了深远影响，促成了近代湖南人对于世界认知的变化以及投身社会改造与革命之中，推动了湖南社会的进步，影响了近代以来湖南人的精神世界。而当前实现中华民族伟大复兴的中国梦的过程之中，我们会面临诸多复杂的问题与艰难的险境，这也更需要我们善于吸取前人的智慧，发挥文化精神力量对于现实社会实践的影响，形成一种精神动力和智力支持。

具体来看，近代湖湘文化精神所具体表现出来的求新求变的变革精神，躬行实践的经世致用学风，敢为天下先的使命意识与责任意识，都对民族复兴有着重要的作用。求新求变意味着打破常规，突破僵化的思维观念，一方面，改革开放以来我们所摸索出来的有中国特色社会主义道路就是中国共产党和中国人民突破社会主义传统认知范畴，不盲从于西方，自力更生的结果，这也是一种不同于其他民族和国家、具有中国特色的民族复兴的模式，或者说一种具有中国特色的发展模式，没有勇于创新的精神品质，中国也不可能有改革开放以来所取得的巨大成就，要实现中华民族伟大复兴的中国梦，就需要我们在未来的发展道路上继续求新求变，结合不断变化的社会实践条件和环境突破既有思维模式，与时俱进；另一方面，当前时代发展的背景是信息化与知识经济时代，随着信息传播的迅捷与社会关系的网络化，社会生产要素的流通更加的多元化，社会个体的差异性导致传统思维观念难以适应于如此快速变化的环境，因此，创新显得尤为重要，尤其对于当前处在民族伟大复兴的关键的我们而言，中国的发展已经进入到“新常态”时期，依靠既有的发展模式和方法已经无法再产生中国经济高速增长的奇迹，因此转变经济增长方式，依靠科技和创新来拉动经济社会发展，这已经是一种普遍认识，特别是在综合国力竞争日趋激烈的当下，创新能力已经成为一个国家文化软实力的重要表现和指标，因此，发扬近代湖湘文化精神中的这种创新精神对于实现中华民族伟大复兴的中国梦有着极为重要的意义和价值。此外，近代湖湘文化精神中注重躬行实践的经世致用的学风也能给实现中华民族伟大复兴的中国梦提供强大的精神动力。中华民族的伟大复兴是中华民族共同的理想，而理想的实现不是靠束手空谈就能够达到的，这就需要我们脚踏实地，勤勉工作。尤其是中国虽然通过改革开放三十余年的高速发展，综合国力不断增强，经济社会发展不断进步，但我们毕竟是一个后发国家和发展中国家，要清醒地认识到与西方发达国家所存在的差距，既不能盲目地陷入自我骄傲的本位主义，也不能失去信心流入虚无主义，无论国家还是个体，都需要做到“知行合一”，既要有思想上的自尊、自觉，也要在行动上躬行实践，对于每一个人而言，要立足于本职岗位，凝聚共同的力量，这样才能坚实地朝着实现中华民族伟大复兴的中国梦一步一步扎实地前进。

3. 民族复兴语境下的湖湘文化现代转型

近代以来民族复兴思想观念的广泛传播，与近代以来中国社会历史发展过程有着密不可分的联系。民族复兴的历史内涵在今天已经随着社会实践条件的深刻变化不断丰富和发展，正如习近平总书记所言，今天“我们比历史上任何时期都更接近中华民族伟大复兴的目标，比历史上任何时期都更有信心、有能力实现这个目标”。在世界发展急剧裂变的今天，如何实现中华民族伟大复兴的中国梦，仍需要我们今天不断地努力奋斗。民族复兴是一个漫长的过程，同时也是社会、国家和民族在整体上的复兴、强大。今天我们思考和探索湖湘文化的现代转型和湖湘文化精神的当代价值问题，必须要从民族复兴这一基本语境出发。

第一，民族复兴为湖湘文化及其精神的现代转型提供了价值指向。近代以来民族复兴观念是伴随着近代中国所面临的严重民族危机所形成和发展的，民族复兴也是近代以来中华民族每一分子共同的理想信念和价值追求。作为一种区域文化，湖湘文化以其鲜明的地域性格和突出的精神气质影响了近代湖南人在历史长河中不断追求湖南和中国的社会进步，在近代中国和湖南社会历史发展中发挥了重大作用，契合了近代以来中华民族复兴的思想潮流。而今天社会实践条件和环境发生了深刻变化，湖湘文化也面临着现代转型的问题。一方面，如果把文化看作一种工具，文化既具有直接推动经济社会发展的作用，也有作为社会整体运行和秩序保障的润滑和整合的功能，文化作为一种生活态度的内在化和观念化体系，在当前社会急剧变革与社会各领域急速分化又相互渗透融合的时代背景之下，更起到了一种机理性的调适作用。湖湘文化是一种地域性的文化，在长期历史发展过程之中形成极富有地域性特色的精神气质，在历史上促进了湖南社会的进步和发展。在当前虽然由于社会实践条件和环境发生了变化，但经过创造性转换的湖湘文化，实现现代性的更新与超越，同样能够为湖南经济发展和社会建设提供强大的精神动力与智力支持，因之，湖南在民族伟大复兴的中国梦实现过程之中就能做出更大的贡献。另一方面，湖湘文化属于中国文化的一部分，中国文化在当代面临着解构、变革和再造，在外源性和内生性因素的共同作用之下，重建更符合当代中国人生存发展需要的认知模式和价值观念体系，促进人的自由和全面发展。而当代中华民族复兴不仅仅在于实现经济的发达，政治的进步和社会的和谐，更体现为中国人的生存方式和价值尺度为世界普遍尊重，并且为世界和人类的发展提供更多的具有普遍意义的借鉴。在这一点上，民族复兴是文化转型的价值指向，我们所要转型建构的文化，不应该是单纯或功利化的为经济和政治服务，文化是人生活世界的基本场域，文化所体现的人对于外在对象物和自身的认知模式以及价值观念凝结成人生活于其中的基本规范，潜移默化渗透在人生活的方方面面，并进而影响到社会整体的发展与进步。因此，湖湘文化的现代转型方向应该符合民族复兴的价值尺度，即要满足当代湖南人在追求和实现民族伟大复兴过程之中的精神需求和价值认同。

第二，民族复兴的内在逻辑为湖湘文化的现代转型提供路径选择。从民族发展与复兴的角度来看，我们需要“自觉”认知到民族的发展、复兴，要正确处理好传统与现代的关系问题。民族复兴并不是单纯意义上的民族强大，也并不是要把自己改造成另一个迎合他者的、面目全非的新面貌，走向对自己的背离，而是要在更高的层次上实现自我的回复与升华。从 20 世纪 80 年代以来的中国在高速发展之中所遭遇到的文化危机问题可以看出，我们在民族复兴过程之中忽视了对于文化传统的理性认知，往往失之偏颇，陷入到文化虚无主义和文化复古主义的困境之中，无法为民族复兴提供认识上的动力和精神上的支持，也导致在经济与社会秩序的建设过程之中出现诸多的思想观念混乱的问题，最终造成传统与现代的割裂，以及自身主体性的消解。从本质上讲，中华民族伟大复兴就是一种文化上的复兴，使中华民族的生存方式和价值重新焕发生机和活力，在对于人性的理解和人生存方式的思考上更具有吸引力，形成世界普遍尊重，并能构建人类世界具有普遍性的价值原则。当今中国，正处在传统与现代、东方与西方的交点上，作为民族伟大复兴的重要内核，文化复兴是在中国发展模式与道路探讨之中对于其合理性与科学性的认同和回归，是对文化传统的更新与超越。湖湘文化在近代的发展也证明，正是由于近代湖南人对于具有鲜明地域特色和独特精神气质的湖湘文化精神传统的继承和发扬，才能在近代中国和湖南发展中产生重大影响，才会孕育出一代又一代为追求民族复兴而牺牲奉献的湖南人才群体。在民族复兴的语境之下，湖湘文化的现代转型一方面要重视长期历史发展所形成的湖湘文化传统，这种传统虽然是在历史发展过程之中所形成的，是一种过去，但它本身是一个动态发展的存在，它并不是与现在割裂的，而是现在内在的一部分，因此，要以理性认识湖湘文化传统为推动湖湘文化现代转型，建构现代湖湘文化的前提，并且弘扬其中契合民族伟大复兴中国梦的精神内核；另一方面，文化复兴并不意味着我们要复兴传统湖湘文化的全部内容，因为传统毕竟不能全部容纳我们对于民族伟大复兴的美好想象与设计，文化的发展规律决定人在生活之中不断探寻和衍生生活意义新的可能性，所以我们还要对湖湘文化的传统进行创造性转化和创新性发展，为实现中华民族伟大复兴的中国梦奠定文化根基。

第三，湖湘文化的现代转型为民族复兴提供区域性的文化认同。民族复兴的基本前提是对于民族的认同，这种认同来源于深深铭刻在每一个民族组成分子的血脉传承之中的文化基因。中华民族在长期历史发展过程之中形成多元一体的民族共同体，也形成了基本一致的对于世界的看法和社会实践的生活方式，这种趋同性构建了我们对于彼此在认知模式和价值观念上的认同，而非地域、政治等原因。正是在此基础之上，我们对于彼此共同的生存价值才有了更高层次的肯定，并形成内在的发展动力。正如有的学者所指出的那样："文化传统凝结着一个民族对于人、自然和社会最为根本、最为独到的觉解和认知，蕴含着这一民族最核心的价值观和最深层次的精神追求，代表着这一民族独特的精神标识和鲜明特色。只有在文化传统的自身认同中，一个民族才会获得明确的主体自我意识，真正享有精神上的归属感和意义感。失落了文化的自身认同，一个民族的存在则会从根本上缺乏本体性的精神支撑，自我意识就会走向分裂，前进的方向就会晦暗不明。"① 一方面，随着经济全球化与世界一体化的发展，文化特征趋向模糊不清，各种异质文化之间不断斗争，争夺话语领导权；另一方面，后现代时代的怀疑、解构与批判精神使得社会之中文化的自身认同已经趋于碎片化，文化的角色身份和精神标识陷入了冲突和混乱的状态之中。民族复兴需要重建文化认同，湖湘文化的现代转型为这种文化认同提供了区域性的基础。前文已经谈到，当代湖湘文化概念的庸俗化固然有湖南人对于湖湘文化功利化使用的考虑，但是更大程度上却是满足了当代湖南人在文化上的一种区域性身份认同的需要。这与近代以来中国文化发展的历史情态有关，也与改革开放以来中国在短短三十余年内从较落后的国

① 庞立生．民族复兴的文化自觉与哲学憧憬［J］．吉林大学社会科学学报，2015，55（4）：170-178.

家逐步发展成为现在的世界第二大经济体的现实有关，更与湖南社会经济发展的现实条件有关。我们所经历的外在世界急剧变化，我们身上所背负的沉重历史负担都会令我们无所适从，因此，从个人对于社会的定位角度，湖南人需要有文化自觉，从内部来讲要明白“我”与“他”的关系，“我”在社会中的位置，我所处的集体的整体认知模式和价值观念；从外部来讲，要明白湖南作为中国的一个部分和整体之间的关系，同其他部分的关系，自身在整体中的定位、意义等。在这一点上，湖湘文化的现代转型实际上能够构建作为一种区域的文化认同，在民族伟大复兴的历史进程之中塑造湖南人具有湖南区域特色的、符合民族复兴价值需要的精神家园。

四、湖湘文化现代转型的路径思考

文化转型实质上是人生活方式的转变，在社会急剧变化的背景之下，人的社会实践和生活环境发生显著改变，人对于外在的认知和价值尺度也随之发生改变，如何处理好在社会变迁过程之中人与自然、人与人、人与社会关系的变化，并在此过程中实现各种关系的和谐，达到人的主体自由和社会价值的最高统一，这就是文化转型的价值和意义所在。从当代中国文化转型的时代背景以及湖南区域社会历史特点出发，湖湘文化文化转型或近代湖湘文化精神的当代价值的再创造应该从以下几方面着手。

1. 湖湘文化现代转型中的“文化自觉”

文化存在于人的社会生活实践的各个方面，潜移默化地影响着人的认知模式和价值观念，更可以把它视之为一种生活的本身。在湖湘文化的现代转型中首先就必须要做到对于历史上湖湘文化的内涵和发展过程、发展的方向和价值判断、在社会发展中的地位和意义的理性认识，这也就是前文所谈到的“文化自觉”。这种“文化自觉”是文化转型和文化重建乃至文化复兴的基本前提。在当代湖南人对于湖湘文化的认知中，普遍缺乏“文化自觉”的意识，湖湘文化的概念的庸俗化使用反映出这一现实情况。当代湖南人缺乏对于湖湘文化的理性认识，而往往出于现实利益和身份认同的需要不断将湖湘文化想象成为其所需要的“湖湘文化”，甚至愈来愈成为一种被消费的“湖湘文化”，这使得湖湘文化失去其本来面目，并且在人们的认识之中越来越模糊。由此看来，实现湖湘文化现代转型，构建现代湖湘文化要有对文化发展的“自知之明”，明了自身所处之文化的来龙去脉，就是要塑造湖湘文化在文化转型中的主体性，从而能动地建构当代湖南人在文化选择、转型和建设中的自主能力，实现湖湘文化发展的新的可能性。一方面，在湖湘文化现代转型的建构过程中，做好湖湘文化的普及工作，每一个生活于特定文化之中的人都应该了解其内在生活方式文化传统的来龙去脉，要避免湖湘文化的传播走向两个极端，或是概念化的存在于学者书斋的研究论著之中，缺乏鲜活的生活气息，远离生活实践；或是被庸俗化的滥用，成为文化的快速消费品。湖湘文化在我们的认识中不应该仅仅是这两种片面的表现形式，要将湖湘文化作为一个整体，包括积极地适应于当代民族复兴与湖南人精神价值需要的因素，与陈腐落后的不适应时代发展需要的部分完整地展现，通过既科学理性又通俗易懂的多元化的方式进行传播，尽可能让每一位湖南人能够准确地理解湖湘文化及其精神的完整体系，只有这样，才能真正在认知湖湘文化的基础之上产生价值意义认同，确立文化现代转型的主体性。另一方面，我们必须认识到当代湖湘文化建设与历史上的湖湘文化的形成发展有着显著的不同。在湖湘文化形成与发展的长期历史过程之中，我们可以很清晰地看到湖湘文化的建构之中存在知识阶层与普罗大众的分别，当然，文化本质上是关于人生活方式的集中反映，湖湘文化也是湖南人在湖南地域特色条件之下社会生活实践的反映，在此层面上，传统湖湘文化是所有人共同参与建构的。由于古代社会实践条件的限制，文化的凝结和传承是属于知识阶层的特有权力，而普罗大众更多的是被动地接受文化赋予他们的认知模式和价值观念，并隐性地丰富着文化的发展和具体体现文化对于人的限制,实际上知识分子对于“湖湘文化”或“湖南精神”的研究、传播本身也包含着建立话语体系，构建文化—权力关系的意图。当代社会发展日趋网络化、扁平化和平等化，在社会权力的分配与文化活动的参与上更趋向公平与个人的体验，社会信息交流方式更加的便捷，相较于传统湖湘文化，此时每一个人才有可能真正成为湖湘文化的构建者和创造者，因此，作为文化主体的湖南人必须了解文化对于生活的全部意义和价值所在，明了湖湘文化现代转型的方向必须契合民族伟大复兴的中国梦，从本质上实现人的自由和全面的发展。在这一过程中，每一个人作为文化建构和创造者都具有平等的文化权力，而且也应该被赋予同等主体价值，共同参与，共同创造属于每一个湖南人内在心灵动力和精神家园的现代湖湘文化。

2. 湖湘文化的现代转型必须坚持“中国梦”的核心价值观

“中国梦”是中国共产党第十八次全国代表大会以来，习近平总书记所提出的重要的中国特色社会主义指导思想和执政理念。“中国梦”除了在宏观目标上体现为民族伟大复兴这样一个中华民族共同梦想之外，其基本内涵表现为“国家富强、民族振兴和人民幸福”，其基本路径是要走中国道路、弘扬中国精神、凝聚中国力量。“中国梦”其中包含有当代中国最具感召力、凝聚力，最简约和最概括的核心价值观，对于中国当前社会发展与文化建设具有根本的指导意义，因此在湖湘文化的现代转型和建设之中，必须要坚持“中国梦”的核心价值观。首先，湖湘文化现代转型的方向必须体现“中国梦”的核心价值观。归根结底，文化是人生活方式的表达，是一整套人对于外在对象物和自身的认知模式和价值观念的体现。人生存方式的不断进步，由自在向自由的超越是文化的内在要求和价值体现。“中国梦”在国家、民族、人民三个维度都表现为不断地进步和超越，是在旧有基础之上的升华，湖湘文化现代转型的方向必须要紧紧契合这三方面的要求。从工具理性角度来看，我们所要建设的湖湘文化，是能够既传承湖湘优良文化传统又能反映中国梦价值要求的新型文化体系，能够在发扬湖湘地域文化传统的基础之上给予当代湖南人以强大的内在心灵动力，在“中国梦”的三个维度上都能做出重要的贡献；从价值理性的角度来看，湖湘文化现代转型所体现的价值关怀必须反映到“中国梦”的内在要求上来，作为一种地域文化的发展与现代化建设，既要有对于地域的人文关怀，同时也要体现为对于民族、国家、人民整体的价值关注，要超越地域的狭隘视野，将自身的生存意义放在更宽广的语境中去思考和体现。其次，湖湘文化转型的基本内容必须体现“中国梦”的核心价值观。“中国梦”的基本内容既有国家、民族层面的宏大，也有个人层面的具体。湖湘文化的现代转型，也必须从不同层面体现“中国梦”的基本内容。湖湘文化虽然是一种地域文化，但随着社会交往的日益突破地域的限制，生产方式各要素更为广泛地自由流通，信息传播更为普及，湖湘文化的现代化建设应该并且可能突破空间的范畴，在“中国梦”的语境之下，体现时代发展的主题，并赋予其长期以来地域文化传统所形成的独特性解读，充实“国家富强、民族振兴、人民幸福”不同层次的内容。再次，湖湘文化的现代转型必须体现“中国梦”的基本路径和要求。湖湘文化的现代转型必须要坚持“中国道路”，即有中国特色社会主义的方向，以马克思主义为指导建立新型的能满足湖南经济社会发展需要和湖南人生存意义需要的先进湖湘文化；要弘扬“中国精神”，在湖湘文化现代建设中要体现对于长期以来湖湘文化中的忧患意识和注重社会实践等优良传统的继承，又要有对于反映改革创新时代精神的异质文化因素的吸收融合；要凝聚“中国力量”，在湖湘文化的现代转型中要注重构建湖南多民族社会的文化认同，关注社会与个人共同的价值意义，团结和凝聚各阶层人民最广泛的利益要求，体现文化对于社会每一个人生存方式和生活意义的肯定。最后，湖湘文化的现代转型要为实现“中国梦”提供强大的动力。一方面，“中国梦”是经济、社会、政治、文化、生态五位一体梦，文化为“中国梦”的实现提供了重要支撑，文化的发展为其他四个方面的发展提供认知和价值的理性选择，或直接转化为其他四个方面的内生性因素。“文化越来越成为民族凝聚力和创造力的重要源泉，越来越成为综合国力竞争的重要因素，越来越成为经济社会发展的重要支撑。”[①] 湖湘文化的现代转型同样要注重在五位一体中的协调，建设能够为湖南经济社会发展提供强大精神动力和智力支持的先进湖湘文化；另一方面，“中国梦”的归宿在于“人民”幸福，在于构建更加公平、合理的社会环境，在于实现中华民族伟大复兴梦想的同时，每一个人都有人生出彩、梦想成真的机会。湖湘文化的现代转型要体现对于个人的关怀，通过潜移默化的影响形成社会中每一个人对于社会主义核心价值观的认同，在构建对于个人生存价值肯定的同时激发生活于其中的每一个人的主体创造性，以改革创新的精神创造出更多的物质与精神财富，从而为实现“中国梦”培育坚强有力的文化支撑。

3. 对于湖湘文化合理内核的继承发扬与更新

文化本身具有生命力和其发展的客观规律，文化的现代性并

① 胡锦涛. 中共中央关于深化文化体制改革推动社会主义文化大发展大繁荣若干重大问题的决定［N］. 人民日报，2011-10-26（1）.

不意味着对于过去和传统的决裂，文化的发展是作为一个连续体的存在，文化的转型和重建也必然是以过去和传统的合理因素为基础。作为一种地域文化，湖湘文化精神是忧患意识与事功化的人生价值取向，在中国社会历史发展过程中这是一种积极的对于人与外在关系的认知模式和价值观念的集中反映，经过近代湖湘文化的艰难转型，传统湖湘文化结合时代主题使得湖南人在此精神指引下创造了近代湖南人在湖湘文化的卓越功绩。在当代，时代主题和社会实践条件的变化促使湖湘文化内在的发展动力发生了再一次的升华。一方面，忧患意识实质上是一种对于民族国家前途命运的思考，是个人生活与集体关系的一种价值取向。近代湖湘文化中的忧患意识更多表现为爱国主义和民族主义，在近现代，这种爱国主义集中表现为反对帝国主义列强的侵略，为了争取中华民族的独立富强而向西方学习科学与民主。近代以来湖南人所表现出的“以天下为己任”的责任感和使命感，在当代不仅没有被削弱，相反得到了进一步的强化，这种忧患意识和爱国情感转化为湖南人对民族国家前途命运的关切和思考，对于民族复兴的追求。如湖南卫视以地方电视台的身份和角度推出了一系列以《新青年》《千年论坛》为代表的具有强烈关怀意识的时政和学术评论节目，可以说是当代湖南人在继承近代湖湘文化精神基础上并与当前社会发展需要相结合而孕育出的精品力作。近代湖湘文化的大放光彩及其文化观念的包容、精深以及强烈的历史使命感与变革意识，为思想、文化、学术的争鸣提供了一个良好的平台，其话题从传统儒家经典到新兴产业的勃兴，从经济全球化到全球伦理变革，题材广泛，见解精辟，真实地记录了当代经济、文化、思想的新发展。这实际上就是湖南人自觉继承近代湖湘文化精神，结合时代主题创造性的传承。

另一方面，近代湖湘文化精神中事功化的人生价值取向在当代也能结合时代主题有新的表现。近代湖湘文化有从古代湖湘文化传下来的经世致用、注重实干、勇于任事、自强不息、勤勉朴实的传统。这种传统其实也就是努力奋斗的传统，说明湖南人有一种独立开拓的创新传统。这种传统促使湖南人永远探求新知和奋发进取，特别是近现代以来，设计了一个又一个革新图强的方案，探索了一条又一条救国救民的道路。改革开放以后，湖南作为一个内陆省份，与其他省份尤其是东部省份比较既无地理位置之优势，也无历史遗留之积累，那么，如何在市场经济大潮中走出湖南自己的社会经济发展的道路呢？当代湖南人继承了为湘军所继承并发扬光大的近代湖湘文化躬行实践、开拓创新、注重实干、勇于任事等精神特质，不故步自封，不抱残守缺，既放眼世界，勇于探索，敢为天下先，又立足湖南，扎根于深厚的湖湘文化资源之中。如湖南电视节目的娱乐性在全国一枝独秀，影响甚大，其原因有二：一是节目制作者的新奇构思和对外来节目的大胆引进；二是湘楚民风对娱乐文化的持久认同。娱乐文化与湖湘文化中悠远的民间文化一脉相承，这是整个湖南人情感的基础，也是湖南电视娱乐类节目制作、形成、发展和广有市场的基石。从现实的角度来看，市场经济主体的多元性特征要求有多元并存的大众市民文化与之相适应。而这种大众市民文化以休闲消费文化为特征，娱乐是其本位，于是以《快乐大本营》《音乐不断》《超级女声》等为代表的娱乐、情感、音乐、益智综艺类、专业化电视栏目一出现就广受欢迎，这也促使文娱演艺业成为湖南改革开放以来成长最为迅速的文化产业。许多学者就指出了湖南文化产业的兴盛正是得益于湖湘文化的熏染，如刘健安认为传媒业的“湖南电视现象”便是“得益于湖湘文化的滋润而成为‘现象’，而‘现象’必将丰富‘湖湘文化’，这就是文化的辩证关系”[1]。湖南电视媒体的领军人物魏文彬在其《湖湘文化与电视湘军》中也阐述了

① 刘健安．“湖南电视现象”与湖湘文化［J］．理论与创作，2001（1）：19-20.

湖南电视现象与其地域文化的内在关联，认为“湖南电视所具有的独特的文化气质及其所创造的影响力”①，乃是源于湖南深厚的湖湘文化底蕴。郑大群更是指出：“新中国首家女性报纸和女性电视频道均诞生在湖南，并且在同行业中一直处于领先地位，取得一系列优异成绩，究其原因，主要是具有‘经世致用，敢为人先’精神气质的湖湘文化所起的主导作用，以及逐渐觉醒的现代女性意识的影响。”②

4. 湖湘文化的创造性转换

文化是一个不断发展完善的多层次、多元化的体系，文化自身发展的规律也决定了文化在转型发展过程之中必须要对于内源性因素和外源性因素兼收并蓄，其中既有对传统的创造性转换，也有对于异质文化的吸收和转化。文化系统的形成是长期历史发展形成的结果，与社会发展的历史变迁过程相适应。在湖湘文化长期发展过程之中，既存在能够结合时代主题和当代价值选择重新焕发活力的因素，也有由于湖南文化生态及历史原因所形成的不适合当代的因素。因此，在构建湖湘文化当代转型的过程中，文化建设应该海纳百川，与时俱进，吸收一切有利于湖湘文化现代化转型的合理资源，转化湖湘文化历史上的陈旧、腐朽的部分，创造性地发展湖湘文化。首先，近代湖湘文化中存在保守与开放并存特质。这与湖湘文化的文化生态环境以及湖湘文化形成发展过程有关。历史上的湖南自然地理环境较为封闭，民风保守，与此同时，移民众多，对于外来文化又能兼收并蓄，因之能形成两宋时期湖湘学派的盛况。近代由于湘军的武功和湖湘文化的兴盛，又造成湖南人封闭排外的文化心理。这样一种矛盾的心理在当代

① 魏文彬．湖湘文化与电视湘军［J］．中国广播电视学刊，2007（7）：78-79.

② 郑大群．论湖南女性媒体与湖湘文化的关系［J］．长沙大学学报，2006，20（6）：12-14.

文化转型中已不适应，社会的开放与多元已经成为一种普遍的认识，文化系统在变化加剧，文化交流日益频密的当代肯定不适应需要。因此，当代湖湘文化转型和文化建设要秉持开放的心态，以平等多元的理性态度去认知异质文化，既包括同属于中国文化组成部分的其他区域文化，也包括外来其他民族的文化，这样才能使湖湘文化与时俱进，不断发展。其次，对于湖湘文化中一些已经失去现实性支撑的因素进行创造性转换，赋予新的时代内涵和价值。湖湘文化在学理上以湖湘学派为尊崇，湖湘学派以程朱理学为核心，强调由内心道德践履以至外在人伦礼仪，由内圣而外王，湖南社会因之也重视理学以及理学对于社会的规范。当代学术体系已发生重大变革，学习旨趣和内容已相距甚远，随着社会现代化的转型实践，当代湖南人应该对湖湘文化中尊崇理学的因素进行转换，旨趣和内容发生变化，但尊崇学术的精神不应有变。前文已提到，江浙文化中有博学崇文的传统，因之在近代中国文化转型中才能成为现代学术重镇，我们应该吸纳江浙文化中重视实事求是的学术精神，丰富充实湖南人对于现代科学的学习。还有，对于经世致用这一湖湘文化特质的时代发展。经世致用是湖湘文化重要的精神特质，也是最突出的表现，比如，不管是学术界还是大众都对于湖湘文化有这样一种认识，认为近代湖湘文化的发展导致了近代湖南人才政治、军事上偏热，而经济、科技上偏冷。表面看来此言有理，但详加分析又有待商榷。前文已有论述，湖湘文化精神内核在于强烈忧患意识的精神特质和以事功第一的人生价值取向，因此经世致用、爱国主义等气质在近代湖南人才身上表现得特别突出。由于近代中国所遭受到的苦难，以及所面临的反帝反封的两大历史任务，近代中国人、湖南人首先要解决的是政治和社会制度的变革问题，因此，湖南人以其躬行实践、经世致用的人文品格集中于政治和军事，以求近代中国首要问题的解决。时代主题发生变化之后，经世致用也应该有更多的时代内涵和新的转换。毛泽东创造性地将马克思主义中国化，其认知模式在于经世致用，在于将理论应用于社会实践，其内在思想路径还在于继承和发扬中国传统文化资源中实事求是的精髓。而今天，湖南人在认知模式上对于经世致用的继承也必须要“知行合一”，经世致用不仅仅是将学术应用于实践，更应是将其转化为人生内在的精神动力与价值尺度，实现人与社会和谐的最终目标。

5. 湖湘文化转型与湖南社会经济发展

文化与社会经济发展之间有着密切联系。一方面，文化的发展离不开社会经济的发展，或者说，社会经济的发展是文化发展的基础；另一方面，文化的发展对于社会经济的发展又具有巨大的推动作用。文化对于经济社会发展主要表现为文化观念影响人们的精神心态和行为选择，从而直接影响人们社会经济活动中的指向效率，如果将之提高到整个社会发展的角度，传统文化对于现实人的观念化的影响会制约社会建设的具体安排。如果从文化结构来看，历史上湖湘文化与其他中国区域文化相比较就缺少契合现代市场经济的因素，比如湖湘文化尊崇程朱理学，有着浓厚的重义轻利、重农轻商的文化传统，地方志就记载：“士子者，百姓所观瞻，士习不端，则民风何由得厚。士子读书明理，为庶民坊表。士气一骄，士品日流于下，关系匪浅。”[①] 在社会民风方面，百姓更是淳朴重农，加之湖南历史上就有穷山恶水之称，封闭的自然地理环境使得湖南的经济模式趋于单一化，湖南经济开发相对较晚；从明清起，虽然湖南的粮食产量有了长足的发展，当时还有“湖广熟，天下足，湖南熟，湖北足”的民谚，但据当时人的记载，湖南“民甚少千金之产，类多株守家园”[②]。市场经济把人

① 李杰超，王文清．宁乡县志：卷首［A］．刻本．1748（清乾隆十三年）．湖南省图书馆藏．

② 刘采邦，张延珂．长沙县志：食货［A］．刻本．1874（清同治十三年）．湖南省图书馆藏．

看作追求利益最大化的理性人，承认人对于利益的保护，并以之作为个人价值实现的经济伦理尺度，而湖湘文化中只重视道德践履，忽视人的经济能动性的状况与市场经济要求相去甚远，因此，要发挥湖湘文化对于湖南社会经济发展的良性积极作用，就必须引入现代市场经济的理性因素，培养湖南人的契约精神和商品经济意识，转换湖湘文化中不利于现代市场经济发展的因素，促进湖湘文化在市场经济环境下实现形态、内涵的飞跃。此外，湖湘文化中有着创新的精神特质，这也能为当前湖南社会经济发展提供强大动力和智力支持。近代以来，湖湘文化从边缘走向中心，在近代历史上产生重大影响，原因之一就是湖南士人能够以湖湘文化的务实精神和忧患意识结合时代背景和社会实践环境创新性地提出解决问题的方案，迎合了当时历史发展的需要。创新是一个民族发展的不竭源泉，创新也是社会经济发展的直接动力，当代湖湘文化转型更要发挥历史上的创新意识，推动湖湘文化新的转换，为资本技术和自然地理位置并不具备优势的湖南经济发展寻找合适的道路。

具体到如何利用湖湘文化来推动湖南经济发展，有以下几方面的思考。首先，整合湖湘文化资源，为湖南社会经济发展提供内生型支撑。湖湘文化有着丰富的历史积淀，形成了具有独特风俗的湖南民间传统与日常生活方式，又有着大量湖湘历史名人和历史遗迹，这都是湖南社会经济发展得天独厚的历史遗产。要用科学的手段来整合这些文化资源，以便为经济发展提供更大的内生型动力。具体来讲，一方面，从全省高度来看，有必要设置全省文化资源整合的指导性机构，为如何继承和创新民间传统提供全局性和科学性的指导意见，规划有着文化积淀和文化传承的城市文化形象特色，打造具有历史性、多样性的文化城市名片。如在长株潭两型社会建设之中，有必要将长沙、株洲、湘潭三市不同的历史特色发掘出来，并与长、株、潭两型社会建设中不同的城市功能定位结合起来，从整体上构建既能发扬湖南民间传统风俗，又能体现现代城市特色的文化资源整合平台，使文化资源不仅仅停留在所谓的“文化搭台、经济唱戏”的肤浅的层面上，而是真正能成为促进社会经济发展的内在动力。另一方面，从发掘旅游文化资源的角度而言，有必要改变过去省内旅游业在发掘利用文化资源方面孤立分散的局面，发挥湖湘文化历史悠久、底蕴深厚的优势，挖掘湖南丰富的民俗文化资源，扩大湖南人文历史的影响，实现经济效益与社会效益的统一。要多渠道、多平台地整合各种文化资源，例如可以以民间节日为整合平台，集中不同地域、不同民族的文化资源，这样既可以在整体上鲜明地突出湖湘地域特色，又可以与现代都市文化的创新、发展结合在一起，既能发展旅游业，又能为城市经济的发展带来新的驱动力。

其次，实现从文化资源大省向文化产业强省的转变，打造具有鲜明湖湘文化特色的湖南文化产业。文化是一个城市和区域经济和社会发展的重要战略资源和潜在财富，一个地方文化资源越丰富，利用和发掘得越充分，那么对这个地方发展的贡献就越大。随着国内外经济增长方式以及人们生活方式的转变，文化产业已经成为当今世界十分引人瞩目的新兴产业。从国际形势看，发达国家已进入后工业社会和信息化时代，文化的发展与经济、科技的发展全面交融，文化的经济化、科技化与经济的文化化已是一个不争的事实。文化产业已经成为发达国家重要的经济增长动力，文化竞争力已成为全球竞争最重要的因素之一。据统计，美国文化产业的年产值已占到国内 GDP 的 1/4，在国内产业结构中位居第二。未来的文化产业在保持其固有的精神文化创造力的同时，将会越来越多地表现出高技术和高智力含量的双重特征，由此将使文化产业发展在社会覆盖面和对公众的影响力等诸多方面，产生难以想象的巨大变化，从而形成广阔的市场空间。从国内来看，城乡居民的消费结构发生变化，恩格尔系数逐渐降低，文化消费在人们的生活消费中，已经占有相当大的比重。最近几年中国居民的文化购买力随着工业经济的发展力也超速发展，文化产品消费增长超过物质产品消费增长 16 个百分点，文化产业已成为中国经济新的增长点。北京、上海、广州等一些大城市，已将文化发展放到促进城市发展的基础地位上来优先考虑。纵观国家一系列文化政策的制定，也对文化建设和文化产业的发展创造了良好的机遇。在过去二十余年发展中，湖南文化产业已经发展成为了在国内具有较大影响力,并已具有鲜明竞争优势的文化产业体系,“电视湘军”“出版湘军”等名号已成为一种品牌，旅游业、动漫产业以及休闲娱乐业都已成为对湖南经济社会发展具有较大影响的经济增长点，但也存在着诸多问题，诸如专门人才引进及培养机制的缺乏，文化资源比较分散，整合性较差等。在国家越来越重视文化产业并出台诸多文化产业政策，以及长株潭两型社会建设的大好机遇之下，要更好地发掘和利用湘军与湖湘文化资源优势，在整合文化资源、引进和培养专门人才的基础上打造具有鲜明特色的湖湘文化产业。

最后，要加强文化资源发掘和利用的战略意识，构建适合湖南社会经济发展需要的文化资源品牌。文化是一种人的内在精神力量，可以转化为人的行为规范和行为准则。湖湘文化精神的内在品质以及湘军带来的湖南人精神的提升在近代湖南社会发展中起到了巨大的作用,这点前文已有所论述,当代各种以“湖湘文化”为旗号的现象层出不穷几近滥用也证明了这一点。文化既是一种精神力量，代表一个民族的灵魂，一个地域的品位，一个城市的形象，也是一种物质力量，它能为湖南的经济振兴提供精神动力、思想源泉，提升湖南的文化品位和城市形象；它也是湖南经济发展的物质条件，提高区域经济发展的竞争力量。所以，为了更加有效地发挥湘军与湖湘文化这一文化资源对当代湖南社会和湖南人的精神作用，有必要从战略的角度来理性地继承和创新。正如同前文所说，当代湖南社会各种以“湖湘文化”为旗号的现象层出不穷几近滥用，但许多湖南人对湖湘文化的历史渊源和流变茫然无知，对什么是湘军和湖湘文化的内涵和特质没有任何了解，其导致的后果，一方面是使得湖南作为一个区域对外时无法形成文化资源的一个鲜明品牌；另外一方面也使得文化资源的精神力量无法落到实处，如果湖南人只是挂了这样一个招牌，湖湘文化精神中的躬行实践、开拓创新、注重实干、勇于任事等精神特质就无法真正起到精神动力的效用。那么如何构建适应湖南社会经济发展需要的文化资源品牌呢？首先是要加强对湖湘文化的学术研究，虽然湖南的许多科研机构和大学都已经在做这方面的工作，其成果也比较丰富，但研究机构比较分散，深入研究的成果较少；其次是要利用媒体加强对湖湘文化的理性宣传，尽管湖南的电视媒体已经在往这方面努力，如湖南教育电视台的《湖湘讲堂》栏目，但还远远不够，我们应该通过各种现代传媒手段，积极推行文化营销策略，宣传湖湘文化品牌，扩大知名度，让中国让世界更好地认识湖湘文化、了解湖湘文化；再次，受湖湘文化的影响，湖南求知重学的传统浓厚，这就需要充分发掘湖湘文化精神中养育人才，重视人才的特质，利用现有人才资源，健全人才激励机制，我们要加大文化产业人力资本的投入，在高校加强文化产业管理、文化创意等专业的建设，并且可以与企业联合，重点培养高层次文化管理和文化经营方面的人才，努力造就一支高水平、结构合理、具有创新意识的文化人才队伍，从而为文化产业的可持续发展积蓄人力资本。加大知识产权保护力度，尊重知识、尊重人才、尊重创造，把湖湘文化转化为现实生产力，努力提高全省自主创新能力；最后，有必要成立湖南文化资源品牌研究机构，从品牌营销的角度来规划湖南文化资源的发掘与利用，改变过去“湖湘文化”滥用的状况，进一步整合优势文化资源，大力拓展对外文化交流渠道，加强策划和包装，鼓励、支持更多的文化交流活动，扩大长株潭影视、出版、民间艺术、工艺美术、文化旅游等湖湘文化载体在海内外的知名度和市场占有份额，从而增强湖湘文化的国际影响力，从扩大湖南人文历史的影响、实现经济效益与社会效益统一的角度和高度来塑造崭新的湖南文化品牌。

6. 在湖湘文化转型中实现人的全面自由发展

当前中国社会的高速发展与社会转型不可避免地带来了文化“意义”缺失的问题。文化是关于人生存方式和意义的表达，从某种意义上来讲，文化与社会的关系在于文化对于社会生活的反思性、批判性、超越性与创造性，文化转型也正是在这样一种反思、批判、超越与创造之中从历史与现实的实践中吸取人对外在世界的认知经验，文化意识更加成熟也更加自觉，从而形成处理人与外在对象物关系的认知模式和价值观念，继而上升为群体的信仰、信念、知识、法令、价值，乃至情感和行为模式的总和。在文化的实践与判断中，人明确自我的主体价值，实现对自我内在的超越，从而实现人的自由而全面的发展。然而在具体的文化转型考察中，我们总是习惯性地陷入对于文化价值判断的庸俗化和功利化迷思。尤其是在中国改革开放之后,许多地方开始搞“文化搭台，经济唱戏”的所谓“文化经济”，把文化与社会发展之间的关系简单地处理为能带来经济效益，文化与社会经济之间的复杂关系被严重地简单化、庸俗化和功利化了。在建设社会主义市场经济体制过程中，经济效益似乎成为了文化转型的唯一取向，能否创造经济效益，甚至经济效益的最大化，成了衡量文化转型成功与否的唯一标准，这是犯了只重视文化的工具理性，而忽视了文化的价值理性，没有尊重文化自身的发展规律的极大错误。诚然，文化体现到社会实践中固然有现实性的经济价值问题，人类生存方式的改善也是文化进步的表现，但在文化转型中更要关注文化的终极关怀问题。有鉴于此，在文化转型中要重视要关注人的主体价值和生存意义。文化是人类生存意义的表达方式，文化的落后，既会导致原创动力——“意义”的缺失的问题，也会产生使实现“意义”的科技方法难以生长的问题。因此，文化不是简单附庸于社会或是经济发展之下，而是具有与社会发展相联动效应的系统，其中起关键作用的还是作为社会主体和文化载体的人，社会发展与文化进步的落脚点都在于人的全面发展与幸福指数的提升，“以理想的观点来看待文化，可以看作是通过个人和整个社会的高级组织为了同时促进人的道德、力量和幸福的发展而普遍地改进人类”[①]。现代社会日益碎片化与虚拟化对于个人生存意义和文化认同产生了极大冲击，社会交往方式的改变也使得人无法再像过去一样能在封闭的时空环境内安身立命。长期以来“现代性”错误的认知也使得文化与社会之间存在紧张，人对外在对象物的价值判断和意义判断逐渐失去平衡。而对于中国人来说，在传统与现代、中国与西方的各种文化冲突之中难以选择。“五四”以来中国文化转型强调对于人本精神与科学精神的张扬，希冀以此来追赶西方文化的“现代化”，但由此而产生的后果却是掉入了所谓“文化不自觉的陷阱”中，过分追求个人的主体性价值与技术理性，既会失掉传统文化中所构建的和谐秩序体系，又会产生人的物化和异化，面临西方文化的“现代化恶果”。“通过我这 60 多年的经历，我深深体会到我们生活在有悠久历史的中国文化中，而对中国文化本身至今还缺乏实事求是的系统知识。我们的社会生活还处于‘由之’的状态而还没有达到‘知之’的境界。而同时我们的生活本身却已进入一个世界性的文化转型期，难免使人们陷入困惑的境地，其实不仅我们中国人是这样，这是面临 21 世纪的世界人类共同的危机。”[②] 因此，在文化转型中应该重新反思文化对于人生存

① 爱德华·泰勒．原始文化：神话、哲学、宗教、语言、艺术和习俗发展之研究［M］．连树声，译．桂林：广西师范大学出版社，2005：1.
② 费孝通．论人类学与文化自觉［M］．北京：华夏出版社，2004：188.

意义和价值尺度的问题，尤其对于“五四”以来中国文化转型中对于“现代性”的偏差问题。从此角度出发,湖湘文化的当代转型，并不仅仅意味着湖湘文化能为湖南经济发展提供多大的经济效益，其核心还应该是湖湘文化能够塑造新时代符合社会进步趋势的湖南人的精神世界，是首先重构湖南人对于人之外在对象物的认知态度和价值观念，以对自然的敬畏之心去思考人存在于天地之间的价值和意义，并在一些基本的观念上达成新的基本共识，即文化在本质上是为人的需要而存在，坚持在文化转型中科学精神与人文精神的融汇，工具理性与价值理性的统一，只有这样才能够实现人与自然、人与社会的和谐互动，符合历史与人全面发展的内在逻辑，并进一步成为湖南社会发展的原动力。

结　语

“以人化文”和“以文化人”——湖湘文化现代转型的再思考

1998年，在我的家乡发生了两件大事（对于我的记忆和印象而言），第一件是在8、9月份间湖南发生了据说是历史上百年一遇的大洪灾，据新闻媒体报道，这一次长江中下游河段水位超过历史最高峰，是继1931年和1954年两次洪水后，20世纪发生的又一次全流域型的特大洪水之一。我的家乡岳阳市华容县注滋口镇位于长江三口之一的藕池和洞庭湖畔，长久以来，洞庭湖由于过度开发，围湖造田，早已造成湖区淤积，面积减小，无法发挥蓄洪调节的功能，加之当时长江上游过度砍伐森林，水土流失，又无现在的三峡大坝进行有效调节，因而造成这次规模空前的洪涝灾害。至今我记忆犹新的是在洪水威胁最大之时，全民动员，人民解放军和地方基层公务员全部上堤，严防死守，防止溃垸。我当时在读高中二年级，也被征召上堤，参与了这场人与天斗的大规模战役。但不幸的是，这么多人付出了努力之后，我们还是没有保住大堤，我所在的乡镇及周围的垸区全部被洪水所淹没，无奈之下，我只身搭乘当时岳阳市组织的用来运送灾民的沙船，去往岳阳投奔亲戚。但当时家中尚有薄财，以及亲朋好友放置的财物，加之唯恐过多麻烦亲戚，父母只好留守家中小楼。当时凄惶之情，犹历历在目。第二件事是这一年10月份，湖南电视台播放了一部电视剧，也是中国大陆第一部与台湾合拍的电视剧《还珠格格》，该剧第一部全国平均收视率47%，创造国产剧收视纪录；第二部全国平均收视率突破54%，最高65%，成为中国电视剧史上最高收视率的电视剧。[①] 这部电视剧开创了一个时代，湖南电视台以地处内陆，经济并不发达省份的条件一跃而成为全国省级卫星电视台的佼佼者，不能不说是中国电视媒体发展历史上的一个奇迹。对于我而言，印象最深的还是当时每逢播出此剧之时，万人空巷，人们言必谈“还珠”，连学校里也充斥着此剧中人物各种

① 孙佳音．湖南卫视第13次播《还珠格格》，收视率竟然夺冠［N/OL］．腾讯娱乐，2012-7-1.http：//ent.qq.com/a/20120701/000027.htm.

盗版劣质的贴画。

2005 年，我硕士即将毕业，硕士学位论文题目选取了郭嵩焘人物研究，为了做好论文，我仔细阅读了郭嵩焘四卷本的日记及诗文集。当时台湾“中研院”近代史所郭廷以先生所著《郭嵩焘先生年谱》尚未在大陆出版（至今好像也未有大陆版本），为了史料的完整，很是费了一番波折才复印到了这本书。虽然后来论文以郭嵩焘史学思想为题，但通过详阅第一手的史料，对郭嵩焘这位湘军集团的重要人物，近代中国第一位驻外使节也有了较为全面的了解，同为湖南乡贤的王先谦对郭嵩焘有一段评价：“夫经纶者，时也，屈伸者，命也。时与命相际，而才显焉，不则反是。吾见役志于功名之途，以毕其生，及其不遂而殇。而无复有以自见者甚多而可悲也。惟魁奇杰特之士，自其始为学时，即已靡不通究。出而应世，未尝以庳小自域，而散见于楮墨者，众咸宝贵之。其或卒绌于远大之程，出其余艺，犹足颉颃千载作者。自古贤达，莫不皆然。易于郭筠仙先生犹深慨焉。”[①] 这段话很是贴切地反映出郭嵩焘一生所具有的浓厚悲剧色彩，早年即以才学闻名于朝野，久经仕宦历练，长于实务，在湘军集团中有着重要地位。后来受命出使，却成为他人生命运的重要转折。郭嵩焘在西方切身感受西方文化的强大，以历史发展的眼光来考察中西文化的优劣，认为西方文化有本有末，形成了其远较同时代人进步的中西文化观。在出使途中，郭嵩焘写下了给他带来巨大毁誉的《使西纪程》，以致被国人视为“汉奸”，当他坐小火轮回到故乡长沙时，竟然遭到湘中民众力阻，以为“沟通洋人”。郭嵩焘之人生命运，也反映出在近代中国文化裂变之中知识分子精神世界的内在矛盾和冲突。

以上所言，并非只是对于个人经历的一种情感回忆，文化从本质上来讲是人生活方式和生活意义内在化的集中体现，如果更

① 王先谦．虚受堂文集［M］．台北：文海出版社，1973：95.

简单地来看的话，文化就是人的生活状态的体现。从漫长的历史演变来看，人由必然向自由的进步是一个复杂的不断进步的历史过程，在此过程之中，人逐步地认识到自身的生存状态与意义，对于世界、他人有了理性化、系统的认知，也逐步形成了特有的文化话语表达，在长期的历史发展过程之中，人们不断地通过社会实践更新着对于自身和外物的认识，文化的话语表达也在不断地经历复杂的更新与超越，这就是“以人化文”。文化是关于人的哲学，是人对于生存状态的诗意表达，是人对自身超越的意义思考。从湖湘文化的历史演变来看，历史长河之中湖南人的生存状态是湖湘文化及其精神所形成的根本决定性因素。湖南人在认识世界、改造世界的实践过程之中形成了湖湘文化的独特精神内涵，并形成对于外在对象物和自身认知模式及价值观念体系，同时也在这一实践过程之中不断丰富和发展着湖湘文化的具体表现。我们总是努力地寻求改变对于自我的外在限制束缚，其目标还是朝着人的自由和全面的超越方向不断前行。上古时期，三苗部落在与华夏部落的战争之中失败，被迫迁徙到生存环境恶劣的南方，由此而产生湖南早期生活于此的土著，在求得生存的过程之中，形成了与中原地区截然不同的精神气质，即所谓“蛮性”，并长期积淀传承下来。先秦与汉，屈原、贾谊被贬湖南，也构建了湖湘文化强烈的忧患意识的精神特质。两宋之交，中原士人由于王朝正统之覆灭，偏安江南，感于靖康之耻，忧于国势，而以天下为己任的士人担当意识与责任意识勃然而兴，也形成了湖湘文化鲜明的经世致用、躬行实践的精神内涵。数百年前，由于人口快速增长所带来的人地矛盾，湖南人被迫去寻找更多能够满足生存需要的土地，开始了大规模的围湖造田和开山造田。正是基于生存的需要和社会的认同，在各种社会矛盾和冲突之中，湖南人也形成了“坚韧”“朴实”“霸蛮”“敢为人先”等性格特征，并促进了湖南多民族的融合与文化的交融。到了当代，湖南人仍然以各种方式调适和丰富湖湘文化精神内涵的发展。社会实践条件和环境发生变化之中，湖湘文化精神的文化生态环境也发生变化，但湖南人对于生存状态及意义的思考却从来没有停止过。在当前湖南经济社会发展过程之中，湖南人如何去认识不断变化的外在之物，其内在思想精神的逻辑还是一种对于湖湘文化的更新和超越。如面对着过去数百年湖南人由“坚韧”“霸蛮”等性格不断地改造自然，对自然过度索取所造成的今天生态环境恶化的恶果，我们就以“坚韧”“霸蛮”精神去抗击自然灾害的同时,也能在认识到一味的“坚韧”“霸蛮”而忽视科学理性是不可取的，在意识到人与自然关系失去平衡之后毅然地去退田还湖，破除堤垸，缓解人与自然之间紧张的对抗关系。在市场经济大潮之中，这种简单的“坚韧”“朴实”“霸蛮”“敢为人先”带来真正实质意义上的湖南经济社会发展，反而会在现代规则面前四处碰壁，所以从 20 世纪 90 年代湖南卫视同台湾合拍《还珠格格》系列开始,湖南电视媒体人的“坚韧”“朴实”“霸蛮”“敢为人先”开始同现代市场经济的游戏规则结合起来，找到了一条适合湖南经济社会发展的新道路。由此可以看出，人由于社会实践条件的变化而不断改变对于自身和外在对象物的认知，也同样会影响文化内在结构的变化，以更适应现实之中人生存的需要和价值满足。

同样，对于社会群体而言，文化也是群体长期历史发展积淀下来并且不断传承的生存方式的体现，文化作为一个系统的整体，本身在长期历史发展过程之中就存在否定之否定的超越性的发展。从这一角度看，文化的发展具有连续性。文化所规范形成的人的认知模式和价值观念经过长期传承深入人心，内化为生活于其中的人的生活方式和存在价值，也是认识世界和改造世界的意识来源。这就是“以文化人”。近代以来，湖南何以在中国舞台上大放异彩，在近代每一次重大社会变革之中都走在时代的前列，涌现出群星璀璨的近代湖南人才群体，这实际上是湖湘文化精神培养和熏染所导致。我们同样也能够认识到，湖南不具备地理位置和技术、资本的优势，要在市场经济的大潮之中成功走出一条湖南发展的道路，就必须放低姿态，以“坚韧”“朴实”的心态主动开拓、敢为人先，纵使毁誉加身，但心志不移，初心不改，唯有这样，湖南才有更多的发展机会和空间。从晚清时期的郭嵩焘，其以湖南人的精神气质而开创性地重新认识中西文化关系，到上个世纪末湖南电视媒体人破除固有观念的束缚，率先开始引进新的更符合市场需要的电视制作新理念和方法，其中一以贯之的还是湖湘文化长期潜移默化渗透在每一个湖南人生活方式中的内在认知模式与价值观念。改革开放以来，中国进入了一个快速发展的时期，经济高速发展，社会日益进步，民众生活水平不断提高，同时社会也正处在转型时期，社会结构深刻调整，利益主体日益多元化，与之伴随着的是在思想文化领域各种价值观念和思潮交融丛生，冲突激烈，尤其在意识形态领域的斗争日益复杂。人们在思想上的多元性、选择性和多变性日益增强，却产生社会核心价值观念认同的缺失，信仰迷失、道德滑坡和思想行为失范等诸多问题，并对社会发展产生一定负面影响，在此背景之下，我们更需要强化文化对于人精神价值的导向与规范作用，创造性地转换湖湘文化精神中的合理内核，融入当代湖南人的物质生活与精神生活中，并潜移默化地影响人的价值取向、思维特点及行为方式，让人们自觉或不自觉产生文化上的向心力和凝聚力，这就是“以文化人”的过程。

由于社会实践条件和环境已经发生深刻变化，而且还在不断地急剧变化之中，我们在今天要推动湖湘文化转型或建设现代湖湘文化，实质上就是将“以人化文”和“以文化人”有机地结合起来。一方面，既要重视传承近代湖湘文化精神，将其契合当代有中国特色社会主义文化的合理因素进行创造性的转换，利用文化内在的连续性，融入社会主义核心价值观、实现中华民族伟大复兴的中国梦推动当代湖南人价值观念的转变与进步。另一方面，文化毕竟是人生存状态的集中体现，文化建设与文化转型的出发点和归宿都是为实现人自由而全面的发展，因此，要在此过程之中重视人的主体性和发挥人的主体创造性，满足人的利益和价值需要。文化转型首先必须由对于文化本身的理性认识开始，历史地而不是割裂地去看待曾经赋予我们集体记忆和性格的文化传统，理性、辩证地去解构文化传统及其对于当前人生活实践的影响，超越偏执，执两用中。

曾经在社会生活中具有支配性地位的观念，随着一些新物质性以及生活方式的变革而发生重大的转变。毕竟，文化是适应人的生存、生活需要而存在的。价值观念的转变并不意味着对于传统的彻底否定，改变的是对于人对于外在对象物关系以及自身主体存在的重新思考与构建，但无法改变的是我们对于生活本身的态度和意义。在社会生活方式遭遇激烈变革的今天，社会高速发展与转型时期利益主体的日益的多元化，在社会主义市场经济体制建立和逐步完善过程之中，经济成分的不同、收入分配方式不同、社会阶层不同导致利益主体出现多元化，在思想观念上也出现多元化的趋势。同时，社会空间也日益虚拟化。互联网信息化技术的发展，导致传统社会空间出现了极大的消解，一方面人与人的关系在现实社会空间中不断地疏离，另一方面却在虚拟的世界中不断地被链接。社会网络与社会关系变得日益的个人化与情感化。社会关系的链接、交流，信息的沟通、传播，正以我们无法想象的速度改变着我们的生活、观念及意义。在日益碎片化、扁平化的社会新时代，人对于外在对象物和人自身的认知模式与价值观念，遭逢着极大的内在紧张。文化多元化的冲突、融合以更宽广和更深刻的影响力，改变着我们的外在表达方式和内在价值肯定。文化转型的开始，也同样是在过去的、传统的基础之上发生的解构与重构，重建更符合社会实践条件与环境，更能体现人对于自身和世界认识、存在意义的认知模式和价值观念。文化传统之于人的生存方式和生活意义的价值肯定不断在外部对抗性的冲突之中消解，人变得无所适从，无法寻找到自我认同与价值肯定的主体性。在这样一种背景之下，推动和实现湖湘文化的现代转型，就意味着需要使用前人的生活智慧来确立对于生活的意义表达。在文化主体性价值日益凸显的今天，湖南人在长期历史发展过程之中所形成和积淀下来的对于自身生活方式和生存价值的思考一直推动着湖南人不断追求文化的更新与超越，推动着价值观念不断融合社会发展与人自身发展的需要，提供给湖南人不断改善人生境遇，实现自我认同的内在心灵动力，从而也必将在更高层次上丰富和推动当代中国文化发展，为实现中华民族伟大复兴的中国梦而提供强大动力。

参考文献

一、地方志

李瀚章，卞宝第，曾国荃，等．湖南通志［A］．刻本．1885（清光绪十一年）．湖南省图书馆藏．

陈弘谋，范咸．湖南通志［A］．刻本．1757（清乾隆二十二年）．湖南省图书馆藏．

陈永图．宜章县志［A］．刻本．1815（清嘉庆二十年）．湖南省图书馆藏．

陈嘉榆，王闿运．湘潭县志［A］．刻本．1889（清光绪十五年）．湖南省图书馆藏．

刘采邦，张延珂．长沙县志［A］．刻本．1874（清同治十三年）．湖南省图书馆藏．

梁栋修，杨振铎．新化县志［A］．刻本．1757（清乾隆二十二年）．湖南省图书馆藏．

顾奎光，李勇．泸溪县志［A］．刻本．1755（清乾隆二十年）．湖南省图书馆藏．

李杰超，王文清．宁乡县志［A］．刻本．1748（清乾隆十三年）．湖南省图书馆藏．

席芬修，周思仁．武冈州志［A］．刻本．1757（清乾隆二十二年）．湖南省图书馆藏．

赵勷，万在衡，王元凯．攸县志［A］．刻本．1871（清同治十年）．湖南省图书馆藏．

张天如，谢天锦．湘乡县志［A］．刻本．1748（清乾隆十三年）．湖南省图书馆藏．

齐德五，黄楷盛．湘乡县志［A］．刻本．1874（清同治十三年）．湖南省图书馆藏．

高大成，张英举．嘉禾县志［A］．刻本．1817（清嘉庆二十二年）．湖南省图书馆藏．

徐淦，江浦光．醴陵县志［A］．刻本 .1870（清同治九年）．湖南省图书馆藏．
李镜蓉，盛赓．道州志［A］．刻本 .1877（清光绪三年）．湖南省图书馆藏．
何玉棻，魏式．直隶澧州志［A］．刻本 .1869（清同治八年）．湖南省图书馆藏．
王勋，王余英．善化县志［A］．刻本 .1818（清嘉庆二十三年）．湖南省图书馆藏．
吴兆熙，冒沅修，张先抡．善化县志［A］．刻本 .1877（清光绪三年）．湖南省图书馆藏．
李惟丙，郭庆飏．衡山县志［A］．刻本．1876（清光绪二年）．湖南省图书馆藏．
郭嵩焘．湘阴县图志［A］．刻本 .1880（清光绪六年）．湖南省图书馆藏．
刘华邦，郭歧勋．桂东县志［A］．刻本 .1866（清同治五年）．湖南省图书馆藏．
姜钟琇，刘士先，王振玉．麻阳县志［A］.1874（清同治十三年）．湖南省图书馆藏．
汪学灏，王闿运．桂阳直隶州志［A］．刻本 .1868（清同治七年）．湖南省图书馆藏．
黄心菊，胡元士．东安县志［A］．刻本 .1876（清光绪二年）．湖南省图书馆藏．
张葆连，刘长佑，刘坤一．新宁县志［A］．刻本 .1893（清光绪十九年）．湖南省图书馆藏．
张应星，徐德泰．耒阳县志［A］．刻本 .1725（清雍正三年）．湖南省图书馆藏．
于学琴，周至德，宋世煦．耒阳县志［A］．刻本 .1886（清光绪十二年）．湖南省图书馆藏．

王汝惺，邹焌杰．浏阳县志［A］．刻本.1873（清同治十二年）．湖南省图书馆藏．
刘华邦，唐为煌．江华县志［A］．刻本.1870（清同治九年）．湖南省图书馆藏．
张大煦，欧阳泽．宁远县志［A］．刻本.1875（清光绪元年）．湖南省图书馆藏．
盛镒源，戴联璧，陈志升．城步县志［A］．刻本.1867（清同治六年）．湖南省图书馆藏．
黄宅中，张镇南，邓显鹤．宝庆府志［A］．刻本.1849（清道光二十九年）．湖南省图书馆藏．
万修廉，张序枝．续修永定县志［A］．刻本.1869（清同治八年）．湖南省图书馆藏．
闫镇珩．石门县志［A］．刻本.1889（清光绪十五年）．湖南省图书馆藏．
严鸣琦，潘兆奎，吴敏树．巴陵县志［A］．刻本.1872（清同治十一年）．湖南省图书馆藏．
湖南省地方志编纂委员会．湖南省志：湖南近百年大事纪述［M］．长沙：湖南人民出版社，1980.
袁汉坤．长沙市志：第2卷［M］．长沙：湖南人民出版社，1995.
胡朴安．中华全国风俗志：上册［M］．上海：上海科学技术文献出版社，2008.
武占坤．中华风土谚志［M］．北京：中国经济出版社，1997.

二、资料汇编

曾继梧．湖南各县调查笔记［M］．长沙：民国湖南全省地方自治筹备处，1931.

湖南调查局 . 湖南民情风俗报告书:上册［M］. 长沙:湖南调查局，1912.
湖南省地方志编纂委员会 . 湖南省志［M］. 长沙:湖南人民出版社，1979—2013.
湖南省岳阳市政协文史资料委员会 . 岳阳百年大事记（1840—1949）［M］. 北京：国际展望出版社，1992.
丁世良，赵放 . 中国地方志民俗资料汇编：中南卷上［G］. 北京：书目文献出版社，1991.
“中央研究院”近代史研究所 . 教务教案档:第三辑(二)[M]. 台北:“中央研究院”近代史研究所，1975.
高占祥 . 辛亥革命前十年民变档案史料［M］. 北京：中华书局，1985.
郑克强 . 赣文化通典：宋明经济卷［M］. 南昌：江西人民出版社，2013.
中国第一历史档案馆 . 清政府镇压太平天国档案史料：第 19 册［M］. 北京：社会科学文献出版社，1995.
杨奕青 . 湖南地方志中的太平天国史料［M］. 长沙：岳麓书社，1983.

三、文集、诗集、日记

曾国藩 . 曾国藩全集［M］. 长沙：岳麓书社，2011.
左宗棠 . 左宗棠全集［M］. 长沙：岳麓书社，1987.
郭嵩焘 . 郭嵩焘诗文集［M］. 长沙：岳麓书社，1984.
郭嵩焘 . 郭嵩焘日记［M］. 长沙：岳麓书社，1983.
王先谦 . 葵园四种［M］. 长沙：岳麓书社，1986.
杨恩寿 . 坦园文录［M］. 上海：上海古籍出版社，1994.

周敦颐．周敦颐集［M］．北京：中华书局，1990.
朱克敬．儒林琐记 雨窗消意录［M］．长沙：岳麓书社，1983.
李桓．宝韦斋类稿［M］．长沙：岳麓书社，1993.
胡宏．胡宏集［M］．北京：中华书局，1987.
张栻．张栻集［M］．长沙：岳麓书社，2010.
梁启超．饮冰室合集［M］．北京：中华书局，1989.
湖南省哲学社会科学研究所．唐才常集［M］．北京：中华书局，1980.
蔡尚思，方行．谭嗣同全集［M］．北京：中华书局，1981.
刘晴波．杨度集［M］．长沙：湖南人民出版社，1986.
王兴国．杨昌济文集［M］．长沙：湖南教育出版社，1983.
饶怀民．杨毓麟集［M］．长沙：岳麓书社，2001.
谭其骧．长水粹编［M］．石家庄：河北教育出版社，2000.
魏源．魏源集［M］．北京：中华书局，1976.
姚淦铭，王燕．王国维文集［M］．北京：中国文史出版社，1997.

四、专著

钱穆．中国近三百年学术史［M］．北京：中华书局，1986.
韦政通．中国思想史［M］．上海：上海书店，2003.
萧一山．清代通史［M］．北京：中华书局，1986.
粟戡时．湖南反正追记［M］．长沙：湖南人民出版社，1981.
钱基博，李肖聃．近百年湖南学风．湘学略［M］．长沙:岳麓书社，1985.
龚书铎．社会变革与文化趋向：中国近代文化研究［M］．北京：北京师范大学出版社，2005.

郑大华．晚清思想史［M］．长沙：湖南师范大学出版社，2005.
郑大华，彭平一．社会结构变迁与近代文化转型［M］．成都：四川人民出版社，2008.
郑大华．中国近代思想史学术前沿诸问题［M］．长沙：湖南师范大学出版社，2012.
徐复观．中国人性论史：先秦篇［M］．上海：上海三联书店，2001.
杨念群．儒学地域化的近代形态——三大知识群体互动的比较研究［M］．北京：生活·读书·新知三联书店，1997.
杨国强．百年嬗蜕:中国近代的士与社会[M]．上海:上海三联书店，1997.
张岱年，程宜山．中国文化与文化论争［M］．北京：中国人民大学出版社，1990.
费孝通．论人类学与文化自觉［M］．北京：华夏出版社，2004.
许纪霖．二十世纪中国思想史论［M］．上海：东方出版中心，2000.
王兴国．郭嵩焘评传［M］．南京：南京大学出版社，1998.
郑焱．近代湖湘文化概论［M］．长沙：湖南师范大学出版社，1996.
周秋光．湖湘文化宏观研究［M］．长沙：湖南师范大学出版社，2001.
周秋光，莫志斌．湖南教育史［M］．长沙：岳麓书社，2002.
周秋光，张少利，许德雅，等．湖南社会史：第2册［M］．长沙：湖南人民出版社，2013.
王继平．晚清人才地理分布研究（1840—1912）［M］．北京：中国社会科学出版社，2012.
王继平．中国近代文化导论［M］．长沙：湖南人民出版社，2003.
王继平．湘军集团与晚清湖南［M］．北京：中国社会科学出版社，

2002.
托马斯·F·奥戴，珍妮特·奥戴·阿维德．宗教社会学［M］．刘润忠，等译．北京：中国社会科学出版社，1990.
周锡瑞．改良与革命——辛亥革命在两湖［M］．杨慎之,译．北京：中华书局，1982.
伍新福．湖南通史：古代卷［M］．长沙：湖南出版社，1994.
刘泱泱．湖南通史：近代卷［M］．长沙：湖南出版社，1994.
许顺富：湖南绅士与晚清政治变迁［M］．长沙：湖南人民出版社，2004.
孔飞力．中华帝国晚期的叛乱及其敌人：1796—1864年的军事化与社会结构［M］．谢亮生，杨品泉，谢思纬，译．北京：中国社会科学出版社，1990.
柯文．历史三调：作为事件、经历和神话的义和团［M］．杜继东，译．南京：江苏人民出版社，2000.
刘放桐．新编现代西方哲学［M］．北京：人民出版社，2001.
闻钧天,江士杰．中国保甲制度 里甲制度考略[M].上海:上海书店，1992.
王先明．中国近代社会文化史论［M］．北京：人民出版社，2000.
郭廷以．郭嵩焘先生年谱［M］．台北："中央研究院"近代史研究所，1971.
陆宝千．刘蓉年谱［M］．台北："中央研究院"近代史研究所，1979.
罗尔纲．湘军兵志［M］．北京：中华书局，1984.
王定安．湘军记［M］．长沙：岳麓书社，1983.
田中阳．湖湘文化精神与二十世纪湖南文学［M］.长沙:岳麓书社，2002.
张伟然．湖南历史文化地理研究［M］．上海：复旦大学出版社，1995.

汪林茂 . 晚清文化史［M］. 北京：人民出版社，2005.
朱汉民，陈谷嘉 . 湖湘学派源流［M］. 长沙：湖南教育出版社，1992.
彭大成 . 湖湘文化与毛泽东［M］. 长沙：湖南出版社，1991.
罗正钧 . 左宗棠年谱［M］. 长沙：岳麓书社，1983.
彭先国 . 湖南近代秘密社会研究［M］. 长沙：岳麓书社，2001.
张朋园 . 湖南现代化的早期进展（1860—1916）［M］. 长沙：岳麓书社，2002.
龙盛运 . 湘军史稿［M］. 成都：四川人民出版社，1990.
熊英 . 湘军与近代湖南社会［M］. 重庆：重庆出版社，2007.
隗瀛涛 . 四川近代史稿［M］. 成都：四川人民出版社，1990.

五、论文

林增平 . 近代湖湘文化试探［J］. 历史研究，1988（3）.
耿云志 . 近代中国的文化转型：问题与趋向［J］. 广东社会科学，2008（3）.
郑大华 . 如何深化近代湖湘文化研究［N］. 光明日报，2004-3-9（C1）.
郑大华,张弛 . 近代“中华民族复兴”之观念形成的历史考察［J］. 教学与研究，2014（4）.
戴桂斌 . 涂尔干：社会的失范与重建［J］. 襄樊学院学报，2006，27（6）.
张可荣 . 民族复兴的历史内涵与当代意蕴［J］. 长沙理工大学学报（社会科学版），2011，26（4）.
崔建新 . 文化认同及其根源［J］. 北京师范大学学报（人文社会科学版），2014（4）.

庞立生．民族复兴的文化自觉与哲学憧憬［J］．吉林大学社会科学学报，2015，55（4）．
刘泱泱．湘军与近代湖南绅权势力的发展［J］．益阳师专学报，1995（1）．
刘泱泱．关于湖南哥老会起源问题的探讨［J］．湖南师范大学社会科学学报，1992，21（2）．
蔡少卿．关于哥老会的流源问题［J］．南京大学学报（哲学社会科学版），1982，19（1）．
王继平．略论曾国藩幕府［J］．求索，1991（4）．
陶用舒．论湖南人才的地理环境［J］．湖南城市学院学报（人文社会科学版），2003，24（1）．
刘益．岭南文化的特点及其形成的地理因素［J］．人文地理，1997，12（1）．
邱捷．近代广东商人与广东的早期现代化［J］．广东社会科学，2002（2）．
刘云波．江浙文化与湖湘文化比较论［J］．求索，2006（8）．

图书在版编目(CIP)数据

近代湖湘文化精神及其当代价值/邵华著;郑大华主编.
—长沙:岳麓书社,2017.10
(近代湖湘文化研究丛书)
ISBN 978-7-5538-0717-1

Ⅰ.①近... Ⅱ.①邵...②郑... Ⅲ.①地方文化—文化研究—
湖南 Ⅳ.①G127.64

中国版本图书馆 CIP 数据核字(2017)第 069062 号

JINDAI HUXIANG WENHUA JINGSHEN JIQI DANGDAI JIAZHI

近代湖湘文化精神及其当代价值

主　　编:郑大华
作　　者:邵　华
责任编辑:饶　毅
责任校对:舒　舍
封面制作:胡　斌

岳麓书社出版发行
地址:湖南省长沙市爱民路 47 号
直销电话:0731-88804152　0731-88885616
邮编:410006
岳麓书社网址:www.yueluhistory.com

2017 年 10 月第 1 版第 1 次印刷
开本:710×1000　1/16
印张:21.75
字数:300 千字
ISBN 978-7-5538-0717-1
定价:68.00 元

承印:长沙鸿发印务实业有限公司

如有印装质量问题,请与本社印务部联系
电话:0731-88884129